經學研究論叢

◆第五輯◆

林慶彰　主編

臺灣學生書局印行

編者序

本刊第四輯，編輯完稿於 1996 年 4 月，出版社因故遲延至 1997 年 4 月才出版。出版這種書，是百分之百要虧本，我們非常感謝聖環圖書公司徐耀環先生這數年來的協助，從第五輯起將改由臺灣學生書局來出版。

從 1997 年 9 月起，筆者經行政院國家科學委員會之補助，赴日本九州大學一年，從事「清乾嘉考證學派與日本考證學派之比較研究」的研究計畫。由於人不在國內，組稿的工作也無法順利進行，直到 1998 年 8 月 31 日回國，一切就緒後，才開始第五輯的編輯工作。我把一年以前的來稿一一過目，特別要說明的是，徐儀明先生的〈理學仁孝觀與傳統醫學〉，是 1996 年 5 月筆者到鄭州參加「宋學與東方文明國際研討會」時徐先生所賜。回台後，因《經學研究論叢》第四輯的稿件已定，祗好把稿子留到本輯。吳格先生的〈《四庫未收書目提要續編》及《許廎經籍題跋》整理前言〉，是吳先生從加州大學洛杉磯分校寄來。朱杰人先生的〈論八卷本《詩集傳》非朱子原帙，兼論《詩集傳》之版本〉一文，是對左松超先生發表於《高仲華先生八秩榮慶論文集》（高雄：高雄師院國文研究所，1988 年 4 月）中的〈朱熹《詩集傳》二十卷本和八卷本的比較〉一文的回應。左松超先生以爲《詩集傳》有二十卷本和八卷本之別，八卷本爲朱子晚年定本。朱杰人先生，旁徵博引，以爲八卷本爲後人隨意篡改的本子，並非朱子之定本。朱先生論證之精密詳確，爲近年來經學研究論文所僅見。

姚際恒的《儀禮通論》，自從陳祖武先生在中國社會科學院歷史研究所圖書館發現以後，《續修四庫全書》也將該書收入，但用以影印的版本，並非中國社會科學院歷史研究所的藏本，而是北京圖書館的藏本。可見，傳世的《儀禮通論》，仍有兩種版本。爲了對《儀禮通論》內容能有更深一層的了解，在 1996 年 9 月至 1997 年 6 月間，我在東吳大學中文研究所講授的「中國經學史專題研究」的課，要求奚敏芳學棣，撰寫〈姚際恒之《儀禮》學〉

一文，收入本輯中。彭林先生爲年輕的禮學專家，〈論清人《儀禮》校勘之特色〉一文，是 1995 年 10 月，彭先生參加「清代經學國際學術討論會」所發表的論文，文中討論清人校勘《儀禮》之成就，頗有見解，爰收入本輯中，以饗讀者。

除上文提及的各位先生外，張崇琛、車行健、陳秀琳、郭丹、曾聖益、張文朝、金培懿等先生，願意惠賜鴻文。丁亞傑、游均晶、馮曉庭、許維萍、蕭開元、奚敏芳、陳文采、黃智信，完成數十篇新書提要。在此一併感謝。

1998 年 9 月林慶彰誌於南港

中央研究院中國文哲研究所籌備處

經學研究論叢
第五輯

目　次

【四書研究】

【日本儒學研究】

【經學人物】

【專題書目】

【序跋選錄】

【學術會議】

【出版資訊】

經　學　研　究　論　叢
第　五　輯　　　頁1～32
臺灣學生書局　1998年8月

五代十國的經學

馮曉庭*

壹、前　言

西元九〇七年，朱溫（852－912）篡唐自立，建立後梁，中國歷史開始步入「五代十國」時期。雖然只延續了短短五十四年（907－960），而且學者也總是習慣以「隋唐五代」一詞來呈現五代十國文化爲隋唐文化延續與附庸的概念，但是就學術發展的角度來看，處於文化過渡階段的五代十國時期是不是完全「墨守舊制」，或者是曾經出現「承先啓後」、「開啓新局」的狀況，似乎是必須詳加探討的問題。因此，將五代十國時期的學術發展視爲一個獨立環節，論述其中的各項命題，應該是必要的。

針對五代十國時期的經學發展進行研討活動，通常會遭遇以下兩項困難：其一，文獻的不足；由於五代十國時期的政治局勢變動劇烈，社會環境也不穩定，因此當時完成的經學作品幾乎都已亡佚殆盡，想要藉五代十國學者的專著直接探討當時的經學研究風貌，可以說幾乎是不可能的。其二，學者時代歸屬判定的困難；由於五代政權僅僅持續了五十四年，因此單單活躍於五代十國時期的學者可以說相當稀少，大多數的學者不是「由唐入五代」就是「由五代入宋」，於是在混亂世局導致相關記載闕如的狀況下，要明確地判定學者的時代歸屬便顯得困難重重。

*　東吳大學中國文學研究所博士生

儘管關於五代十國時期經學發展的研究活動面臨著上述的基本阻礙，然而在分析現今留存的文獻史料之後，可以發現論述五代十國時期經學發展面貌的構想仍然是可行的。基於這個認識，筆者將依循相關文獻的所屬性質分別敘述五代十國時期「官方的經學政策」以及「一般學者的經學研究」於下，希望能夠藉此釐清五代十國時期經學發展的梗概，並申明五代十國的經學在中國經學發展史上的地位。

貳、五代十國時期政府的經學政策

五代十國各朝政府與經學發展有關聯的政策主要展現於「科舉考試」、「經書刊刻」以及「蒐求圖書」三方面，這三項政策基本上都是前有所承，五代十國政府可以說接續了唐代的固有基礎而進一步實行了對後來經學發展頗有影響的措施。

一、科舉考試的持續推行

除了《五代會要》之外，關於五代政府科舉考試政策的文字記載並不多；而至於十國方面的記載則爲數更少，僅有零星幾則。因此，要探討本時期科舉考試對經學研究的影響，只能以五代部份爲敘述重心。五代政府所施行的科舉考試制度基本上沿襲自唐代，而唐代諸科考試中以經學或是經書爲主要測驗範圍的最重要項目是「明經科」，從《新唐書・選舉志》的記載中可以知道明經科考試的主要內容是「帖文」與「口試，問大義十條」兩項（卷 44，頁 1161）。

所謂「帖文」，也稱爲「帖經」，就是經文背誦測驗，測驗的方法爲何？《通典・選舉志》提道：

> 「帖經」者，以所習經掩其兩端，中間開唯一行，裁紙爲帖，凡帖三字，隨時增損，可否不一。……（〈選舉三〉，卷 15，頁 83）

根據杜佑（735－812）的敘述，可以知道「帖經」的具體作法是：其一，先掩蓋住應試者所習經書某葉的兩端，空出其中一行經文；其二，在該行經文中以紙條覆蓋住其中幾個字（通常是三個字，但可隨主考的意思增減）；其三，令考生寫出被覆蓋住的經文。這個方式其實與今日考試慣用的「塡充題」相當類似。

至於「口試」、「問大義」，通常被稱爲「口義」，主要是由考官當面詢問考生經書大義，但是因爲當面問答的方式無法再行稽考，易生弊端，於是後來便改爲「墨義」，也就是以書面形式進行考覈。然而不論是「口義」或「墨義」，應考者都必須依照政府編定認可的說解文字（主要是唐初孔穎達〔574－648〕等人修纂的《五經正義》以及在唐代陸續獲得官方承認的諸經正義）照章一字不改地回答，因此「墨義」方式雖然被冠上擔負考驗學子對「經書大義」認識的重責，卻只能算是對應考者背誦能力的再測試。

在了解唐代「明經科」考試的方式與實質內容之後，學者不難發現，背誦能力是當時「明經科」考試最注重、同時也是唯一的品評標準。事實上，要求學者清晰地背誦經文，即使在今日仍然不能算是落後的觀念，但是在功名利祿的引導之下，這個方式開始對經學研究產生不良影響。

在「帖經」方面，根據《新唐書·選舉志》的記載，作爲「明經科」考試範圍的「正經」有九部，其中「《禮記》、《左傳》爲大經」，「《毛詩》、《周禮》、《儀禮》爲中經」，而「《周易》、《尙書》、《公羊》、《穀梁》爲小經」，區別的標準很顯然是經書的字數篇幅。至於應考者則有「通二經」、「通三經」、「通五經」的分別，而無論研習那一類，所有參加「明經科」考試的考生都必須研習《孝經》與《論語》。因爲考試是以背誦爲主，爲了能夠比較容易地取得利祿，學子當然會選擇學習篇幅較小的經書。就經書義理的追求而言，文字的多寡並不能成爲經書難易的評斷標準，然而在專主背誦的制度之下，篇幅的大小就是經書難易的絕對指標。在這個觀念之下，終於形成了「明經科」諸人「以《禮記》文少，人皆競讀」（《唐會要·貢舉上·帖經條例》，卷 75，頁 1630），「《左傳》卷軸文字，比《禮記》多校一倍，《公羊》、《穀梁》與《尙書》、《周易》多校五倍」，雖然朝廷制定了獎掖的辦法鼓勵學子，但是「『明經』爲《（左）傳》學者，猶十不一、二」的嚴重投機情況（《唐會要·貢舉中，三傳》，卷 76，頁 1665）。

研究經學的學子不以時代需要或是學術責任作爲學業科目選取的考量，卻以字數的多寡作爲選擇的標準，使某些經書幾乎成爲「絕學」，從此看來，「帖經」給經學發展帶來的不良影響是相當嚴重的。

在「口義」與「墨義」方面，背誦的方式除了使學子對所習經書作出錯誤的選擇之外，這個方式本身的規範也給經學發展帶來嚴重影響。「口義」與「墨義」對經學研究者思想的箝制，唐人柳冕（?－805?）在〈與權侍郎書〉一文中說得很清楚：

> 自頃有司試「明經」，奏請每經問義十道，五道全寫《疏》，五道全寫《注》，其有明聖人之道，盡《六經》之義，而不能誦《疏》與《注》，一切棄之。（《文苑英華・書二十三・薦舉上》，卷 689，葉 2 上）

雖然柳冕寫這篇文章的主要用意是希望政府能夠以合理的方式選拔人才，並非用來批判「口義」、「墨義」之法，但是從他的敘述之中，卻可以發現這個考試方式保守性極強的眞正內涵，應考者面對官方所提出有關於「經書大義」的問題，只能消極地完全以官方所認定的《注》與《疏》作答，不僅在對經義的認識方面必須嚴格遵守，就連文字也不能稍有逾越。於是，在「不能誦《疏》與《注》，一切棄之」的原則之下，官方展現了非常強硬的態度，這不但代表士子將會爲了求取利祿而專心背誦官方所認定的「標準說解」，也再一次強調了官方標準的不可懷疑性；同時，既然「明聖人之道，盡《六經》之義」無助於仕宦之途，對經書義理積極而確實的追求，也當然要置諸腦後了，所以，一切相關的思考活動也就從此緩慢下來。從上述文字看來，「明經科」考試以政府認定的《注》、《疏》作爲「口義」與「墨義」的絕對標準，雖然就考試制度本身來說是公平的，但就在這個標準制度之下，學者失去了檢討的空間，也喪失了反省批判的能力與勇氣，所能作的只是一再地因循。筆者以爲，《五經正義》之所以能夠自唐初至宋初暢行三百餘年，極少遭受攻訐，或者是因爲該書「體大思精」，在當時的確「詳實可據」，而科舉制度澈底地箝制了學者的思想，應該也是重要原因。

除了測驗辦法本身有問題之外，主考官員選取試題的態度也對士子研究經學的意向與方式產生了很大的影響。為了增加人才選拔的週密與嚴格性，唐代「明經科」考試的精神內容逐漸偏頗；開元十六年（728）十二月，國子祭酒楊瑒（?－?）就曾經上奏指出當時掌理「明經科」考試的官員往往不詳考經書「述作之意」，而「每至試帖，必取年頭月尾，孤經絕句」為題。（《唐會要・貢舉上・帖經條例》，卷 75，頁 1630）相同地，杜佑在《通典・選舉志》裡也說道：由於應考士子人數增多，官方為了嚴格選拔，所以「其法益難」，「有孤章絕句、疑似參互者以惑之；甚者或上抵其《注》，下餘一二字，使尋之難知」。在考官態度日益扭曲與考題難度日益增高情形之下，應考舉子不得不提出對應的辦法，最後竟然產生了「舉人則有驅懸孤絕、索幽隱為詩賦，而誦習之不過十數篇」的現象。於是，為了考試及第、應付艱難怪異的試題，學子捨棄了經書研究的正途，僅僅在十幾篇支離的文字中埋首鑽研，最後終於導致讀經者不願意全面研讀經書、對於經書中的「平文大義或多牆面焉」的惡劣狀況。（《通典・選舉志三》，卷 15，頁 83）筆者以為，學者既然不願意也不能按部就班、頭尾完整地研讀經書，一般學子的經學研究層次因此而降低，當然是可想而知的結果了。

五代政府承襲唐代制度，以經書經學為考試範圍的「明經科」仍然保存，其項目則與唐代稍有不同，分為「九經」（研習九部經書）、「五經」（研習五部經書）、「學究一經」（專研一部經書）三者，範圍則與唐代成立的「《九經》」無異。根據《五代會要》的記載，到了五代末期的後周太祖（904－954）廣順三年（953），「九經科」要測驗「『帖經』一百二十道、『墨義』二十道」，「五經科」要測驗「『帖經』八十道、『墨義』二十道」，「學究一經」則要測驗「『念書』二十道、『對義』二十道」。（〈科目雜錄〉，卷 23，頁 288）就上述的測驗內容來看，雖然這只是一個部份取樣，但是和唐代相同，背誦經文與注疏的能力依舊是當時考試的唯一重心，卻是不爭的事實。雖然文獻記載不足，但是在基本環境不變的前提之下，說唐代科舉制度對經學研究造成的阻礙依舊存在於五代，應該是可以成立的。

除了純粹的文字背誦書寫之外，後唐莊宗（885－926）曾在同光三年

（925）頒佈詔令，指示「明經科」的主試委員在考生「帖經」完畢之後「引試對義時」，應該「於大義泓出經問義五道，於簾下書試，只令隔簾解說，但不失《注》《疏》義理，通二通三，然後便令念《疏》……」（《五代會要・科目雜錄》，卷 23，頁 287）。當時的「明經科」考試是否必須測驗「墨義」，在這則記述中並不能夠得到確認，然而其中有關考生回答經義必須「不失《注》《疏》義理」的規定，卻是五代政府透過科舉考試將當時經學研究的範圍限制在漢唐「注疏之學」內的明證。

生於後梁，歷仕後晉、後漢、後周，終於宋代的竇儀（914－966）曾在〈條陳貢舉事例奏〉一文中說道：

> （舉子）纔謀習業，便切干名。《周》、《儀》未詳，赴《三禮》之舉；《公》、《穀》不究，應《三傳》之科。經學則偏試帖，由進士則鮮通經義，取解之處，譸張妄說……（《全唐文》，卷 862，葉 5 下）

在這段文字裡，竇儀批評了當時以經學爲應考範圍的考生未曾通讀經書便貿然參加考試，而國家考試偏重背誦致使經書義理不彰、應考「進士科」學子對經學大多一竅不通，導致曲解妄說滋生的狀況。雖然這則記載並非專門針對「明經科」考試的弊端而發，但是竇儀的敘述卻直接說明了當時一般學子的經學研究水平極其低落，也同時間接證明了五代政府所施行的科舉政策對當時經學的研究與發展深具破壞作用。

二、經書文字的刊刻印行

五代十國時期由政府所主持的經書文字校定與刊刻工作共有兩項，一是五代政府的「經書雕板印刷」，一是十國中後蜀的「石經雕鑿」。

㈠五代政府的經書雕板印刷

在經書文字的統一校勘方面，因爲雕板印刷的確實施用，五代各朝政府的表現顯得相當活躍。後唐明宗（867－933）長興三年二月（932），當時中書、門下二省的官員馮道（882－954）、李愚（?－935）「奏請依石經文字（唐開成石經）刻《九經》印板」，明宗基於自從「兵革以來，庠序多廢，縱能傳授，罕克精研」，導致經書的傳寫「亥豕有差，魯魚爲弊」，爲了避免「一言致誤，則大意全乖」，使得經書義理的傳承產生「漸當紕繆」的考量，於是敕令「國子監集博士儒徒，將西京石經本，各以所業本經句度抄寫注出，子細看讀」，開始了雕刻印板的準備工作；四月，勘讀鈔錄經文與附加《注》文諸事告終，馬鎬（?－?）、陳觀（889－962）、段顒（?－?）、田敏（880－971）四人又受命擔任詳勘官，再次進行校勘；文字的訂正完全結束之後，明宗接著委任國子監「於諸色選人中，召能書人謹楷寫出」，並「付匠人雕刻」，於是，雕板印刷經書的工作正式開始進行。到了後漢隱帝（931－950）乾祐元年（948）四月，國子監儒臣上書說道：

> 在監雕印板《九經》内，只《周禮》、《儀禮》、《公羊》、《穀梁》四經未有印板，今欲集學官較勘四經文字，雕造印板。（《冊府元龜·學校部·刊校》，卷 608，葉 30 下）

從國子監儒臣上奏的文字中，可以發現當時《周易》、《尚書》、《詩經》、《禮記》、《左傳》五部經書的印版其實已經雕刻完畢，經學史上第一部由政府刊刻發行的經書或許已經在廣爲流傳。另一方面，對於校定刊刻「二《禮》二《傳》」經文、《注》文要求，隱帝作了正面回應，於是儒官聶崇義（?－?）等人開始進行第二階段工作。後周太祖（904－954）廣順三年六月，「十一《經》及《爾雅》、《五經文字》、《九經字樣》板成，國子監事田敏上之」，於是，持續了二十一年（932－953），歷經了四個朝代（後唐、後晉、後漢、後周），經書印板的雕刻工程到此完全結束。

除了《經》文與《注》文之外，五代學官也開始刊印唐代陸德明（550－630?）編纂的《經典釋文》。後周世宗（921－959）顯德二年（955），國子祭酒尹拙（891－971）因爲「陸氏《釋文》，唐初撰集」，「綿歷歲月」，以致「傳寫失眞」，所以上奏要求「較勘《經典釋文》，雕造印板」，在世宗的支持之下，儒官尹拙、張昭、田敏、聶崇義、郭忠恕（?－977）等人於是開始進行校勘《經典釋文》。然而這項工作在五代時期並未全數完成，一

直到了宋代初年，《經典釋文》的刊本才得以完全通行。❶

分析五代時期中央政府雕印經書文字的記載，可以知道：其一，五代的經書刻本在內容上完全因循著「唐石經」的制度，除了《九經》之外，還包括了《孝經》、《論語》、《爾雅》三者，並且附加了唐代官方兩次整理經書文字的成果——《五經文字》與《九經字樣》兩書，在這個傳遞之下，不但前後朝代之間政策襲用的痕跡歷歷可見，經書體系逐漸形成的脈絡也顯得相當清晰；同時，《經典釋文》的校勘與付梓，除了證明了該書仍舊是當時學者認識經書文字或義理的重要媒介外，也是了解「漢唐注疏之學」說解系統成立過程的重要依據。其二，五代政府刊刻的經書印本除了經文之外，還包括收入各《經》的《注》文，除了可以作爲官方再度標示經學說解正宗的指標之外，也同時使得《注》文與《經》文更緊密地結合，成爲後世刊刻經書將「經」、「注」、「疏」匯一形式的先導。其三，經書印本的發行，除了代表著中央政府從此具備了可以流傳久遠並且影響廣大的有力工具，在統一經書文字方面將表現得更有效率以外，在經典普及的情況下，也同時爲後世經書經學的擴大流傳奠定了良好基礎。筆者以爲，五代政權發行經書印本雖然並非偉大發明，然而卻是經學能夠在當時兵燹時興、政治與社會秩序紛亂的大環境中得到延續，到宋代重新發皇的重要原因，而宋代官方能夠在立國之初的數十年中完成十二部經書與經說（主要是各《經》的《疏》）的整

---

❶ 關於五代政府刊刻經書印本的敘述取材自：

(一)《冊府元龜・帝王部・崇儒術二》，卷 50，葉 16 上—18 下。

《冊府元龜・學校部・刊校》，卷 608，葉 29 下—31 上。

(二)《五代會要・經籍》，卷 8，頁 96－97。

(三)《舊五代史・唐書・明宗紀九》，卷 42，頁 588。

《舊五代史・漢書・隱帝紀上》，卷 101，頁 1348。

《舊五代史・周書・馮道傳》，卷 126，頁 1658。

(四)《玉海・藝文部》，卷 43，葉 10 下—14 下。

(五)《宋史・儒林傳一・聶崇義傳》，卷 431，頁 12793。

《宋史・儒林傳一・田敏傳》，卷 431，頁 12818－12820。

(六)《五代兩宋監本考・五代監本・甲・九經三傳》，卷上，頁 1－11。

理工作，應該可以說是延續了這個自從五代時期就已經確立施行的重要政策。

㈡蜀石經的雕鑿

後蜀後主孟昶（919－965）廣政元年（938），後蜀政府下令招選「士大夫善書者」，由毋昭裔（?－?）總領其事，開始石經的雕鑿工作。廣政七年（944），《孝經》、《爾雅》、《論語》三書雕鑿完成，後主於是又命毋昭裔依照唐代開成石經的制度刊刻《九經》。廣政十四年（951），《周易》刊刻完畢；從此一直到後蜀亡國（965），共有《毛詩》、《尚書》、《儀禮》、《禮記》、《左傳》（至第 17 卷）諸經先後完成。之後，《左傳》（自 18 卷以後）、《穀梁傳》、《公羊傳》完成於宋仁宗（1010－1063）皇祐元年（1049），《孟子》則完成於宋徽宗（1082－1135）宣和六年（1124）。自開雕到完成，一共歷經一百八十七年。除了總領其事的毋昭裔之外，各經的書寫人分別爲：

《孝經》、《論語》、《爾雅》——張德釗（?－?）
《周易》——楊鈞（?－?）、孫逢吉（?－?）
《尚書》——周德貞（?－?）
《周禮》——孫朋吉（?－?）
《毛詩》、《儀禮》、《禮記》——張紹文（?－?）
《左傳》——蜀人書，未題書寫人
《公羊傳》、《穀梁傳》——田況（1005－1063）（宋人）
《孟子》——席旦（?－?）、彭慥（1026－1071）（宋人）

蜀石經又名廣政、孟蜀、後蜀、成都、益都石經，在形制方面以唐石經爲底本，而附加注文。筆者以爲，蜀石經的刊刻在經學史上的意義爲：其一，根據晁公武（1105－?）《石經考異》的考證（原書已亡逸，以下所列敘述文字是根據宋人范成大〔1126－1196〕〈石經始末記〉的載錄），其中文字與五代及宋代中央政府所雕印板出入頗多，除了在版本形式上，「《周易・

說卦》『乾，健也』以下有韓康（?－?）《易注》、《略例》（王弼〔226－249〕《周易略例》）有邢璹（?－?）《注》、《禮記・月令》從唐李林甫（?－752）改定者」，「監本皆不取」之外，各《經》經文與刊本有差異的「《周易》經文不同者五科、《尚書》十科、《毛詩》四十科、《周禮》四十二科、《儀禮》一十一科、《禮記》三十二科、《春秋左氏傳》四十六科、《公羊傳》二十一科、《穀梁傳》一十三科、《孝經》四科、《論語》八科、《爾雅》五科、《孟子》三十七科」，而且「其《傳》、《注》不同者尤多」，已經達到「不可勝計的地步」，單就晁公武對部分篇幅的初步校定以及統計，二者的歧異竟已經達到「三百二科」；雖然當時學者大多認爲蜀石經「校寫非精」，少有推崇，但是在宋初官方頒佈完成於五代的刊本爲經書定本，同時「收向民間寫本不用」，因而導致「有訛舛，無由參校，判知其謬」，使學者認爲「官既刊定，難于獨改」的情況下，蜀石經對於五代與宋代中央認可頒布的經書刊本文字，或許有相當程度的輔助寔正作用（《全蜀藝文志》，卷36，葉8上—8下）。《宋史・儒林傳》記載五代官方負責校定經書文字的田敏在校書時「頗以獨見自任」，經常依照本身的意見改動經書，如改「《尚書・盤庚》『若網在綱』爲『若綱在綱』」、改「《爾雅》『椴，木槿』《注》『日及』爲『白及』」，常爲當時人所詬病，如果這些爭議能夠參酌蜀石經，或許能夠尋得較中肯與合理的解答。其二，蜀石經的雕鑿較五代經書印板的刊刻晚了六年，其中是否有因襲的關係，現今已無從探究，而不論是否有關連，二者都有將各《經》《注》文附入的措施，可以說是五代十國時期《注》文必須隨著《經》文流傳的觀念已經確立、而且「漢唐注疏之學」體系已初略形成的有力說明。其三，雖然的雕鑿工作延續了幾乎兩百年，在提供學子正確經書文字以及經學傳播的功能上顯得的有些緩不濟急，但是蜀石經卻是中國經學史上第一次將所謂的《十三經》彙集爲一體的偉大創舉；儘管《左傳》的後半部、《公羊傳》、《穀梁傳》完成於北宋中期，《孟子》完成於北宋中晚期，與五代十國時期已相去甚遠，但是蜀石經逐漸成立的過程卻是中國經書體系由《九經》而《十二經》、由《十二經》形成《十三經》的最具體例證，而這樣的結果，同時也是《孟子》一書成爲

「經部」書籍，日漸受到政府與學者重視的最清晰說明。❷

㈢各代政府對書籍文獻的蒐求

五代與十國諸政府承續了肇始於唐代安史亂後的各種紛擾，又處於兵燹頻仍、興替迭起、各自分裂的局面，在政權毫無保障、社會秩序丕變的惡劣情勢下，政府對於文化活動以及文化財產的保護與推行，自然會顯得力有未逮，而當時文獻的喪失的狀況，《冊府元龜》與馬端臨的記載多少可以說明一二：

> 後唐莊宗同光二年（924）二月制：三館（指唐代的昭文館、集賢館、史館）、蘭臺，藏書之府，動盈萬卷，詳列九流。爰自離亂，悉多遺逸，須行搜訪，以備討尋。
>
> （同年）四月，樞密使郭崇韜（?－926）又奏曰：伏以館司四庫藏書，舊日數目至多，自（唐僖宗〔862－888〕）廣明年（880）後，流散他方，宜示獎酬，俾申搜訪。（〈帝王部・崇儒術二〉，卷50，葉16上—16下）
>
> （後）周世宗以史館書籍尚少，銳意求訪，凡獻書者悉加優賜，以誘致之。（《文獻通考・經籍一・總敘》，卷174，頁1508上）

雖然這三段文字中有兩項所陳述的是後唐莊宗同光二年的史事，而且前後僅僅間隔兩個月，但是從後唐莊宗、郭崇韜、後周世宗的敘述裡，可以發現：其一，原本庋藏豐厚的中央圖書管理機構因爲戰爭與紛亂的關係自唐代末年

---

❷ 關於蜀石經雕鑿的敘述取材自：
(1)《郡齋讀書志・附志》，卷5上，頁513－519。
(2)《石刻鋪敘・益郡石經》，卷上，葉1下—6上。
(3)《玉海・藝文部》，卷43，葉12下—13上。
(4)《宋史・儒林傳一・田敏傳》，卷431，頁12818－12820。
(5)《十國春秋・後蜀二・後主本紀》，卷49，葉8上、15上。
(6)《歷代石經考，蜀石經考》，頁407－460。・宋・范成大《石經始末記》，《全蜀藝文志》，卷36，葉7上—10上。

開始陸續流失大量的書籍文獻，一直到五代，情況仍未改善。其二，五代中央政府已經體認到書籍文獻流失的事態嚴重，於是開始擬定推行徵訪典籍的政策。在相關文獻中，五代政府搜求民間藏書、獎掖獻書的明文記載並不多，如果以朝代做爲區隔，分別是後唐、後漢以及後周。

後唐莊宗同光二年二月，莊宗有鑑於「三館、蘭臺」這些中央政府機構原本「動盈萬卷，詳列九流」的豐厚藏書，由於戰爭離亂的關係而多有遺失散逸，因而認爲必須進行搜訪工作，於是下詔聲明：「有人能以經史及百家進納者，所司立等第酬獎。」接著，在稍後的四月，樞密使郭崇韜又上奏，指出自從唐僖宗廣明年間開始，原本爲數眾多的四庫各類書籍逐漸「流散他方」，因此建議中央應該頒行獎勵辦法，鼓勵民間獻書，使搜求典籍的工作能夠順利進行；郭崇韜並且請求：倘若有人能夠以家中庋藏的「經史百家之書進獻」，而「數及四百卷以上者」，政府應該委派掌管典籍的機構清點勘察，使所進獻的書籍文獻「無脫漏於卷軸、無重疊於篇題」，同時「寫札精詳、裝飾周備」，最後依據實際部帙詳確上奏，使中央得以按覈卷帙多寡按等級授與獻書人官職。對於郭崇韜的建議，莊宗做了正面的回應，認爲「購求經史，頗爲允當，宜許施行」，並且下令：進獻典籍在「四百卷已下、參百卷已上，皆成部帙，不是重疊，及紙墨書寫精細」的獻書人，已經是政府「選調之官」的，「每一百卷與減一選」，減省接受中央審核的次數，而已經「無選減數」的官員，則是「注官日優與處分」；對於「無官者納書及三百卷」的獻書人，則是「持授試官」，「授以試銜」，經過測試後授與官職。莊宗之後，在明宗天成二年（927），都官郎中庾傳美（?—?）在「三川孟知祥處」訪求圖書典籍，獲得了《九朝實錄》及其他雜書傳一千餘卷，上交史館。七年之後，愍帝（914—934）應順元年（934）正月，又下詔命令進書官劉嘗、鄭州滎陽令單驤、唐州司法參軍等人對於「今後三館所闕書，並訪本添寫」，要求諸官員訪求中央藏書機構闕失的典籍文獻。

後漢（高祖〔895—948〕、隱帝）乾祐年間（948—950），當時的禮部郎司徒調（?—?）又上奏請求開啓民間獻書途徑，同時建議政府：凡是「儒學之士、衣冠舊族，有以三館亡書來上者，計其卷帙，賜之金帛」，而至於獻書卷帙爲數眾多者，則「授以官秩」；中央政府接納了這項意見，於是頒布法令，鼓勵學者與世家大族進獻書籍。

後周世宗因爲「史館書籍尚少」，於是積極尋求訪察，凡是獻書者都給予優渥的賞賜，用來鼓勵民間人士進獻書籍。而除了單純地訪查書籍典冊之外，爲了要改善「民間之書，傳寫舛誤」的情形，世宗於是「選常參官三十人校讎刊正」，並且「令於卷末署其名銜」，以示負責。同時，在顯德三年（956）十二月，世宗又下詔，要求中央掌管典籍收藏的機構，對於「史館所少書籍」，應該積極地求訪補塡，而對於「有收得書籍之家」，則是「並許進納其進書人」，依照所獻書籍的「部帙多少等第」，「各與恩澤」，至於進獻書籍卷帙較少者，按數量賜給財貨布帛。

就文獻記載的數量與內容來看，五代政府爲搜求典籍文獻而頒佈命令的次數並不多，然而這些看似偶而出現的文字紀錄，卻並不一定代表實際政令推行的不連貫，就各朝政府接續雕鑿經書印版的情形來說，除了中央特別頒布命令的時間之外，政府鼓勵民間近獻書籍、整理文獻的工作，應該還是一直在持續著。

事實上，儘管五代的中央政府一直有心要搜羅典籍、彌補文獻的亡失，但是從身處五代末期後周世宗仍然因爲「史館書籍尚少」而積極求索的行爲看來，當時書籍文獻等文化財產的闕如，情況應該是相當嚴重的。筆者以爲，馬端臨（1254?－1323?）在敘述後漢政府下詔徵求學者與世家舊族獻書的史事之後，所附加的這樣一段話，可以作爲當時文化發展與典籍保存面臨極大困境的眞實寫照：

時戎虜猾夏之後，官族轉徙，書籍罕存，詔下，鮮有應者。

政府一再地以實質意義重大的官職、財貨鼓勵獻書，而民間人士卻無法有所回應，無怪乎五代時期一直有帝王或者官員刻意下令或建議以利祿誘使家有藏書者獻書。令一方面，就是因爲當時的學術環境惡劣、文化發展與典籍保存如同以上所述的那樣艱困，使得幾乎在各個朝代都可以見到、政府鼓勵民間獻書的行政措施，在五代時期相對地顯得相當重要。也許就是因爲中央政府在困難的環境中逐步進行文獻搜羅的工作，使得學術典籍得以保存、文化活動得以持續，雖然今時已無法確知當時政府到底尋得或彌補多少亡失的經學著作，但是這樣的行動對於經學發展的助益具有絕對性，是無庸置疑的。❸

除了五代中央的搜求圖書之外，馬端臨對於十國政府的藏書也有所敘述：

> 自諸國分據，皆聚典籍，惟吳蜀爲多，而江左頗爲精眞，亦多修述。

從這段簡短的文字中可以知道，各據一方的十國政府，在文獻典籍的蒐集上也頗爲注重，其中吳（南唐）與蜀庋藏較多，而整個江南地區的保存以及流傳的文獻典籍在品質上比較精良，同時有所述作的學者爲數也較多，對於當時典籍的保存與學術的發展，應該頗具貢獻。至於其中實際的情形，由於史料記載的缺乏，無法深入探究，因此僅能泛加敘述。

參、一般學者的經學研究

根據清人顧櫰三（?－?）《補五代史藝文志》的記載，現今可知完成於五代時期的經學作品共有以下數部：（頁 2。《二十五史補編》，第 6 冊，總頁 7754）

一、易經類

易軌	蒲乾軌（?－?）撰
易題	張道古（?－?）撰
周易甘棠正義	任　貞（?－?）撰
易龍圖	陳　摶（?－989）撰

---

❸ 關於五代政府徵求書籍文獻的敘述取材自：

⑴《冊府元龜・帝王部・崇儒術二》，卷 50，葉 16 上—18 下。

⑵《文獻通考・經籍一・總敘》，卷 174，頁 1507 中—1508 上。

青城山人蓍揲歌　　不著撰人
易論　　王昭素撰（?—?）

二、尚書類

尚書廣疏　　馮繼先撰（?—?）
尚書小疏　　馮繼先撰
古今尚書釋文　　郭忠恕撰

三、春秋類

春秋折衷（論）　　陳　岳撰（?—?）
春秋名號歸一圖　　馮繼先撰
春秋名字異同　　馮繼先撰
春秋王伯世紀　　李　琪撰（?—?）
左傳杜注駁正　　倪從進撰（?—?）

四、孝經類

孝經雌圖　　不著撰人
皇靈孝經　　不著撰人
別序孝經　　不著撰人
越王孝經新義　　不著撰人

五、小學類

爾雅音略　　毋昭裔撰（?—?）
九經文字　　張昭遠撰（?—?）

這二十部經學著作中，除了後蜀馮繼先的《春秋名號歸一圖》尚保存完整之外，其餘幾乎已經亡佚殆盡，而《春秋名號歸一圖》一書，僅是將在《左傳》之中出現的人名加以整理，令每個人的不同名號會歸通一，方便於讀者的閱讀檢索，基本上不能表現作者的研究態度，更無關乎經學研究風氣的展現，因此很難做爲學者探討當時經學研究動向的直接證據。所幸，宋代章如愚（?—?）編纂的《群書考索》尚保留了陳岳《春秋折衷論》一書的若干條目，可以作爲探討五代十國時期《春秋》學發展的依憑；同時，孫郃（?—?）的單篇議論文章〈春秋無賢臣論〉，也可以做爲探討當時《春秋》學的內涵。

❹而除了上述二十部作品之外，五代時期還出現了一部展現新學術風氣的著作——丘光庭（?－?）的《兼明書》。《兼明書》是一部筆記式的著作，在性質上屬於子部雜家類，雖然不隸屬於經部，但是卻記載了許多經學方面的論題，針對本書的內容進行討論，應該也可以發掘出當時經學發展的實際狀況。此外，對於某些經學問題，活躍在這個時期的學者也撰寫了若干單篇文章加以討論，這種在形式上與精神上不同於先前注解式經學專著的作品，自然也是應該討論的重心。

一、《春秋》學的再發展

㈠陳岳的《春秋折衷論》

根據《崇文總目》（卷 1，頁 26）的記載，《春秋折衷論》原本有三十卷，其中條目達到三百多，現下雖已亡佚殆盡，然而探究《群書考索》（〈經籍門·三傳總論〉，續集卷 12，葉 10 下—22 上）與清代馬國翰（1794－1857）《玉函山房輯佚書》（卷 39，葉 45 上—70 下）所蒐集的三十一項條文（包含〈序〉），仍舊可以窺見其中旨要。

顧名思義，陳岳之所以撰寫《春秋折衷論》一書，主要是爲了平衡《三傳》各自的詮釋，求得與《春秋》經文原意最爲貼近的說解。對於《春秋》與《三傳》以及《三傳》間的相互關係，陳岳認爲：其一，「《經》者，本根也；《傳》者，枝葉也。本根正則枝葉固正矣，本根非則枝葉何附焉。」如果《春秋》經文所陳述的是正確的，那麼闡釋經文的《三傳》文字應該也都是正確而無誤失的。在這項前提之下，於形式上直接針對經書作詮釋的《公羊》、《穀梁》兩書，內容「無他蔓延」，如果「《經》義是，則《傳》文亦從而是矣，《經》義非，則《傳》文亦從而非矣」，《二傳》中的所有說解原則上應該是絕對貼合於經文的；至於《左傳》，除了「釋《經》之外」，又「廣記當時之事、備文當時之辭」，雖然在形式上和《二傳》不相類似，但是所闡發描述的內容，在「《經》是《傳》是、《經》非《傳》非」的原

❹ 諸著作中尚有王昭素的《易論》遺留有若干條文，由於王氏在宋初仍然活躍，因此筆者將之歸入宋初經學家之列，在此不贅述。

則之下，三者之間的關係必定是「間不容髮」地相互配合。其二，學者每每宣稱《左傳》的作者左邱明（?－?）曾得孔子（前 551－前 479）親自傳授《春秋》，而如果左邱明眞的親獲孔子傳授，那麼對於疑難所在理當「橫經請問，研究深微」，不應該致使《左傳》所述「時有謬誤」，而與密合《春秋》經文的《公》、《穀》二者頗有參差，可見這種說法是不對的。實際上，左邱明應該只是與孔子同時，曾經親睹聖人、眼見其微言深旨，而《公羊》、《穀梁》的作者未曾親見孔子，與孔子微言大義的接觸深度，僅只是「聞」而已，「見」與「聞」是有差別的，親見絕對勝過聽聞，所以「《左氏》多長，《穀梁》（包括《公羊》）多短」。而總結地說，「見」與「聞」必定不如「親授」，所以，《三傳》實質上都不符合與經文密合的條件，不算是《春秋》一書最完善的解說。其三，既然《三傳》各有缺失，那麼運用《三傳》解《春秋》，最好的方式莫過於截長補短，分析各家的優劣，求取最爲切近的解釋。對於抱持《三傳》而各是其說的學者，陳岳則是認爲：其一，孔子修畢《春秋》之後，因爲「入室之徒，既無演釋」，所以造成後世在研讀《春秋》時無可遵循，於是導致「後之學者，多失其實」，「三家之《傳》並行於後世」，眾說紛呈；之後，經歷了「戰國之艱梗」、「暴秦之焚蕩」，時序來到漢朝，先是有董仲舒（前 197－前 104）專主《公羊傳》，隨後又有劉向（前 77－前 6）、劉歆（前 53－23）父子分別戮力於《穀梁傳》、《左氏傳》，於是，在各自堅持立場的情況之下，學者不是「欲存《左氏》而廢《公》、《穀》」，便是「欲存《公》、《穀》而廢《左氏》」，使得「各專一《傳》」、相互爭執的情形更加明顯，造成對於《春秋》經的說解更加紛亂。其二，在「各專一《傳》」的狀態之下，鄭玄（127－200）、何休（129－182）、賈逵（30－101）、服虔（?－?）、范甯（339－401）、杜預（222－284）這些原本「深於《春秋》」的學者，不但不設法「簸糠蕩秕，芟稂抒莠，掇其精實，附於麟經」，反而墜入各執己見的窠臼中，「各釀其短，互鬥其長」，導致「是非千種，惑亂微旨」，《春秋》經文旨意隱晦的嚴重後果。基於以上的幾點認識，陳岳於是就《三傳》解釋《春秋》有歧異的部份詳加分析，希望能夠求得正確的解釋：

1.〈隱公（前?－前 712）元年〉經文：「元年春，王正月。」（卷 2，葉 5 上）

〈左傳〉（杜預〈春秋序〉）說：「所書之王，即平王（前?－前 720）也。」（卷 1，葉 26 上）

〈公羊傳〉說：「王者孰謂？謂文王（?－?）也。」（卷 1，葉 7 上）

〈穀梁傳〉（范甯《集解》）說：「隱公之始年，周王之正月。」根據楊士勛（?－?）《疏》的說明，范甯所指的是當時在位的周平王。

對於經文中的「王」所指爲何，《公羊》的說法不同於《左氏》與《穀梁》，對於其中的是非，陳岳認爲：《春秋》一書最著重的，是所謂的「大一統」，而隨著「大一統」局面衍化而成的「四海九州同風共貫」狀態，便是王道遍行無礙的展現，也就是「以王道統攝天下事理」概念的落實，「以月次正、正次王、王次春、春次年、年次元」，是《春秋》經編年記事的次序與綱領，在「以王道統攝天下事理」的理想下，孔子於是以「王」來統攝其他綱目，希望藉此達成「尊天子、卑諸侯、正升黜、垂勸懲，作一王法爲萬代規，俾其禮樂征伐不專於諸侯」的目的，當中現實的政治與社會意義相當強烈。既然如此，《春秋》以隱公元年做爲前導，所要引述的，當然是當時在位的周平王，而假如說元年如何休所說的必須稱述周代的「始受命之王」周文王，那麼二年「復書何王」？所以，經文所稱的「王」，所指應爲平王，《左氏》（杜預）、《穀梁》（范甯）的說法是對的，《公羊》的解說是不正確的。

2.〈桓公（前?－前 694）八年〉經文：「春正月，己卯烝；……夏五月，丁丑烝。」（卷 7，葉 2 下）

〈左傳〉（杜預《集解》）說：「此夏之仲月，非爲過而書者，爲夏五月復烝見瀆也。」（卷 7，葉 2 下）

〈公羊傳〉說：「烝者何？冬祭也。春曰祠，夏曰礿，秋曰嘗，冬曰烝。常事不書，此何以書？譏，何譏爾？譏亟也。亟則黷，黷則不敬，君子之祭也，敬而不黷。……（夏五月，丁丑烝）何

以書，譏亟也。」（卷 5，葉 2 上—4 上）

〈穀梁傳〉說：「烝，冬事也，春興之，志不時也。……（夏五月，丁丑烝）烝，冬事也，夏春興之，黷祀也，志不敬也。」（卷 4，葉 1 下）

春祭行祠禮、夏祭行礿禮、秋祭行嘗禮、冬祭行烝禮，是禮制所規範的，而經文卻有春夏舉行烝禮的記載。對此，《左傳》與杜預認爲：由於周曆建子、夏曆建寅的差異，周的初春（春天正月），相當於夏的仲冬（冬天十一月），所以桓公在春天正月進行烝禮，並沒有違反禮法，而原本這些經常性的禮制《春秋》經文是不紀錄的，但是因爲在隨後的夏季五月（夏曆春天三月），魯國又舉行了一次烝禮，爲了凸顯五月舉行烝禮的失時與對禮制的褻瀆，所以特別書寫了禮制施行的正確時間，以資比較。《公羊傳》與《左傳》的意見相近，認爲烝禮這些經常性的四季禮制，經書應該是不會記載的，但是因爲舉行的時節逾越規範、次數又過頻繁，褻瀆了禮法，所以以文字記錄來譏諷失禮。《穀梁傳》則認爲，烝禮是冬季的祭祀禮制，在春天和夏天舉行，顯然失卻了時宜，所以《春秋》經文據實書寫，用來記載施行禮節的失時。對於《三傳》的說法，陳岳認爲：舉凡郊祀禮節，都各有施行的正確時間，如果舉行的時節得宜，那麼便可視爲國家經常性的禮制，既然屬於經常，史書爲免繁複，就不會加以書寫，而一旦出現文字記載，那麼一定是在譏評諷刺行禮時節的錯誤或者對禮法的褻瀆，絕對不會毫無意義。《春秋》所使用的是周代曆法，周曆春天正月，相當於夏曆冬天十一月，魯國在周曆正月舉行烝禮，是「烝而得其時」，同時，烝禮也是周代常行的禮制；然而，「既得其時」、「周之常禮」，又爲什麼會有所記載？原因是「爲五月復烝而書也」，五月舉行烝禮，「一則失其時」、「二則失其禮」，「正月烝，正也；五月烝，不正也」，所以「書其正以譏其不正」，以正確的規範凸顯錯誤的環節。《左傳》認爲經文是「爲夏五月復烝見瀆」而書，《公羊傳》認爲經文是爲譏諷五月又重複行烝禮而書，所言貼合經文原意，至於《穀梁傳》認爲經文是爲「冬事春夏興之」而書，雖然原則上對禮制沒有誤解，但是不明白周正夏正的差別，卻造成基本認識的錯誤。

3.〈莊公（前 706－前 662）元年〉經文不書「即位」。（卷 8，葉 1 上）

〈左傳〉說：「不稱即位，文姜（?－?）出故也。」杜預說：「文姜與桓俱行，而桓爲齊所殺，故不敢還，莊公父弒母出，故不忍行即位之禮。」（卷 8，葉 3 上）

〈公羊傳〉說：「公何以不言即位，春秋君弒，子不言即位。」（卷 6，葉 1 上）「公何以不言即位，繼弒君不言即位。」（〈閔公（?－?）元年．傳〉，卷 9，葉 11 上）

〈穀梁傳〉說：「繼弒君不言即位，正也；繼弒君不言即位之爲正何也？曰：『先君不以其道終，則子不忍即位也。』」（卷 5，葉 1 上）

公元年爲何不書「即位」，《左傳》認爲原因是「文姜出故也」，桓公偕文姜共赴齊國，卻「爲齊所殺」，文姜也因而不敢返歸魯國，莊公雖然即位接掌國是，卻由於「父弒母出，不忍行即位之禮」，因爲沒有完成即位之禮，所以《春秋》不書「即位」；《公羊傳》認爲，在春秋時代，君父遭弒，繼位的國君是不能稱即位的；《穀梁傳》則認爲，由於君父「不以其道終」，並非正常地亡故，所以新君接任時不稱即位；很明顯的，《公羊》與《穀梁》的說法相近，與《左氏》不同。對於三家關於「不書即位」的說解，陳岳認爲：《春秋》所記十二公之中，隱、莊、閔（前?－前 660）、僖（前?－前 627）四公元年「不書即位」，這是因爲孔子在整編《春秋》時採用因循了「舊史之文」，並無其他特殊因素或者微言大義。隱公因爲「遜威居攝」，莊公因爲「父弒母出」，閔公、僖公因爲「國危身出復入」，未曾舉行即位典禮便已即位，所以史冊不書即位，所以，隱公等君「不備禮即位」，是《春秋》不書即位原因。至於《公羊》、《穀梁》「繼弒君不言即位」、「先君不以其道終，則子不忍即位」的說法，是不能成立的，因爲桓公承續被弒的隱公登位，《春秋》就寫著「公即位」。

4.〈文公（前?－前 237）二年〉經文：「自十二月不雨，至于秋七月。」（卷 18，葉 8 下）（〈文公十三年〉經文：「自正月不雨至于秋七月。」〔卷 19，葉 8 下〕，陳岳混二者爲一，書「文公二年」爲「文公十三年」）

〈左傳〉（杜預《集解》）說：「不雨，足爲災；不書旱，五穀猶有收。」（卷 18，葉 8 下）

〈公羊傳〉說：「何以書？記異也。大旱以災書，此亦旱也，曷爲以異書？大旱之日短而云災，故以災書；此不雨之日長而無災，故以異書也。」（卷 13，葉 5 上—5 下）

〈穀梁傳〉說：「歷時而言不雨，文不憂雨也。」（卷 10，葉 4 上）

一般來說，《春秋》對於因不雨而成災，都會書「旱」最爲誌記，而文公元年至二年曾長達八個月不下雨，《春秋》並未書「旱」，其中因由，《左傳》認爲，雖然長時間沒有下雨會造成災荒，但是農作仍有收成，所以不書「旱」；《公羊傳》認爲：《春秋》經之所以如此書寫，是爲了要「記異」，也就是要記載特別的情況，因爲長久沒有下雨卻未釀成災難，於是特別以「自十二月不雨，至于秋七月」標誌特殊的狀況；《穀梁傳》認爲：對於長久不雨的情形，文公並不憂慮在乎，爲了表示「文不憂雨」，孔子於是以特殊的方式來表示這件史實。對《三傳》的說法，陳岳認爲：孔子編輯的《春秋》經中，有尋常的文字、有特別的文字，尋常的記載是「史冊之舊文」、特別的文字則是「筆削之微旨」，異乎尋常的文字，一定蘊含特殊的意義，而「自十二月不雨，至于秋七月」，就是一項蘊藏特殊意旨記載。整體來說，旱災大多發生在夏天，如果「竟夏不雨」，「則爲災矣」，所以《春秋》經中記載旱災的標準形式是『夏大旱』，用以表示「竟夏不雨」，釀爲災禍；至於隱含著微言大義的記載則不如此書寫，例如〈僖公三年〉經文「正月不雨，夏四月不雨，六月雨」的記載，就是因爲旱象雖然牽延了五個月，但久旱不雨的情況並未持續整個夏天，所以不書「旱」，並且用「六月雨」說明雖然有旱的事實，卻「不爲災異」，並未造成爲災害。十二月至七月，在時序上已經經過了四個季節，夏季包括在其中，「則爲災可之矣」，如果只書「夏大旱」，那麼就無法表示春季冬季不雨的現象，如果「備書歷四時不雨，而更曰大旱」，則會顯得過於繁瑣，因此，「自十二月不雨，至于秋七月」，正是孔子以最能概括整體狀況的簡明文字，統攝久雨成旱現象以及史實的特殊筆法，《三傳》的所有說解，都是不正確的。

儘管《春秋折衷論》今日僅餘零星條文三十一則以及尚稱完整的《序》，但是分析這些資料，卻可以發現若干經學史以及《春秋》學史上值得探究的環節：其一，對於《春秋》與《三傳》關係，陳岳認爲「《經》是本根，《傳》是枝葉」，雖然《春秋折衷論》中所開展的命題源於《三傳》間的相互矛盾、討論所憑藉的資料取材自《三傳》《傳》文以及隨附的注解，而在所謂本根正則枝葉正、本根非則枝葉無所附著理念下，要討論《三傳》的說法是不是正確，《春秋》經是唯一的依據，就此而言，雖然並未如韓愈（768－824）高倡「《春秋五傳》（一作《三傳》）束高閣，獨抱遺《經》究終始」（《昌黎先生集》，卷 5，葉 4 上—5 上），也不像啖助（西元 724－770）、趙匡（?－?）、陸淳（?－806）在《春秋集傳纂例》一書中直接批駁相關的《傳》、《注》、《疏》，企圖標舉《春秋》的唯一性與正確性，但是以《春秋》爲準則、視《春秋》爲唯一檢覈依據的「回歸原典」做法，應該是陳岳研探《春秋》學的原則。其二，唐代後期「啖趙學派」開啓研習《春秋》學的新方法與新風氣，對《三傳》以及《注》、《疏》頗有批駁，僅承認與沿用正確而可信的部分，甚或以己意自創新說，而《春秋折衷論》標舉命題，檢討《三傳》與相關《注》、《疏》，從中選取正確的說解，甚或完全棄置，並且說孔子修《春秋》之後，「入室之徒，既無演釋」所以才造成「後之學者，多失其實」，而「三家之《傳》並行於後世」的混亂狀態，同時還指摘鄭玄、何休、賈逵、服虔、范甯、杜預這些「深於《春秋》」的學者因爲各執己見而導致「是非千種，惑亂微旨」，對於《三傳》與相關《注》、《疏》，所表現的不信任態度與啖趙等人可以說毫無二致，筆者以爲，說陳岳有「不信《注》《疏》」、「以己意說經」的傾向，應該是可以成立的。其三，就僅有的條文看來，除了完全否定前說的一則之外，今存《春秋折衷論》的條文幾乎都還是以舊有的詮釋爲立說基礎，雖然全書已亡佚十九，但分析殘存內容，仍可知道，儘管是以檢討批判《三傳》《傳》文與相關《注》、《疏》做爲著作原則，陳岳對於舊解說的依賴程度是相當高的，這似乎又說明了就算標榜跳脫《三傳》，而《三傳》依然是鑽研《春秋》學的學者不可廢棄的最緊要根據。其四，在討論「隱公元年春王正月」指稱的「王」時，在敘述了「編年紀事」的五個綱領之後，《春秋折衷論》認爲，《春秋》之所以「書王」以統領各綱目，是爲了「尊天子、卑諸侯、正升黜、垂勸懲」，「作一王法，爲萬代規」，致令「禮樂征伐不專於諸侯」，從表面上看，這段文字只是針對「王」爲何者進行解釋，但是從「尊天子、卑諸侯」，「作一王法，爲萬代規」，使「禮樂征伐不專於諸侯」等語詞來看，其中卻蘊藏著「尊王」的實質意義，由於殘缺嚴重，無法檢視陳岳是否曾經專就《春秋》與「尊王」加以討論，但從這段簡短的說明中，依然可以發現陳岳的「尊王」思想。

㈡孫郃的〈春秋無賢臣論〉（《全唐文》，卷 820，葉 2 上—3 下）

〈春秋無賢臣論〉一文，在形式上屬於「議論解經」的範圍，文章主要是針對春秋時代的史事加以評析，試圖建立一個新的歷史觀與討論《春秋》的新視角。孫郃認爲：春秋諸國的大夫，也就是所謂的「陪臣」，對於陪臣而言，諸侯是君父，而對於諸侯來說，周王是君父，換言之，「陪臣於周，義猶大父也」。一般而言，爲人子者若是「孝於父」，一定也希望「父孝於祖」，而「陪臣忠於諸侯者」，一定也希望「諸侯忠於天子」，如此一來，則「上下有序，康乂四方」。但是，春秋時代的陪臣只知道「張公室」，極力擴張諸侯的權勢，「侵王室」，侵凌欺奪周王室的威儀，「弱周以強諸侯、佐諸侯而敵周」，就像是爲人子者「弱祖而強父、佐父而敵祖」，促成祖父的怨懟、父親的違逆，實在可以說是罪大惡極。這種狀況，「言之於臣則非忠，語之於子則非孝，論之於道則傷義，推之於情則辜恩」，於是使得「姬周削弱，祀號而已」，齊桓公（前?－前 643）雖然爲霸主，不但無法導正這種惡劣情況，卻反而有「封禪請隧」的僭越行爲，管子（前?－前 645）、晏子（前 578－前 500）等人雖然有功，不但無法施行勸諫，還干犯了「反玷毀孔」的惡事，在這種狀況之下，一時之間「風教大壞，海內焚如」。惡劣形勢一直延續至後世，由於孔子「歷國七十餘，說而不遇，奔走齊魯宋衛之交，反若喪家之狗」，一方面「知不可訓」，無法扭轉惡劣的世局，一方面又憂慮「後世不之懼」，因此「修《春秋》，明其向背」，對於其中「甚者」，則「或夷之，或狄之」，嚴加譏刺批判。而綜觀春秋之世，「弑君三十六、亡國五十二，奔走失社稷者，不可勝計」，實在可稱為亂世，當時未曾出現一個可堪委以重任、扭轉風潮者，就是因為「無賢臣」的關係。

除了指出春秋之世因為「無賢臣」而「風教大壞，海內焚如」之外，對於「春秋豈乏賢者，子謂之無，激之耶？鮮之耶？奈乎孔門何？」的詰難，孫郃在文章末尾做了回應，認為「孔門仕者鮮」，又大多是「陪臣」的「家臣」，位卑權微，根本無法發揮端正世風的作用。

在研讀過〈春秋無賢臣論〉之後，可以發現：其一，〈春秋無賢臣論〉並不是針對某個確定的經學命題提出意見，基本上評判歷史的成分較大，但是孫郃提出「春秋無賢臣」的意見，的確提供學者鑽研《春秋》學的新切入角度。其二，在文章的初始便確認周王為諸侯君父、諸侯為陪臣君父、「陪臣於周，義猶大父」諸關係，接著又認定春秋時代的陪臣只知道「張公室」、「侵王室」、「弱周以強諸侯」、「佐諸侯而敵周」，就如同為人子者「弱祖而強父」、「佐父而敵祖」，這種狀態，「言之於臣則非忠，語之於子則非孝，論之於道則傷義，推之於情則辜恩」，沒有推託狡賴的餘地，是大逆違背倫常的，種種敘述，都可以證明〈春秋無賢臣論〉一文對於周天子的地位多有尊崇，也就是說，孫郃是懷抱著強烈「尊王」思想的。其三，孫郃為什麼會有「尊王」的理念，由於文獻缺乏，無法就其學術修為深入探究，但是就唐代安史亂後藩鎮割據地方、意圖與中央政府相對抗、上下失序，五代時期經常發生弑逆的歷史事實看來，現實環境給予知識份子的衝擊，應該是非常強烈的，同時，就文中提及這個論題可以給眾人一些警惕的環節來看，孫郃的議論，的確也相當重視對於現實層面的分析，因此，說〈春秋無賢臣論〉的出現，有一部份是為了因應時勢，或許是合理的，而從這個地方，也可以看出現實環境對於經學研究（尤其是《春秋》學）的影響力是相當巨大的。其四，雖然大倡「春秋無賢臣」，但是就文章的內容來看，孫郃指責齊桓公雖然為霸主，不但無法導正當時的惡劣情況，卻反而有「封禪請隧」的僭越行為，並且在文末又說，就王道的角度審視，「五霸猶罪人」，對於春秋的諸侯國，似乎也頗有批判之意。或許，〈春秋無賢臣〉所要陳述指責的，是層次更高、包容默許陪臣施行諸惡的諸侯，而孫郃因為某種現實因素，只好加以隱藏，採用一個較無爭議的命題，而這個情形，又與《春秋》富含「微言大義」的狀況相合，這種精神，似乎就是《春秋》對學者的啓迪與訓示吧。

二、丘光庭的《兼明書》

就內容而言，丘光庭的討論涵蓋了《周易》、《尚書》、《毛詩》、《春秋》、《禮記》、《論語》、《孝經》、《爾雅》等經書，至於討論的範圍，則可劃分為「疑經改經」、「懷疑經書作者」、「補經」、「批駁注疏」等項目。

在「疑經改經」方面，丘光庭指《尚書・武成篇》經文「血流飄杵」的記載有問題，認為「血流舂杵，不近人情，今以杵當為杆之誤也」。之所以會有這樣的論斷，丘光庭說：

> 《詩》云：「糾糾武夫，公侯干城」，《左傳》郄至舉此云：「公侯之所以扞城其民也」。則是古人讀干為汗，扞一名楯、一名櫓，《漢書》云：血流飄櫓」，櫓即扞，俗呼為傍牌，此物體輕，或可飄也。（卷 2，頁 14）

在此，丘光庭先以「杵重，無法漂流」的概念認定「杵」字必為「杆」字之誤，接著藉「同音通假」的觀念聯繫「杆」與「扞」二字的關係，認為「血流飄杵」應該寫作「血流飄杆」、「血流漂扞」，而「扞」又俗稱「櫓」，「櫓」質輕，容易漂浮，所以，「血流飄杵」的正確意義應和《漢書》所載的「血流飄櫓」相同。

在「懷疑經書作者方面」，丘光庭主要是對《詩小序》為毛萇（?－?）所作的說法提出懷疑。他認為〈鄭風・出其東門〉一詩的〈序〉指該詩的意涵是「民人思保其室家」，這個說解與《毛傳》解經文「縞衣綦巾，聊樂我員。」為「願其室家得相樂也」的說法有所衝突，所以《詩序》不應該是毛萇所作的。除了舉出這個例子之外，丘光庭還認為《詩序》與《毛傳》之間類似這樣的矛盾之處不可勝舉，而這更可以證明《詩序》不是毛萇所作。對於《詩序》既非毛萇所作，而毛萇在解《詩》時卻不解《詩序》的疑問，丘光庭的回答則是「〈序〉文明白，無煩解也」。（卷2，頁15）

在「補經」方面，丘光庭所補的是〈新宮〉、〈茅鴟〉兩首逸《詩》及其〈序〉（卷2，頁19－22）。這些逸《詩》的篇目都見於《左傳》，丘光庭在撰寫時都參考了相關文獻資料。除了自己補逸《詩》之外，丘光庭還記載了唐宣宗（810－859）大中年間（847－859）《毛詩》博士沈朗（?－?）因為認為〈關雎〉述「后妃之德」，不應該居「三百篇」之首，於是「別撰二篇為《堯、舜詩》，取〈虞人之箴〉為《禹詩》，取〈大雅．文王之篇〉為《文王詩》」，並以此四篇置於〈關雎〉之前，為《詩經》之首的事蹟。（《兼明書》，卷2，頁15）由此似乎可已發現，他對「為經書補亡」的活動頗為熱中。

在「批駁注疏」方面，丘光庭著墨甚多，如《詩經．齊風．猗嗟》經文：「美目揚兮。」《毛傳》解為「美目揚眉也」，《毛詩正義》依循《毛傳》闡發為「眉毛揚起，故明眉曰揚」。丘光庭認為「經無眉文」，《毛傳》依據什麼認為「揚」是「揚眉」，而孔穎達又依據什麼說「揚」是「眉毛揚起」，這些解說都是「不顧經文，妄為臆說」，事實上，「揚」字應該解為「目之開大之貌」。（卷2．頁16）又如《論語．述而篇》經文「飯蔬食」，皇侃解「蔬食」為「菜食」，丘光庭則認為「經典言『疏食者』，皆謂麤飯，非菜食也」，指出皇侃說解的錯誤。（卷2，頁30）

根據以上所述，可以發現丘光庭在《兼明書》中所展現的經學研究現象是：其一，對「注疏之學」產生質疑，開始擁有批判、選擇或者揚棄舊說的能力。其二，著重經書義理的追尋，為了追求義理與確實的說解，逐漸脫離文字訓詁等說經舊方式，開始針對經書經說進行檢討。其三，意識到經書記載可能包含了不正確的部份、文字篇章可能不完整、舊傳經書作者說法可能不可信，於是開始了「疑經」、「改經」、「補經」以及探究經書眞正作者的活動。雖然丘光庭的表現不能作為五代時期經學研究者的代表，但是《兼明書》的存在，卻肯定了自唐代韓愈與「啖趙學派」以來逐步發展的新學風在當時的確存在。

三、「議論解經」的單篇文章

在《全唐文》匯集的五代十國時期諸篇文章中，除了孫郃的〈春秋無賢臣論〉之外，與經學有關的篇幅，要屬牛希濟（?—?）的〈小功不稅論〉（卷846，葉 19 上—20 下）和羅隱的（833—909）〈秦始皇意〉（卷 896，葉 5 上—5 下）兩則。

㈠〈小功不稅論〉

《禮記・檀弓上》：「曾子（西元前 505?—435?）曰：『小功不稅，則是遠兄弟終無服也，而可乎？』」（卷 7，葉 6 下）曾子覺得，如果小功與緦麻不必追服，那麼遠方的兄弟親人在所居相距遙遠、接獲親人喪亡的時間已經很遲的情況下，必定無法爲親屬服喪，因此認爲這個自古相傳的禮制太涼薄，實在是不可行。對於曾子的意見，韓愈頗爲贊同，認爲「小功之親多而未疏」，「不比古圖國分境狹」，「今之遠者，或數千里之外」，在疆域遼闊、親人可能相去更遙遠的情形下，如果遵循「小功不稅」的制度，那麼將會造成更多無法追服小功之喪的狀況，這是萬萬不可的。對於曾子與韓愈的意見，牛希濟不以爲然，以爲：一切禮制「始於文武，制於周公，定於孔子」，諸位聖人「貫萬行，極人情」，所制定的「五服之說」，一定是相當嚴謹的。曾子因爲個性「仁厚純篤」，認爲禮制太過澆薄，所以覺得不可行，而禮法之所以會訴諸文字、以明文規定，就是基於這樣的考量，唯恐仁厚者行禮太過而加以節制、涼薄者行禮不及而加以規範。同時，牛希濟又指出，子路（前 542—前 480）服姊喪，「可以除之」而「弗除」，理由是因爲「不忍」，孔子糾正子路說：「先王制禮，行道之人，皆弗忍也。」子路聽了之後，便除卻喪服；子路的「弗忍」，由於受到孔子的指導而獲得改正，使後世在遭遇到相同的狀況時可以不再困惑，而曾子「欲稅小功」，卻不幸無法得到孔子的指導，致使後世一直解不開這個困惑。綜合以上的敘述，可以發現：其一，牛希濟的討論，恰巧表現出歷代學者不斷地針對禮制的施行與正確性進行討論的特性，雖然這些討論的結果不一定能夠成爲被遵循的典範，但是持續的論辯，卻是《禮》學研究活躍與進步的保證。其二，根據文中剖析禮法的來源與制定的原則、說明禮制執行的精神與準繩、引用經典做爲說解佐證等環節，可以知道牛希濟對這項討論命題了解甚深，而論述的符合義理，也說明了文中針對曾子與韓愈說法所進行的批判，並不是基於對某人或某派的偏見，而是對問題的確實體認，筆者以爲，雖然不能就此說牛氏在經學方面的造詣鴻深，但是以此推測五代十國時期的經學研究者仍然具有一定的水平，應該是能夠成立的。其三，作者以經學命題爲中心，詳加研考，陳述意見，判別是非，已經是一篇成熟的「議論解經」文章，雖然在五代十國諸篇文章中屬於極少數，但卻可以說明當時「議論解經」方式已經存在了。

㈡〈秦始皇意〉

秦始皇（前 259－前 210）焚書，是書籍流傳史與學術研究上的一大災厄，而秦焚《六經》，《周易》因爲性質屬於卜筮得以保存，這些概念，是歷來學者共同的看法。然而在〈秦始皇意〉一文中，羅隱卻認爲：雖然在表面上《周易》是因爲性質屬於術數而免於遭到焚禁，但是實際上秦始皇之所以保全《周易》，是蘊含著深層意旨的。《周易》一書「肇於羲皇，演於姬昌，申於素王」，就典籍的角度而言是「百家九流之先」，就作者的角度而言是「則百王之祖」，其中蘊含的道理則是「上天下地，出沒鬼神」，可以說貫通了《春秋》、《詩經》、《尚書》、《禮》、《樂》等經典所要陳述的義理。秦始皇「通三聖之妙鍵」，詳知《周易》的眞正內蘊，所以特意將《周易》歸於術數書籍之列，欺蒙世人，希望因此獨領「聖人之旨」，而秦終於因爲無道而滅亡，正是不希望秦皇洞悉造物主宰的深遠意旨；如果在三代之前，世間只存在著能夠統貫一切的《易》理，那麼秦焚書的行爲，還可以有脫解之詞，但是到了戰國以後，《六經》備出、百家爭鳴，焚書的始皇就只能成爲罪人了。

〈秦始皇意〉一文相當簡短，僅僅簡要地敘述作者對於《周易》的認識以及對於秦始皇焚書獨存《周易》的看法，其實，文中羅列的看法正確與否並不重要，重要的是其中展現了議論精神，羅隱撰寫文章，大膽地抒發已身對於經學史命題的看法，正是「議論解經」的典型表現，而敘述自身觀察所得的特別意見，也正是「以已意說經」的展現。

肆、結　語

在陳述了五代十國時期經學發展的梗概之後，筆者以爲：

其一，五代政府開始進行諸經經文以及注文的雕版刊行，不但有助於經書文字的統一以及其正確性的保持，對於經書的流傳也很有助益，很有可能直接地刺激了經學研究活動的復興。再者，五代政府完成了經文及注文的印刷，間接促進了隨後宋代中央刊行諸經疏文，對於「十三經注疏」體系的形成，可以說有著不可磨滅的貢獻。至於蜀石經的開鑿，不但對於五代政府經書刻本有核對校正的功能，同時也是《孟子》一書已受重視、即將被歸爲經部書籍、「十三經」體系大致建立的重要標示。另外，各政權對於書籍的搜求與保護，對於經學研究發展的資源與命脈應該有相當程度的保障。

其二，雖然當時研究經學的學者爲數不多，有成就者也爲數極少，而且相關著作大多缺失散佚，但就僅存的文獻加以分析，「批判《三傳》」、「駁斥《注》、《疏》」、「疑經改經」、「已意說經」等表現，再再證明了當時學者對於新學風的持續與發展仍舊有著相當程度的貢獻。此外，以丘光庭在《兼明書》中的論述來看，可以發現其中有許多「想當然爾」式的推斷，這個現象似乎與後來宋儒治經獨斷、專擅的態度頗有雷同之處，同時，牛希濟、羅隱議論文字，在精神與形式上又都與宋人治經「好發議論」的特色相符合，或許這樣的相似點，可以作爲五代十國學風爲宋人前導的例證。

其三，研究與討論《春秋》學的行爲仍然存在，方法早觀念已經改變，固然是這個時期《春秋》學相關著作的特性，更重要的是，當時的《春秋》類作品，都標榜「尊王」的觀念，相信這個現象和宋人治《春秋》學視「尊王」一定有密切的關係。

其四，就官方努力維持舊典範、少數學者追求新思潮的現實狀況看來，五代十國時期的確是處於學風將變未變之際，在這種狀態之下，任何行爲都可能影響未來學術發展的方向，而針對這些微妙的變化進行探索，就可以更清楚地掌握經學史的發展脈絡。

引用書目

禮記注疏　漢・戴聖編次，漢・鄭玄注，唐・孔穎達正義　影印清嘉慶二十年（1815）江西南昌府學刊十三經注疏本　臺北：藝文印書館　1985年12月
左傳注疏　舊題周・左邱明撰，晉・杜預集解，唐・孔穎達正義　影印清嘉慶二十年（1815）江西南昌府學刊十三經注疏本　臺北：藝文印書館　1985年12月
公羊傳注疏　舊題周・公羊高撰，漢・何休解詁，北朝・徐彥疏　影印清嘉慶二十年（1815）江西南昌府學刊十三經注疏本　臺北：藝文印書館　1985年12月
穀梁傳注疏　舊題周・穀梁赤撰，晉・范甯集解，唐・楊士勛疏　影印清嘉慶二十年（1815）江西南昌府學刊十三經注疏本　臺北：藝文印書館　1985年12月
新唐書　宋・歐陽修等撰　臺北：洪氏出版社　1977年6月
舊五代史　宋・薛居正等撰　臺北：洪氏出版社　1977年10月
補五代史藝文志　清・顧櫰三撰　北京：書目文獻出版社　1991年3月
十國春秋　清・吳任臣，（拾遺、備考）清・周昂撰　影印清乾隆五十八年（1793）海虞周氏北宜閣校刊本　臺北：鼎文書局　1994年6月
宋史　元・脫脫等撰　臺北：洪氏出版社　1975年10月
通典　唐・杜佑撰　影印清乾隆年間（1736－1795）刊武英殿本　臺北：臺灣商務印書館　1987年12月
文獻通考　元・馬端臨撰　影印清乾隆年間（1736－1795）刊武英殿本　臺北：臺灣商務印書館　1987年12月
唐會要　宋・王溥撰　上海：上海古籍出版社　1991年1月
五代會要　宋・王溥撰　臺北：臺灣商務印書館　1968年3月
崇文總目　宋・王堯臣等編次，清・錢侗等輯釋　臺北：臺灣商務印書館　1978年7月

郡齋讀書志　宋・晁公武撰　影印宋理宗淳祐年間（1241－1252）袁州刊本　臺北：臺灣商務印書館　1978 年 1 月

兼明書　五代・丘光庭撰　叢書集成簡編據寶顏堂祕笈本排印　臺北：臺灣商務印書館　1965 年 12 月

冊府元龜　宋・王欽若、楊億等撰　影印明崇禎壬午年（十五年，1642）刊本　臺北：臺灣中華書局　1967 年 5 月

群書考索　宋・章如愚編纂　影印明正德戊辰（三年，1508）劉洪愼獨齋刊本　北京：書目文獻出版社　1992 年 5 月

玉海　宋・王應麟編纂　影印元惠宗至元（後至元）三年（1337）慶元路儒學刊本　臺北：華文書局　1964 年 1 月

文苑英華　宋・李昉、徐鉉等編　影印清乾隆三八（1773）至四七年（1782）間寫文淵閣四庫全書本　臺北：臺灣商務印書館　1983 年 6 月

全唐文　清・阮元等編　影印清嘉慶十九年（1814）武英殿刊本　臺北：啓文出版社　1961 年 12 月

全蜀藝文志　明・周復俊編　影印清乾隆三八（1773）至四七年（1782）間寫文淵閣四庫全書本　臺北：臺灣商務印書館　1983 年 6 月

昌黎先生集　唐・韓愈撰　影印宋孝宗淳熙元年（1174）錦谿張監稅宅刊本　臺北：國立故宮博物院　1982 年秋

石刻鋪敘　宋・曾宏父撰　百部叢書集成影印清乾隆年間（1736－1795）鮑廷博校刊知不足齋叢書本　臺北：藝文印書館　1966 年

歷代石經考　張國淦撰　影印民國十八年排印本　臺北：鼎文書局　1972 年 4 月

經 學 研 究 論 叢
第 五 輯　　頁33～54
臺灣學生書局　1998年8月

理學仁孝觀與傳統醫學

徐儀明*

古代稱醫學爲「仁術」的年代已不可確考，從現有材料來看，當在宋明時期。明顯是理學向醫學進一步滲透下的產物。然而，理學的「仁」範疇的形成，亦吸取了醫學的有關論述，使之從先秦儒學單純的倫理範疇而變爲形而上的本體範疇。所謂「孝道」，儒家指能夠養親、尊親，其對醫學的影響雖很久遠，但亦以理學時代爲最著，形成「知醫爲孝」的固定格局。因此「仁」、「孝」作爲宋明時期醫儒關係的重要內容，值得去做一番較爲詳細的探討。

如果從醫學方面考鏡源流，《內經》中已有「仁」的概念和儒家人貴的思想。《靈樞・通天篇》云：「太陰之人，貪而不仁，下齊湛湛，好內而惡出。」認爲「太陰之人」屬於貪婪淫蕩的性惡者，這裏的「仁」已具有倫理道德概念上的涵意。漢儒董仲舒亦有類似觀點，如說：「天兩有陰陽之施，身亦兩有貪仁之性。」（《春秋繁露・深察名號》）但是《內經》「仁」概念並非全部如上例所涵之意，如《素問・血氣形志篇》所說：「形數驚恐，經絡不通，病生於不仁。」此處的「不仁」並非是儒家所說的不仁愛，只是說人屢受驚恐，使經絡氣機不通暢，病狀多表現爲麻木不仁。這裏的「不仁」即謂失去知覺。然而此種說法倒爲宋明理學家反覆稱引，並加以發揮賦予其新的涵意。《素問・痹論篇》還有三處提及「不仁」，例如「在于筋則屈不伸，在于肉則不仁。」；「其不痛不仁者，病久入深。」王冰注曰：「不仁

* 徐儀明，河南大學政治系教授。

者，皮頑不知有無也。」和上面提到的第二種「不仁」意思一樣。另外，《素問・診要經終論》說：「陽明終者，口目動作，善驚妄言，色黃，其上下經盛，不仁，則終矣。」病于足陽明經者，臨終前躁動不安，又妄言罵詈而不避親疏。故王冰注曰：「不仁，謂不知善惡。」喻其喪失理性，神志昏亂的樣子。此處「不仁」二字雖解作不知善惡，其實倫理學涵意並不明確。相比之下，《內經》中的「人貴」思想相當突出。《素問・寶命全形論》說：「天覆地載，萬物悉備，莫貴於人。人以天地之氣生，四時之法成。」這種認爲在天地萬物之間人是最寶貴的觀點，本是先秦儒家的一貫主張，是從孔子「貴仁」（《呂氏春秋・不二》）學說中生發出來的。《孝經》中有一段孔子與曾參答問的記載，孔子說了一句「天地之性人爲貴」（《聖治章》）的名言。儘管此語未必是孔子原話，但對包括《內經》在內的漢代學術思想顯然起了很大的影響。孟子說：「民爲貴，社稷次之，君爲輕。」（《孟子・盡心下》）荀子也說：「人有氣有生有知亦且有義，故最爲天下貴也。」（《荀子・王制》）這些說法都肯定了人的價值，強調了人類在「天地之間」高於其他一切動物，其所以「貴」是因爲人具有倫理道德（包括「仁」、「義」等）。《內經》毫無疑問是接受了先秦儒家的這一思想。此後，醫家在論及醫德時，也多有這方面的內容。如南齊名醫褚澄在其所著《褚氏遺書》中說：「夫醫者，非仁愛之士，不可托也；非聰明理達不可任也；非廉潔淳良，不可信也。是以古之用醫，必選名姓之後。其德能仁恕博愛，其智能宣暢曲解，能知天地神祇之次，能明性命吉凶之數。」唐孫思邈《備急千金要方》則說：「若有疾厄，來求救者，不得問其貴賤貧富，長幼妍蚩，怨親善友，華夷愚智，普同一等，皆如至親之想。亦不得瞻前顧後，自慮吉凶，護惜身命。」孫氏此言充分體現了孔子「泛愛眾」思想的精神實質，他還強調人命的寶貴，說：「人命至貴，有貴千金，一方濟之，德逾于此。」（《備急千金要方》）所以他將自己的醫著都冠以「千金」二字，其意正在于此。由此說明，儒學對醫學的影響是爲源遠流長。

宋代以來，由於醫儒之間的進一步結合，不僅儒學繼續影響著醫學，醫學也反作用於儒學。這樣，理學家在論述倫理道德思想時往往參照醫學的內容，比如二程等人以切脈的體認方法來闡發「仁」的奧義，使之充份體現出別具一格的思辨色彩，就是其中一個很重要的方面。而醫家的醫德觀念也更具有哲理化的傾向，如宋代無名氏所著《小兒衛生總微論方·醫工論》就說：「凡爲醫之道，必先正己，然後正物。正己者，謂能明理以盡術也；正物者，謂能用藥以對病也。如此然後事必濟而功必著矣。若不能正己，豈能正物？不能正物，豈能愈疾？」這裏所謂的「正己」之道，具體說就是以盡仁愛己之心來對待他人，張載所謂「以愛己之心愛人則盡仁」（《正蒙·中正》）即是此意。其中所說的「明理以盡術」，則明確指出要以理學中的觀點來指導醫學。下面，就從兩個方面做較爲詳細的論述。

首先，從《內經》血脈之「仁」到理學宇宙本體之「仁」。與先秦儒學不同的是，理學家不僅認爲「仁」是道德規範的最高標準，而且還是體現了天地萬物一體境界的本體範疇。在他們看來，由於人和萬物都來源於宇宙的生生之理，所以它們之間有著密不可分的內在聯系；但人既是自然界的產物，又是「萬物之靈」與「天地之心」，所以作爲人應該體驗到與天地萬物同體，達到這種「仁」的境界，只有如此能夠完全符合宇宙的生生之理。程顥說：「學者須先識仁。仁者渾然與萬物同體，義、禮、知、信皆仁也。識得此理，以誠、敬存之而已，不須防檢，不須窮索。若心懈則有防，心苟不懈，何防之有？理有未得，故須窮索，存久自明，安待窮索？此道與物無對，大不足以名之。天地之用皆我之用。孟子言萬物皆備於我，須反身而誠，乃爲大樂。（《二程遺書》，卷 2 上）所謂「識仁」是一個「以誠敬存之」的直觀的過程，其實現的方法主要就是依靠「體認」。馮友蘭先生認爲，「體認」作爲理學中的一個專門術語，它「就是說由體驗而得來的認識，這是具體的，不是抽象的，是一種經驗，是一種直觀，不是一種理智的知識。」❶可見「體認」就是在經驗基礎之上的直覺與體悟。在理學家看來，雖然觀天地生意、觀窗外綠草、觀雞雛即隨處皆可以體認「仁」，但最好的體認方法卻存在於醫學之中。程顥在請謝良佐（約 1050－1103）爲自己切脈診病時，說道：

❶ 〈洛學與傳統文化學術討論會祝詞〉，收入《洛學與傳統文化》（求實出版社，1989 年）。

「切脈最可體仁」（《二程遺書》，卷 3）因爲其時脈脈不斷，就好像仁之爲生生之體。從《二程遺書》中可以看到，程氏兄弟對脈學是很有研究的。如說：「人有壽考者，其氣血脈息自深，便有一般深根固蒂的道理。人脈起于陽明，周旋而下，至于兩氣口，自然匀長，故于此視脈。又一道自頭而下，至足大沖，亦如氣口。」（《二程遺書》，卷 2 下）所謂「氣口」又稱「寸口」或「脈口」，指兩手橈骨頭內側橈動脈的診脈部位，但二程理解的並非是獨取「寸口」之法，而是《素問・三部九候論》中提出的「三部九候」的全身遍診法，所以說腳上的「大沖」即「太沖」穴，也是診脈部位。切脈爲望、聞、問、切四診中之最難，因此往往被蒙上種種神秘色彩，諸如什麼「索線診脈」之類，更爲神奇。這主要是因爲脈診完全靠一種直覺的體悟。晉王叔和（210－285?）《脈經序》云：「脈理精微，其體難辨，……在心易了，指下難明。」對脈象的體認完全是主觀的，不僅「指下難明」而且口中也難明，因此只有賴心的了悟。所以《內經》強調診脈時需要「慧然獨悟」、「俱視獨見」、「昭然獨明」（《素問・八正神明論》），認爲「持脈有道，虛靜爲保。」（《素問・脈要精微論》）即強調切脈時要「必清必靜上觀下觀。」（《素問・方盛衰論》）這種清虛守靜，反觀內照。慧然獨悟的方法正是道家直覺主義認識論的基本特點。老子說：「致虛極，守靜篤。」（《老子》・16 章）「滌除玄覽」（《老子》・10 章），莊子說：「以神遇而不以目視」（《莊子・養生主》），都是指的這種微妙深遠的直覺方法。而醫家據此可以悟出「紘緊浮芤，展轉相類」（〈脈經序〉）的複雜脈象，理學則認爲這種方法是最好的「體仁」途徑，可以由此而「渾然與物同體」，而且不必舍己到客觀世界（「外」）中去窮索仁理，而只要以「誠敬存」自己所固有的「仁」，即能「識仁」。程門高弟謝良佐認爲，對這種虛靜直覺之法各人所理解的程度也各有不同，「近道莫如靜，離戒以神明其德，天下之至靜也，心之窮物有盡，而天者無盡，如之何包之。此理有言下悟者，有數年而未悟者，有終身而不悟者。」（《上蔡語錄》上）謝氏本人當然是「言下悟者」。這是否與其精通切脈之道有關呢？他卻沒有明說。總之，以靜悟道之「靜」是從老莊、《內經》到二程都是一致的。謝良佐認爲這種「靜」並非無知無覺，而是潛識默通，因爲「心有知覺之謂仁」（《宋元學案》，卷 42，〈伯逢問答〉）「仁」就是心的靜中之動。這一說法可看作是對程顥「切脈最可體仁」的一種闡釋。

程顥還有以醫道發揮「識仁」的言論。他說：

> 醫書言手足痿痺不仁，此言最善名狀。仁者，以天地萬物爲一體，莫非己也。認得爲己，何所不至？若不有諸己，自不與己相干。如手足不仁，氣已不貫，皆不屬己。（《二程遺書》，卷 2 上）
>
> 醫家言四體不仁，最能體仁之名。（《二程遺書》，卷 11）

《內經》中曾指出因經脈不通而肢體沒有痛癢等感覺的現象爲「不仁」，程顥認爲這最能形容與描摹「體仁」之情況。如果說上面所講「切脈可以體仁」是從以「我」來觀天地萬物的立場出發的，那麼此處所講的則是從人與天地萬物渾然一體的角度來看問題的。「仁者」從天地萬物生生之理來體認「物我」一體，天地萬物當然也就屬於「我」了。但也可能會覺得「不與己相干」，這就像《內經》說的人的手腳患了痿痺症，本來手腳是自己身體的有機組成部分，完全可以聽憑自己的意志去行動，而運用自如。然而一旦患有此症，手腳擺動失靈，僅管手腳還在自己身上，但不聽使喚，又有什麼用呢？對於這種無用手足也就無所謂愛惜了。因此，程顥又說：

> 若夫至仁，則天地爲一身，而天地之間，品物萬形爲四肢百體。夫人豈有視四肢百體而不愛者哉？（《二程遺書》，卷 4 上）

在他看來，「不仁」就是連自己的四肢都「氣已不貫，皆不屬己」；而「至仁」就會覺得天地萬物如自己的「四肢百體」。做到與萬物一體，渾然無間，自己也就不會感覺有任何東西存在于「我」之外了。所以「泛愛萬物」就像愛自己的「四肢百體」。謝良佐沿者二程的這一認識方向繼續前進，以人心有「覺」作爲體仁的眞正命脈。他說：

仁是四肢不仁之仁，不仁是不識痛癢，仁是識痛癢。儒之仁，佛之覺。（《上蔡語錄》上）

心者何也？仁是已。仁者何也？活者爲仁，死者不仁。今人身體痲痺，不知痛癢，謂之不仁。桃杏之核可種而生者，謂之桃仁杏仁，言有生之意。推此仁可見矣。（同上）

即是認爲佛教所謂「覺」就等同於儒家指認的「仁」。人心有「覺」，就能識痛癢，就是所謂「活者」。桃仁杏仁因有生意，也可以看作爲有知覺。這便是從「與天地萬物爲一體」的角度來說的。

二程及其弟子們強調「以一身以觀天地」，強調視脈診病「此等事最切于身」（《二程遺書》，卷 2 下）無不研求醫理，顯然有爲其發揮理學心性論而作知識儲備的一面，也從另一面反映出《內經》等醫書對他們的深刻影響。當然，程顥等人將《內經》中的有關生理病理以及診斷術方面的內容納入理學的系統內，倒也符合孔門內一貫的主張。《論語·雍也》說：「能近取譬，可謂仁之方也已。」即認爲近取諸身是認識仁的好方法。但是，孔子論「仁」多不離開倫常日用，如：「巧言令色，鮮矣仁。」（《論語·學而》）「剛毅木訥近仁」（《論語·子路》）「苟志于仁矣，無惡矣。」（《論語·里仁》）「人而不仁，如禮何？人而不仁，如樂何？」（《論語·學而》）等等。與孔子不同的是，程氏等人在「取譬」的路上越走越遠，逐漸離開孔門論仁的親切樸實的傳統。在醫以及佛老等因素的作用下，「仁」被提升到宇宙本體的高度，南宋理學名家呂祖謙（1137－1181）就把「仁」當作「理」，說：「仁者，天下之正理。」（《東萊文集》，卷 17，〈論語說〉）又說：「夫仁與禮通徹上下，自足以概括天下之理。」（《東萊文集》，卷 18，〈孟子說〉）使之成爲抽象性與思辨性極強的哲學範疇。

其次，從理學人心之「仁」到宋明醫家的道德踐履。

在理學中除了將仁作爲宇宙的道德本體的說法之外，也還講人心的仁。這是儒學相傳仁的本義。張載在《正蒙·中正》中說：「以愛己之心愛人，則盡仁。」就是以孔子「愛人」（《論語·顏淵》）的觀點爲基調的。愛人如同愛己，在張載看來，這是因爲人人物物都是由一「氣」聚結而成，都具有同一本性，所以愛所有的人和物是儒者所應該做到的。他說：「性者萬物之一源，非有我之得私也，惟大人能盡其道。是故立必俱立，知必周知，愛必兼愛，成不獨成。」（《正蒙・誠明》）他以氣一元論的立場出發，認爲人與物在本性上沒有差別，在生活中應該充分體現這個道理，即立必立己而且立人，知必周萬物而知，愛必愛一切人和一切物，成必成己而且成物。張載還提出了「民吾同胞，物吾與也。」的著名命題，將古代的人道主義提到一個新的高度。他在《西銘》中說：「乾稱父，坤稱母；予茲藐焉，乃混然中處。故天地之塞，吾其體；天地之帥，吾其性。民吾同胞，物吾與也。……尊高年所以長其長；慈孤弱所以幼其幼。聖其合德，賢其秀也。凡天下疲癃殘疾，惸獨鰥寡，皆吾兄弟之顛連而無告者也。」乾坤生生不息，乃人與萬物的大父母。天下之人因此都是天地之子，無論貴賤長幼聖愚，都是眾多兄弟中的一員。聖者「與天地合其德」，好比是父母的能幹兒子，賢者是兄弟當中的佼佼者，而那些「疲癃殘疾」與「惸獨鰥寡」者是最需要人們予以關懷和幫助的兄弟。而「尊高年所以長其長，慈孤弱所以幼其幼。」則是對先秦儒家「老者安之，朋友信之，少者懷之。」（《論語・公冶長》）「老吾老以及人之老，幼吾幼以及人之幼。」（《孟子・梁惠王》）思想的引伸與發揮。總之，張載在人己關係上所作的闡述，是對孔子關於「仁」的學說的進一步拓展，對後世有較大的影響。朱熹除了祖述二程講仁即天心，仁即天道之外，也將仁落實到人生層面，闡述在人倫日用中爲仁的具體方法。首先，朱熹強調了人貴的儒學傳統思想，他說：「人爲最靈，而備有五常之性，禽獸則昏而不能備，草木枯槁則又並與知覺者而亡焉。」（《朱子文集》，卷59，〈答余方叔〉）草木僅有生氣，禽獸有血氣知覺，人不僅如此而且具備了五常之性，所以是最靈的。當然這種人貴的觀點基本是沿襲了荀子等人的說法。其次，朱熹論仁多從惻隱之心、博愛、事親等內容來講的，如說：「惻隱之心，方是流行處。到得親親仁民愛物，方是成就處。」（《朱子語類》，卷74）「以博愛爲仁，則未有博愛之前，不成是無仁。」（《朱子語類》，卷137）又說：「愛親仁民愛物，無非仁也。」這些觀點仍不出前人的範圍。

然而，對於如何去躬行實踐「仁」，朱熹卻有自己的心得，他說：「大抵向來之說，皆是苦心極力要識仁字，故其說愈巧而氣象愈薄。近日究觀聖門無教之意，即是要人躬行實踐，直內勝私，使輕浮刻薄貴我賤物之態，潛消于冥冥之中，而吾之本心渾厚慈良公平正大之體，常存而不失，便是仁處。其用功著力，隨人淺深，各有次第。要之須是力行久熟，實到此地，方能知此意味。蓋非可以想像臆度而知，亦不待想像臆度而知也。」（《朱子文集》，卷 42，〈答吳晦叔〉）即是說，僅僅是苦心極力的想像臆度或坐而論道都不能「識仁」，而要眞正理解惻隱、親親、仁民、愛物、博愛等等仁的學問，就必須去身體力行。朱熹認爲，人雖各方面有著不同的水平，但只要「用功著力」並且「力行久熟」就能夠「知此意味」。

作爲「活人之術」的醫學，本身就帶有儒家這種博愛濟眾的特徵，再加上張載、朱熹等人上述思想的傳播，醫學就漸漸被定名爲「仁術」了，成爲踐履儒家仁的最高道德標準的一種技藝。在這樣思想背景下，出現了兩方面情況：一是大批儒者演變爲醫生，懸壺濟世；二是作爲醫生的儒者，強調要用仁的道德標準作爲行醫的行爲準則，從而普遍提高了宋明醫家對醫德的認識水平。

首先，一代名儒范仲淹「不作良相，便作良醫」的思想，已在後世發生了深刻而廣泛的影響，並成爲由醫而儒的理論依據。明代醫家左斗元（生卒不詳）《風科集驗名方序》說：「達則願爲良相，不達願爲良醫，良醫固非良相比也，然任大責重，其有關於人之休戚一也。」儒者以出將入相，兼濟天下爲人生的最高目的，但畢竟業儒者多爲官者少，因而有不少儒者因種種原因通過不同途徑轉而從醫，並且能夠達到一種心理上的平衡，認爲自己達到了愛人救世的宿願。前面已多次提到的元代名醫朱震亨本爲朱熹四傳弟子許謙的門人，據明戴良《丹溪翁傳》載，朱氏「聞道德性命之說，宏深遂密，遂爲專門」，但當許謙要他「游藝于醫」時，「即概然曰：『士苟精一藝，以推及物之仁，雖不仕于時，猶仕也。』乃悉焚棄向所習舉子業，一于醫致力焉。」即是說如果精通一種技藝，即可將仁者愛人之心施及于人，雖不做官也同做官一樣。在這樣的思想觀念推動下，朱震亨毅然斷絕了仕宦之路，而投身於杏林之中，並成爲一代名醫。《宋元學案・北山四先生學案》中有〈聘君朱丹溪先生震亨〉傳，其中記載了朱氏的兩段話：

> 吾窮而在下，澤不能及遠，隨分可自致者，其惟醫乎？
> 聖賢一言，終身行之不盡，奚以多爲！

雖「窮」亦不願獨善一身，將行醫做爲澤及他人的最好選擇。同時，他認爲行醫也是踐履聖賢行仁道之言，可作爲自己一生行爲的指歸。明代王學中泰州學派的創始人王艮（1483－1541）也曾行醫以躬行儒家的踐履之道。其《年譜》記載，二十三歲時「客山東，先生有疾，從醫家受倒倉法。既疾愈，乃究心醫道。」《內經》稱胃爲倉廪，倒倉法是一種治療方法，又稱吐法，朱震亨《格致余論》中有〈倒倉論〉一節。徐玉鑾撰〈王艮傳〉也說，「弱冠，先生父紀芳使治商，往來齊魯之間。已，又業醫，然皆弗竟。」王艮雖曾懸壺於世卻未將其作爲終身職業，但對其理學思想的形成已經發生了一定的關係。王艮說：「聖人之道，無異于百姓日用，凡有異處，即是異端」，「百姓日用條理處，即是聖人之條理處。」（《王心齋先生遺集・語錄》，卷 1）將百姓日用等同於聖人之道，其中包含有其行醫的體驗。因爲醫術最爲百姓所日用，所以它也最貼近聖人之道。總之，在宋元明清各個朝代，儒者轉而專改或兼通醫術的例子不勝枚舉，其基本推動力量就是儒家濟世行仁的思想觀念。

其次，以儒家仁的道德標準作爲醫界的行爲準則，在宋以後大量的習醫的戒要、箴言、規格、醫話等等之中，都將仁愛二字當作首要的要求。明龔信（生卒年不詳）《明醫箴》開篇即言：「今之名醫，心存仁義。」其子龔廷賢在《萬病回春・醫家十要》中說：「一存仁心，乃是良箴，博施濟眾，惠澤斯深。」明末人潘楫《醫燈續焰・醫乃仁術》不僅指出醫者應該怎樣去做，同時也強調了行醫時應該禁絕的事。其云：

> 醫以活人爲心。故曰：醫乃仁術。有疾而求療，不啻求救焚溺於水火

> 也。醫乃仁慈之術，須披髮攖冠，而往救之可也。否則焦濡之禍及，少有仁心者能忍乎！竊有醫者，乘人之急而詐取貨財，是則孜孜爲利，蹠之徒也。豈有仁術而然哉？比之作不善者，尤甚也。……悉必計一時之利，而戕賊仁義之心，甚與道術相反背，有乖生物之天理也。從事者可不鑒戒！醫者當自念云：人身疾苦，與我無異。凡來請召，急去勿遲，或只求藥，宜即發付，勿問貴賤，勿擇貧富，專以救人爲心，冥冥中，自有佑之者。乘人之急，故意求財，用心不仁，冥冥中自有禍之者。

此文從兩方面進行了詳細的論述：⑴醫既爲行仁術者，就要不計得失，一切從病人出發，要像救人於水火之中那樣去救治病人，只有這樣才符合「生物之天理」。⑵凡是在行醫過程中，乘病人危難，敲詐勒索，騙取錢財的，就是戕賊仁術的強盜，必遭報應。雖然潘楫上述言論有因果報應的迷信色彩，但其從正反兩方面對「醫乃仁術」思想所作的闡釋，比較全面頗具代表性。其他一些醫家也有鞭韃那些不講道德的醫中敗類的看法。如李中梓（1588－1655）《醫宗必讀》指出行醫中「或巧言誑人，或甘言悅聽；或強辨相欺，或危言相恐。此便佞之流也。」又如清代夏鼎《十三不可學》提出凡殘忍、馳鶩、愚下、鹵莽、猶豫、固執、輕浮、急遽、怠緩、自是、慳吝、貪婪等十三種人不可學醫，其中基本上都屬於道德方面的問題。

另外，儒醫中還有不少人以自己的醫學踐履活動，來體現仁術的精神實質。朱震亨凡病家有請，即不顧艱辛疲勞，立即出診，「四方以疾迎候者無虛日，先生無不即往，雖雨雪載途，亦不爲止。僕夫告痛，先生諭之曰：病者度刻如歲，而欲自逸耶？窶人求藥無不與，不求其償。其困厄無告者，不待其招，注藥往起之，雖百里之遠弗憚也。」（明宋濂〈丹溪先生墓誌銘〉）對貧困之家的病人則格外照顧。明代名醫萬全（生卒不詳）認爲應「以活人爲心，不記宿怨」（《幼科發揮》，卷 4）並身體力行，曾經千方百計地救治好一怨家小兒的危重病症。這些名醫對技術精益求精，往往轉益多師，博涉群籍，學驗俱豐，如李時珍「長耽典籍，若啖蔗飴，遂漁獵群書，搜羅百氏。凡子史經傳，聲韻農圃，醫卜星相，樂府諸家，稍有得處，輒著數言。」（明王世貞《本草綱目》序）而李梴則指出：「凡欲專小科，則不可不讀大科；欲專外科，亦不可不讀內科，蓋因此識彼有之，未有通於彼而塞於此者。」（醫學入門・習醫規格）由博而精，兼通數科。上述這些名醫的言行豐富了儒家傳統倫理道德中的優秀部份，值得稱道。

但是，由於儒醫的地位不斷的提高，棄儒從醫者亦愈來愈多，結果是魚目混珠，濫竽充數，出現了一些醫術低劣、醫德不正的「庸醫」。徐春甫《古今醫統・庸醫速報》對之作了一番描述：「間有無知輩，竊世醫之名，抄檢成方，略記《難經》、《脈訣》不過三者盡之，自信醫學無難矣。此外惟修邊幅，飾以醫騎，習以口給，諂媚豪門，巧彰虛譽，搖搖自滿，適以駭俗。一遇識者洞見肺肝，掣肘莫能施其巧，猶面諂而背誹之。又譏同列看書訪學，徒自勞苦。凡有治療，率而狂誕，妄投藥劑，偶爾僥效，需索百端，凡有誤傷，則曰盡命。」活畫出這些醫界中之詐僞者的醜態。庸醫雖是無聊之輩，卻也標榜「醫爲仁術」，因此他們往往「擇用幾十種無毒之藥，求免過衍。病之二三日，且不能去。」（清喻昌《醫門法律・申治病不知藥方之律》）這樣便可不去承擔責任，而其實質則爲「養癰之術，坐誤時日，遷延斃人者。」（同上）明清之際著名思想家顧炎武（1613－1682）對庸醫的本質曾做了深刻的揭露，其云：「古之時庸醫殺人，今之時庸醫不殺人，亦不活人，使其在不死不活之間，其病日深而卒至于死。」（《日知錄》，卷 5，〈醫師〉）所謂「今之時」是指理學走向沒落的時代，這些「不殺人亦不活人」的庸醫，其實也就是空談心性的理學末流。顧炎武又說：「昔之清談談老莊，今之清談談孔孟。未得其精而已遺其粗，未究其本而先辭其末。……以明心見性之空言，代修己治人之實學。」（《日知錄》，卷 7，〈夫子之言性與天道〉）其所謂「實學」包括重實賤、重考察、重驗證、重實測的科學精神，是對理學末流「崇虛黜實」思想的批判。顧炎武在批判中善於用古今對比，來證明清談誤國，庸醫誤人。顏元精通醫道更倡實學，對庸醫也進行了針砭，他說：「今有妄人者，只務覽醫書千百卷，熟讀詳說，以爲予國手矣，視診脈，制藥、針灸、摩砭，以爲術家之粗不足學也。書日博，識日精，一人倡之，舉世效之，岐黃盈天下，而天下之人病相枕，死相接也，可謂明醫乎？」（《存學編》，卷 1，〈學辨一〉）指出庸醫只讀醫書不能看病，誤盡天下蒼生。在明清實學思潮的強烈影響下，不少名醫紛紛出來指斥庸醫。龔信《庸醫箴》說：「誤人性命，希圖微利，如此庸醫，可恥可忌。」吳瑭說：「生民何辜，不死於病而死於醫，是有醫不若無醫也。學醫不精，不若不學也。」（《溫病條辨序》）徐大椿以俚詩加以諷勸：「問爾居心何忍，王法雖不及，天理實難欺。你如果有救世眞誠，還望你讀書明理，做不來寧可改業，免得陰誅明擊。」（《洄溪道情》）可謂對庸醫深惡痛絕。但是，直至清末民初，理學仍有市場，庸醫亦未斷絕。魯迅之父周福清（曾爲清翰林庶吉士）即爲庸醫所誤，花盡家財，受盡折騰，拖了兩年終於病故。後來，魯迅在學得了一些先進醫學知識後，便感慨很深地說：「我還記得先前的醫生的議論和方藥，和現在所知道的比較起來，便漸漸的悟得中醫不過是一種有意的或無意的騙子，同時又很起了對於被騙的病人和他的家族的同情。」❷這段話一向僅被當作偏激之論，是對中醫和中藥學的不正確看法。但魯迅還在《僞自由書·推背圖》中說：「本草家提起筆來，寫道：砒霜，大毒。字不過四個，但他卻確切知道了這東西曾經毒死過若干性命了。」也肯定了中藥學是經過驗證的科學。事實上魯迅反對的是舊學中的虛僞與庸醫的欺詐，這和他反封建的立場是相一致的。如果全面掌握庸醫的種種令人憤慨的表現之後，當會對魯迅的觀點作出新的理解。

孝與仁在儒學倫理道德範疇體系中關聯十分密切，孔子在《論語·學而》中說：「孝悌也者其爲仁之本歟？」，認爲孝悌是仁的基礎。所謂「孝」在古代是一個涵蓋非常廣泛的範疇，凡與尊敬、奉養、順從等等相關的內容都體現了孝道。儒家孝道觀對傳統醫學產生了相當大的影響，其中以理學階段爲最甚。

儒家歷來重視親子之間的感情交流，強調子女對父母的尊敬和愛戴。孔子說：「父母之年，不可不知也，一則以喜，一則以懼。」（《論語·里仁》）

---

❷ 《吶喊》（北京：人民文學出版社，1976 年），〈自序〉，頁 3。

喜則因父母之年高長壽，懼則因其體衰身弱，因此，「父母在，不遠遊，遊必有方。」（《論語・里仁》）而要經常在父母面前盡些孝心。孔子又說：「今之孝者，是謂能養，至於犬馬，皆能有養，不敬，何以別乎？」（《論語・爲政》）僅僅奉養還不夠，要對父母表示眞誠的敬意。孟子也認爲贍養雙親是很重要的事情，說：「事，孰爲大？事親爲大。」（《孟子・離婁上》）又說：「孝子之至，莫大乎尊親，尊親之至，莫大乎以天下養。」（《孟子・萬章上》）關於如何「養」，孟子還講了不少具體的內容，如制田產、畜雞豚，可使老人得以溫飽，以安享晚年。這些關於孝敬父母、贍養老人的論述，具有促進社會安定，人民幸福的積極因素，形成了中華民族的傳統美德之一。但是，孝道也具有不少消極因素，它維護並鞏固宗法制度，如孔子說：「弟子入則孝，出則弟。」（《論語・學而》）「其爲人也孝弟，而好犯上者，鮮矣。」（同上）即是說在家能孝悌，在朝定能對君王必恭必敬，後人所謂「求忠臣於孝子之門」，即從此出。因此盡孝必須合「禮」，「生，事之以禮；死，葬之以禮，祭之以禮。」（《論語・爲政》）而且父親死後「三年無改於父之道，可謂孝矣。」（《論語・學而》）這些觀點到後世發展到「吃人的禮教」，成爲束縛人們手腳的封建枷鎖。

孔孟奉親養老的觀點，有人道主義色彩，容易在以救死扶傷爲己任的醫家中產生反響。從漢晉到隋唐不少醫家都提出知醫爲孝的觀點。如被後人尊爲「醫聖」的張仲景（約 150－219）說：「留神醫藥，精窮方術，上以療君親之疾，下以救貧賤之厄。」（《傷寒論》，自序）晉人皇甫謐（215－?）則認爲：「夫受先人之體，有八尺之軀，而不知醫事，此所謂游魂。若不精於醫道，雖有忠孝之心，仁慈之性，君父危困，赤子塗地，無以濟之，此固聖賢所以精思極論，盡其理也。」（《晉書・本傳》）唐代孫思邈在《備急千金要方》序中也說：「君親有疾不能療，非忠孝也。」這些言論都發揮了孔孟的思想，認爲孝子忠臣要時刻保證君父的身體健康，就必須學習並精究醫術。張仲景、皇甫謐、孫思邈等人所言在歷史上開了醫孝合一論的先河，又反轉過來給理學以影響。

理學初興時，醫孝合一之說尚未流行，至司馬光還說：「父母有疾，子色不滿容，不戲笑，不晏游，舍置余事，專以迎醫。」（《書儀》，卷 3）僅以「迎醫」爲能事。程顥是理學家中將醫道與孝道相提並論的創始者。他說：「病臥於床，委之庸醫，比於不慈不孝。事親者亦不可不知醫。」（《二程外書》，卷 12）侍奉雙親自己要懂得醫道，否則交由庸醫亂治，自然是「不孝」；即使是自己有病，也不可如此輕率，否則就會使父母背上「不慈」的惡名。可見大程對庸醫誤人有較深刻的了解。程頤也認爲人子事業學醫「最是大事」，他說：「今人視父母疾，乃一任醫者之手，豈不害事？必須識醫藥之道理，別病是如何，藥當如何，故可任醫者也。」〈《二程遺書》，卷 18〉認爲切不可將父母托付給醫者，自己卻一籌莫展。然而，一般人未能黯熟醫術，如果心存偏見，反而會比一點不懂更會壞事。小程針對這種疑問，又說：「且如圖畫人，未必畫得如畫工，然他卻識別得工拙。如自己曾學，令醫者說道理，便自見得，或已有所見，亦可說與他商量。」（《二程遺書》，卷 18）這就是說，只要懂得醫學中的道理，便自會有一定的見解，就能與醫者相互商量與斟酌，而不至於任人擺布，如同木偶人一般。這就像辨別圖畫的優劣，只要識得一些作畫的道理，未必一定要做畫工才能辦到。當然，二程兄弟這番知醫爲孝的言論並非是空穴來風，它既受到前代醫家醫孝合一論的影響，又與宋代新儒學的進一步崛起有關，是有著深刻的歷史和時代背景的。

知醫爲孝論的理論基礎仍是孔孟等人的仁孝觀。不過理學中人又作了進一步的發揮。理學奠基之一的張載，在《西銘》中除了提出「民胞物與」的兼愛思想外，同時也提倡盡孝，舉出申生、伯奇等例子作爲「孝」之楷模。二程則認爲：「孝悌也者，其爲仁之本歟？言爲仁之本，非仁之本。」（《二程遺書》，卷 11）「爲仁之本」與「仁本」有所不同，即是說仁是本，孝是用，不能將仁與孝混合爲一，這是二程的新解。然而「仁主於愛，愛莫大於愛親。故曰孝悌也者，其爲仁之本歟？」（《二程遺書》，卷 18）仁的主要內容是「愛」，親情之愛爲最大者，所以要想履行「仁」，首先必須從「孝悌」開始做起。「孝悌」是行仁的具體表現形式。朱熹亦將仁孝並舉，他說：「仁之實，本只是事親。推廣之，愛人利物無非是仁。」（《朱子語類》，卷 56）「仁主於愛，而愛莫切於事親。」（《論語集注・學而》）反覆闡發事親孝悌乃仁義之根實，而心之有仁而方有孝悌。元儒吳澄也說：「德謂己所得，道謂人所共由。蓋己之所得，人所共由者，其理曰仁、義、禮、智。而仁兼統之。仁之發爲愛，而愛先於親。故孝爲德之至，道之要也。」（《孝經注・開宗明義章》）把孝作爲道德的至要，將仁與孝合而爲一。總之，理學家都從不同的角度強調了仁與孝的關係，使之更受後人的重視。明代儒醫徐春甫對此極有心得，他在《古今醫統・醫儒一事》中說：「醫爲儒者之一事，不知何代而兩途之。父母至親者有疾而委之他人，俾他人之無親者反操父母之生死。一有誤謬，則終身不復。平日以仁推人者，獨不能以仁推於父母乎？故於仁缺。」不能醫治父母疾病者，而對人講仁只是空談，並無其實，所以謂之缺少「仁」。徐氏之語深得二程仁孝論之精髓。張介賓亦論仁孝，其云：「夫生者，天地之大德也。醫者，贊天地之生者也。人參兩間，惟生而已，生而不有，他何計焉？故聖人體天地好生之心，闡明斯道，誠仁孝之大端。」（《類經圖翼》，自序）天地生生之大德，就體現在醫者行仁孝之道上，這既是對醫者的高度評價，也是對仁孝之道的極力推崇。

醫孝合一論雖然在北宋以前就已出現，但其對社會產生廣泛影響，還是在理學興盛之後。因爲像張仲景等人縱然著名，但也無法與二程等理學家相比的。作爲封建社會後期的統治思想，理學把孝親封建倫理道德，說成是人人都不能違反的「天理」，具有無上的權威。在此種社會背景下，醫家無不談「孝」，甚至以「孝」治醫。金元四大家之一的張從正寫有一部醫著，主要講汗、吐、下三種治療方法，卻名之爲《儒門事親》，彷彿是在講綱常倫理，爲何要起此名呢？其原因是「以爲惟儒者能明辨之，而事親者不可不知也。」（《金史・張從正傳》）即以爲知醫爲儒者份內事，而作爲孝子亦必須懂醫。清程國彭《醫學心悟・自序》說：「古人有言，病臥於床，委之庸醫，比於不慈不孝，是以爲人父子者，不可以不知醫。」這裏所謂「古人有言」顯然是指大程的那段議論，這說明知醫爲孝的觀念已相當普及。應該說，醫孝合一說還是具有一定的積極因素，起到過促進醫者專研醫術的作用。明代名醫王肯堂（1549－1613）講過自己習醫的經過：「嘉靖丙寅，母病阽危，常潤名醫。延至殆遍。言人人殊，罕得要領，心甚陋之，於是銳志學醫。」（《證治準繩》，自序）醫道既通，漸爲人知。後有種種原因又棄醫爲官，致去官歸家後方重操舊業，其時，「二親篤老善病，即醫非素習，固將學之，而況乎輕率熟路也。於是聞見日益廣，而藝日益精，鄉曲有抱沉痾，醫技告窮者，叩閤求方，亡弗立應，未嘗敢萌厭心，所全活者稍稍眾矣。」（同上）學醫的動機就是因母親生病，而醫術的提高又因父母年老多病，在這裏孝道竟成爲王肯堂技術精益求精的動力。而且他又能懸壺濟世，澤及四鄉，更爲值得稱道。當然，因父母有病而萌生習醫者，尚大有人在，清吳瑭《溫病條辨・自序》說：「瑭十九歲時，父病年餘，至于不起，瑭愧恨難名，哀痛欲絕，以爲父病不知醫，尚復何顏立於天地間！遂購方書，伏讀於苫塊之餘。」不能盡孝的遺憾使他憤然「棄舉子業，專事方術。」（清吳瑭《溫病條辨自序》）父母子女的血緣關係是人類最基本也是最重要的關聯之一，基於親情而習醫，進而濟世，似乎無可厚非，魯迅亦說自己習醫的目的是「救治像我父親似的被誤的病人的疾苦。」❸這種醫孝合一論顯然包含有古代人道主義的合理因素。

但是，這種醫孝合一論是以孝爲其根本的，而「孝」在後期封建社會已經被推向極端，變成爲「愚孝」。理學家認爲「孝」的核心，就是子女在任何時候都必須絕對的服從父母，唯父母意志爲瞻，否則就是不孝。這樣一來，「孝」已不再是一般意義上的子女對父母的贍養和尊重，而是指父權對子女的統治與壓迫，「孝」乃「父爲子綱」在道德觀念上的反映。「忠」、「節」、「信」、「義」都不過是孝這一觀念在君臣、夫婦、朋友、主僕關係上的運用和推廣。二程認爲要樹立封建家長在家庭內部的絕對權威，程頤說：「家人之道，必有所尊嚴而君長者，謂父母也。雖一家之小，無尊嚴則孝敬衰，無君長則法度廢，有嚴君而後家道正，家者國之則。」（《周易程氏傳》，卷 3，〈家人〉）父母應有「尊嚴」方可使子女產生「孝敬」之心。呂祖謙則認爲，子女孝敬父母是無條件的，說：「孝敬之心無間斷，隨遇隨起。」

❸ 《吶喊》（北京：人民文學出版社，1976 年），〈自序〉，頁 3。

（《東萊文集》，卷 16，〈禮記說〉）如果碰到「頑父嚚母」時，也必須委屈求全，不減孝心。即使受到父母的無理痛責和毒打，也要克盡子職，「父母不從吾諫，至怒。怒至於撻之流血，亦起敬起孝。」（同上）至於爲洗刷自己而形成父母之惡的事情，更是不能幹的。清李毓秀所寫啓蒙讀物《弟子規》流傳甚廣，其中就有「親愛我，孝何難；親憎我，孝方賢。親有過，諫使更，怡吾色，柔吾聲。諫不入，悅復諫，號泣隨，撻無怨，親有疾，藥先嘗，晝夜侍，不離床。」使童心也蒙上這種打罵無怨的愚孝的陰影。隨者理學的正統地位日趨鞏固，愚孝之風愈煽愈烈，遍及社會生活的各個角落。由於醫孝關係的特殊性，許多怪誕、荒唐、愚昧甚至殘忍之事，竟假醫藥之手而產生，暴露出舊禮教「吃人」的本性。

其中最典型的是所謂的「割股療親」。據宋張杲（約十二世紀人）《醫說》卷四〈人肉治羸疾〉稱：「（唐）開元間，明州人陳藏器撰《本草拾遺》，云：人肉治羸疾。自此閭閻效割股。」所謂「羸疾」即肺結核一類疾病，過去爲不治之症。當孝子們得知人肉可治此絕症，無不互相仿效著從大腿上割肉以療親疾。此事愈傳愈邪，後來便以爲人肉是天下最靈驗的藥物。魯迅小說《藥》中揭露了以「人血饅頭」治「肺癆」的愚昧，說明直至清末民初仍有此遺風。而且，許多中了愚孝之毒的人，只要父母患有難治之病，即割股以進，以爲這樣既可盡孝道，又能受到社會的褒揚。《金史・創政傳》載：「母疾，晝夜侍側，衣不解帶，割股肉啖之者再三。」《新元史・普蘭溪傳》亦載：「普籃溪八歲，裕宗養於宮中，母疾刲股和藥療之，不令人知，裕宗稱其孝。」除了割股之外，還有「鑿腦」。《元史・秦氏二女傳》云：「秦氏二女，河南宜陽人，逸其名。父嘗有危急，醫云不可攻，姐閉戶默禱，鑿己腦和藥進飲遂痛。父後復病欲絕，妹刲股內置粥中，父小啜即蘇。」這不像是治病，倒像是自殺，其狀甚爲淒慘。明清兩代，此風更盛，史料記載之多已無法統計。明何孟春《餘冬序錄》載：「江伯兒母病，割脅肉以進，不愈；禱于神，欲殺子以謝神，母痛，遂殺三歲子。」（李時珍《本草綱目》，卷 52，〈人肉〉）此人除了割己肉外，還要殃及無辜兒童，更是罪不容誅。清管同（道光五年〔即 1825 年〕舉人）〈孝史序〉也稱贊《孝史》的作者陳寶田「少時亦嘗刲股以療親疾，世代相繼，無愧古賢。」（王文濡《續古文觀止》，卷 5）將割股療疾作爲世代相傳的美德。以上所舉充分說明理學關於「孝」的說教爲害之甚，影響之廣。

當然，割股之舉自其產生就受到來自不同方面的批評與抵制。理學中一些頭腦清醒者也不贊成這種做法。南宋名儒眞德秀就說：

> 所謂病則致其憂者，言父母有疾，當極其憂慮也。昔王祥有母，病三年，衣不解帶，親年既高，不能無病，人子當躬自侍俸，藥必親嘗，若有名醫，不恤涕潤，告以求治療之法，不必刲肝割股，然後力孝，蓋身體發福，受之父母，或不幸而致疾，未免反貽親憂。（《孝經注・紀孝行章》）

晉人王祥是理學家常舉的孝子典型例子，二程曾認爲王祥臥冰求魚以奉其母爲「此亦是通神明一事」（《二程遺書》，卷 18）。眞德秀沒提其臥冰求魚之事，而認爲像王祥侍母病三年衣不解帶，已堪爲表率。父母有疾，做兒女的焦急憂愁是很正常的，但並不必「刲肝割股」。因爲《孝經・開宗明義章》即云：「身體髮膚，受之父母，不敢毀傷。孝之始也。」亦爲「聖言」必須遵循。如果因割身上的肉而得病，反使父母憂愁，這反倒是不孝了。眞德秀用來反對這種愚孝行爲的武器恰恰正是儒家的孝道，倒是很有些諷刺意味。但是，正是理學鼓吹兒女在任何時候都必須服從父母的戒律清規，才導致了這種「刲肝割股」愚昧野蠻現象的普遍存在。顯然，眞德秀根本沒有觸及到問題的實質。

李時珍作爲明代大醫藥學家，一生同形形色色的愚昧與迷信現象進行了堅決鬥爭。他尤對這種割股侍親的狀況深惡痛絕，爲了想使後世不再出現這種違反人性的醜惡事情，特在其名著《本草綱目》中專設了〈人肉〉一節，從源到流深刻地揭露了割股侍親的種種原因，並對之進行了無情的鞭韃。他指出，在陳藏器著《本草拾遺》以前，「已有割股割肝者矣，而歸咎陳氏，所以罪其筆之於書，而不立言以破惑也，《本草》可輕言哉？」（《本草綱目》，卷 52，〈人肉〉）正因爲陳藏器是位藥物學家，不該人云亦云，將食人肉寫在《本草》上而不加以批駁，澄清是非，這樣就難辭其咎。藥學著作是十分嚴肅的，豈可隨意去言說呢？接著，李時珍又說：

> 若臥冰割股，事屬後世。乃愚昧之徒，一時激發，務爲詭異，以驚世駭俗，希求旌表，規避徭役。割股不已，至於割肝；割肝不已，至於殺子。違道傷生，莫此爲甚。自今遇此，不在旌表之例。嗚呼！聖人立教，高出千古，韙哉如此。又陶九成《輟耕錄》❹載：古今亂兵食人肉，謂之想肉，或謂之兩腳羊。此乃盜賊之無人性者，不足誅矣。（《本草綱目》，卷 52，〈人肉〉）

「孝子」們種種臥冰割股的「光榮」事跡在後世不斷得到宣揚，是因爲一代代奸詐不逞之徒，掏空心思沽名釣譽而造成的，他們或爲獲得朝廷的封賞，或是爲逃避徭役，並不是眞正的孝子。這一看法可謂入木三分，暴露了禮教的虛僞。李時珍還認爲，從割股到割肝到殺子，殘忍野蠻之極，根本不該加以表彰宣揚。要樹立正確的道德觀念，還應對其大張撻伐。他又引用明陶九成所說，指出食人肉者，是那些毫無人性的亂兵盜賊，而這種人應該是千刀萬剮的。把食人肉者歸入愚昧之徒與亂兵盜賊這兩類人類渣滓，可謂是對割股侍親現象所作的「心誅」，眞正顯示了古代人道主義精神，實屬難能可貴。

如果對臥冰割股之類現象作進一步的理論考察，可以發現其與儒家的天人感應說有著密切的聯系。在前引的例子中，秦氏二女「姐閉戶默禱」，江伯兒「禱於神」，都有試圖以「孝心」感動天地神靈的舉動。《孝經・感應章》說：「明王事父孝，故事天明；事母孝，故事地察；長幼順，故上下治。天地明察，神明彰矣。」認爲天地父母本同一理，所以事父母之孝可通天地。這種神祕主義的觀點爲理學所闡發。二程認爲孝子王祥臥冰得魚，因爲「此感格便是王祥誠中來，非王祥孝於此而物來於彼也。」（《二程遺書》，卷

❹ 據《四庫全書總目提要》：「明陶宗儀（字九成）撰。此書乃雜記聞見瑣事。」

18）東海殺孝婦而旱，「自是以感動得天地，不可道殺孝婦不能致旱也。」（同上）還說：「匹夫至誠感動天地，固有此理。」並進而概括爲「天地間只有一個感與應而已，更有甚事？」這種天人感應思想是以種種傳說、偶合、附會、臆測爲依據，將所謂「感應」現象作唯心主義目的論的解釋；同時，又利用人們對自然知識的缺乏，爲感應之說再罩上一層神祕主義迷霧。顯然，古代割股侍親現象泛濫成災，這也是其中一個重要原因。

「孝道」對於古代醫學發展所引起的阻礙作用，還不止以上所論。解剖學爲一切醫學的理論基礎，然而在中國古代此項研究活動卻基本上未能開展起來，其與儒學孝道觀的制約有關。宋儒邢昺（932－1010）疏《孝經・開宗明義章》「身體髮膚，受之父母，不敢毀傷」句說：「子之初生，受全體於父母，故當常常自念，慮至死全而歸之。若曾子啓予手啓予足之類是也。毀謂污辱，傷謂損傷，故夫子云：『不污其體，不辱其身，可謂全矣！』（《十三經注疏・孝經注疏》）解剖直接毀傷軀體，不論對自己還是對他人都爲儒家倫理觀所不容。所以醫家多從功能上了解生理、病理現象，而缺乏人體形態結構方面的知識。清代名醫王清任（1768－1831）對此深感不滿，說：「因前人創著醫書，臟腑錯誤，後人遵行立論，病本先失。病本既失，縱有繡虎雕龍之筆，裁雲補月之能，病情與臟腑絕不相符，此醫道無全人之由來也。」（《醫林改錯・臟腑記敘》）因此決心親見臟腑，但囿於禮教而只能「每日清晨，赴其義冢，就群兒之露者細觀之。」（同上）最終也未能親施解剖。這樣一位有革新精神的有識之士，也只能扼腕長嘆。另外，儒家尙有「君有疾飲藥，臣先嘗之；親有疾飲藥，子先嘗之。」（《禮記・曲禮下》）的說教，結果發展到嘗君父便溺的極端，此與臥冰割股一樣，同屬「愚孝」之列。古代史書及筆記、雜錄中多有記述，茲不例舉。需要指出的，這些陋習雖出現較早，但由於理學推崇「夫孝友百行爲先，而後忠信。」（宋司馬光《司馬溫公文集》，卷 79）推波助瀾，使之終於成爲阻礙醫學進步發展的沉重枷鎖。孝的地位與作用之所以被如此強調，尙有著重要的政治因素。封建社會後期，形形色色的封建倫理關係和等級制度已呈頹勢，理學認爲只要人人講孝道，便可使封建統治長治久安。因此，「孝」觸腳伸到了政治和社會生活的各個角落，成爲萬應的靈丹。在理學家看來，治天下的「大事」尚且可以由「孝」來承擔，況且醫乎？至於其他後果則不在他們考慮之列。

經 學 研 究 論 叢
第 五 輯　　頁55～72
臺灣學生書局　1998 年 8 月

《詩經・小雅》與《周易・卦爻辭》之比較

張崇琛*

《詩經・小雅》與《周易・卦爻辭》之間有相異也有相似，對此進行比較，無疑將有助於《詩》、《易》的深入研究。鑑於人們對兩者之間的相異已經注意較多，本文只打算談談他們的相似之處，並由此而對《易經》的製作年代等問題提一點自己的看法。

一

〈小雅〉和卦爻辭之間的相似之處，從思想內容上來說，主要表現爲強烈的憂患意識。

三百篇中，反映憂患意識最多、最充分的要數〈小雅〉。像〈小雅〉中的〈節南山之什〉、〈谷風之什〉、〈甫田之什〉等組詩，可以說幾乎無處不流露出一種沈鬱悲憤的憂患意識。《易・繫辭下》亦云：「作《易》者，其有憂患乎！」孔穎達《正義》解釋說：「若無憂患，何思何慮？不須營作。今既作《易》，故知有憂患也。」這是符合實際情況的。六十四卦中，不僅〈需〉、〈遁〉、〈睽〉、〈蹇〉、〈損〉、〈困〉等卦中充滿著憂患，就在其他一些表現幸運和得志的卦中，也不同程度的夾雜著憂患意識。而有意

---

* 張崇琛，蘭州大學中文系教授。

思的是，〈小雅〉和卦爻辭所表現的憂患內容及其所使用的詞句也是十分相近的。

先看對於天道的憂患：

昊天不傭，降此鞠訩。
昊天不惠，降此大戾。（〈節南山〉）
浩浩昊天，不駿其德。
降喪饑饉，斬伐四國。（〈雨無正〉）
昊天疾威，敷於下土。（〈小旻〉）
悠悠昊天，曰父母且。
無罪無辜，亂如此幠。
昊天已威，予愼無罪。
昊天大幠，予愼無辜。（〈巧言〉）

〈小雅〉作者對於「昊天」，或斥責，或譏諷，或怨憂，或擔心，表現出一種極大的不滿情緒。再來對照卦爻辭。卦爻辭中「天」字共出現五次，除〈大有・九三〉「公用享于天子」之「天子」指周王，〈睽・六三〉「其人天且劓」之「天」應解作「顚」外，其餘三處爲：

〈明夷・上六〉：「不明，晦。初登于天，後入于地。」
〈姤・九五〉：「以杞包瓜，含章，有隕自天。」
〈中孚・上九〉：「翰音登于天，貞凶。」

這三處的「天」，無論說太陽升天也好，瓠瓜自天而落也好，雞（翰音）飛上天也好，皆是指自然的、無意志的「天」，這一點與前引〈小雅〉句中之有意志的「天」有所不同；但如仔細體味，其中也隱含著古人的某種憂患心理。古人喜歡光明而懼怕黑暗，而〈明夷〉之卦象即爲上坤下離，是日沒入地中之象，故古人於太陽升天則樂，太陽入地則憂。瓠瓜（包瓜）爲古代婚姻合巹之禮所用，瓠瓜「隕自天」，猶言天上掉下個媳婦來，這顯然是不現實的，故只會徒增悲戚而已。至於雞飛上天，與狗竄鴟鳴一樣，更是一種令人擔憂的不吉之兆。

其實，卦爻辭中對天道的憂患，更主要的還表現爲對一些天體變化及自然現象的憂懼，諸如日蝕、雷電、火災等，這是對於「天」的更爲具體的感觸。如：

> 日昃之離，不鼓缶而歌，則大耋之嗟。（〈離・九三〉）
> 豐其蔀，日中見斗，往得疑疾，有孚發若。（〈豐・六二〉）

這兩條爻辭所表現的都是對於日蝕的恐懼。前一條所言爲日偏蝕，後一條所言爲日全蝕。《春秋》莊公二十五年、三十年及文公十五年都說：「日有蝕之，鼓用牲於社。」故日蝕出現，「不鼓缶而歌」便會有災難降臨，令人不安。而日蝕發生時，只見星斗，不見太陽，連走路的人都被嚇呆，亦即所謂「往得疑（痴）疾」，這又是多麼令人驚駭的景象呀！再如：

> 震索索，視矍矍，征凶。震不于其躬，于其鄰，無咎，婚媾有言。（〈震・上六〉）
> 突如其來如，焚如，死如，棄如。（〈離・九四〉）

前一條爻辭講打雷時人們小心謹慎的樣子，後一條爻辭講突然發生的一場大火給人們帶來的災難，都令人戰戰兢兢，憂心忡忡。對自然現象的驚懼實質上也反映了人們對天道的憂患，這一點，卦爻辭的作者與〈小雅〉的作者的心理是一致的。

再看對朝政的憂患。〈小雅〉中的作品大部分產生於西周中期以後，尤其是厲、宣、幽三代。其時周室衰微，朝政日非，內憂外患交迫，正義之士對於國家的現狀及其未來無不心懷憂慮：

赫赫師尹，民具爾瞻。

憂心如惔，不敢戲談。

國既卒斬，何用不監。

……

憂心如酲，誰秉國成？

不自爲政，卒勞百姓。（〈節南山〉）

詩人對「秉國成」之太師尹氏的誤國殃民進行了強烈的譴責，並對國家的前途憂心如焚。而當時朝政的情況又是怎樣的呢？〈青蠅〉說「讒人罔極，交亂四國」，〈北山〉說「大夫不均，我從事獨賢」，〈正月〉說「憂心慘慘，念國之爲虐」，〈十月之交〉說「四國無政，不用其良」、「無罪無辜，讒口囂囂」。而對於朝臣的勞逸不均，苦樂不均，〈北山〉更有著形象的描述：

或燕燕居息，或盡瘁事國。

或息偃在床，或不已於行。

或不知叫號，或慘慘劬勞。

或棲遲偃仰，或王事鞅掌。

或湛樂飲酒，或慘慘畏咎。

或出入風議，或靡事不爲。

這樣毫無秩序的朝政怎能不令人擔憂呢？類似的憂患，卦爻辭中也可以見到。〈訟・初六〉說：

不永所事，小有言，終吉。

這是說人們都不安心生產，社會上已開始議論紛紛了。再如〈履・六三〉：

眇能視，跛能履。履虎尾，咥人凶。武人爲于大君。

獨眼龍而看東西，跛子而走路，以致踩著了老虎尾巴而被咬，這就如同無治國之才能的武人卻做了國君一樣危險。這顯然是令人提心弔膽的事。再如〈訟・上九〉：

> 或賜之鞶帶，終三朝褫之。

國君無能，委任官職也是混亂不堪，變化無常，以致一天之內三賜三奪。由於君臣昏亂，朝政不修，整個國家就像繫在一根柔弱的苞草或桑枝上一樣危險，所以卦爻辭的作者不得不痛心疾首的喊出：「其亡其亡，繫于苞桑。」（〈否・九五〉）而面對朝政的現狀，貴族們不是「齎咨涕洟」（〈萃・上六〉），就是趕快隱遁起來，〈遁〉卦所表現的就是貴族的隱遁思想。〈蠱・上九〉則索性提出了「不事王侯，高尚其事」的口號。可見當時的人們對朝政已完全喪失了信心。

〈小雅〉和卦爻辭的憂患意識，還表現爲對人生前途未卜、禍福無常、動輒得咎的隱痛和擔憂。

〈小弁〉的作者曾反覆喊出「心之憂矣，云如之何」、「我心憂傷，惄焉如擣」、「假寐永嘆，維憂用老」、「心之憂矣，疢如疾首」、「心之憂矣，不遑假寐」、「心之憂矣，寧莫之知」、「心之憂矣，涕既隕之」，一篇之中，「憂」字出現七次，可見其憂患之深。再如〈正月〉的首章：

> 正月繁霜，我心憂傷。
> 民之訛言，亦孔之將。
> 念我獨兮，憂心京京。
> 哀我小心，癙憂以痒。

詩人內心感到孤獨、憂鬱、悲傷，如病纏身，而這種憂傷又無法爲外人道，因爲偷聽的耳朵隨時都可能貼在牆上：「君子無易由言，耳屬于垣。」（〈小弁〉）詩人只覺得天地間像是一個大的網羅，而人心更是險惡難測：

謂天蓋高，不敢不局。

謂地蓋厚，不敢不蹐。

維號斯言，有倫有脊。

哀今之人，胡爲虺蜴？（〈小雅·正月〉）

不得已，人們只好「戰戰兢兢，如臨深淵，如履薄冰」（〈小旻〉）般過著提心弔膽的日子。

卦爻辭中也能令人體會到人生的不幸。〈剝·上九〉所反映的是農民受貴族剝削的情況：

碩果不食，君子得輿，小人剝廬。

勞動者不能享受自己的勞動果實，卻被徵調去爲貴族造車子，並離開了自己的草房（即所謂「剝廬」）。〈蹇·六二〉所反映的是王臣處境的艱難：

王臣蹇蹇，匪躬之故。

王臣處境非常困難，但並不是他咎由自取，而是周圍環境所迫。更有甚者，人有時還要遭受刑罰，並被關進監獄，如〈困·初六〉所描述的：

臀困于株木，入于幽谷，三歲不覿。

「困于株木」即被棍子所打，「入于幽谷」即進監獄。挨了刑仗，再被關進監獄，三年都不見天日。這樣的日子也委實令人憂傷。而受刑之後接踵而來的又常常是妻離子散：

困于石，據于蒺藜，入于其宮，不見其妻。（〈困·六三〉）

這裡的「困于石」，有人說是被石頭絆了一跤，實則「石」即「嘉石」。《周禮》大司寇之職，「以嘉石平罷民，凡萬民之有罪過而未麗于法而害于卅里者，桎梏而坐諸嘉石，役諸司空」。嘉石設於朝門左邊當眾之地。「困于石」即被綁在嘉石上示眾。「蒺藜」亦指監獄。此人經示眾，拘禁而被釋放出來後，老婆早都跑了。

總之，無論是對天道、朝政還是人生，〈小雅〉和卦爻辭都表現出一種強烈的憂患意識。這種意識既來源于作者自身的深切體會，同時也有著強烈的時代色彩和社會責任感。這是未雨綢繆的先知者的感覺，也是歷史、現實與理想三者在他們身上交互作用的結果。當然，從作品本身來看，〈小雅〉作者的憂患意識似乎更深切一些。

二

從思維特徵上來看，由於〈小雅〉和卦爻辭都去古未遠，所以都還保存有一定程度的原始思維痕跡。具體說，便是思維的具象性、跳躍性與神秘性。

先看具象性。〈小雅〉和卦爻辭所描繪的事物，許多都是人們所習見的自然景物，或與人的衣食住行相關的具體事物，諸如日月、雲雨、山野、河水、幽谷、鳴泉、松竹、茅茹、苞桑、女蘿、瓠瓜、薇蕨、梅杞、棠棣、黍稷、牛馬、羊犬、鳴雁、黃鳥、鴛鴦、倉庚、狐兔、魴鱮、家人、婦子、丘園、戶庭、束帛、鼎爵、乾肉、酒食等等。而其思維的方式，也明顯帶有形象思維的特點。先看卦爻辭：

> 戰于野，其血玄黃。（〈坤・上六〉）
>
> 賁于丘園，束帛戔戔。（〈賁・六五〉）
>
> 羝羊觸藩，不能退，不能遂。（〈大壯・上六〉）
>
> 小狐汔濟，濡其尾。（〈未濟〉卦辭）

這些卦辭或爻辭，幾乎都可以構成一幅幅鮮明生動的畫面。這裡有龍（神話的蛇）在田野中搏鬥而血流遍野的壯觀景象，也有求婚者來到裝飾一新的女方家園而獻上一束布帛的歡快場面；有公羊撞擊籬笆而角被卡住後進退失據的難堪，也有小狐狸過河濕了尾巴的未能如願。而作者所要表達的意思，諸如貴族爭鬥、男就女婚、畜牧中遇到的困難以及事物的相互轉化等，就是通過這樣一些鮮明生動的畫面表現出來。這種借助形象思維來表達思想、感情的手法，〈小雅〉中更爲常見：

> 鶴鳴于九皋，聲聞于野。
> 魚潛在淵，或在于渚。（〈鶴鳴〉）
> 秩秩斯干，幽幽南山。
> 如竹苞矣，如松茂矣。（〈斯干〉）
> 有豕白蹢，烝涉其河。
> 月離于畢，俾滂沱矣。（〈漸漸之石〉）
> 牂羊墳首，三星在罶。（〈苕之華〉）

鶴鳴魚潛，是對賢者身隱而令譽遠揚的寫照；面山臨水，竹苞松茂，是對周王營建宮室選地的頌揚；大雨滂沱，豬亦涉水而逝，則人民之被水災而幾爲魚鱉可知，母羊頭大，罶中無魚，動物尙饑，而人何以堪？凡此，皆不見抽象的論說，而借助形象表達出來。

其次是跳躍性。由於遠古人們的思維尚不夠縝密，其跨度比後人要大得多，所以思維就出現了「跳躍」。這在後人來說是很不習慣的，但在〈小雅〉和卦爻辭的時代，卻屬正常現象。如：

> 拔茅茹，以其彙，貞吉。（〈泰·初九〉）
> 介于石，不終日，貞吉。（〈豫·六二〉）
> 不出門庭，凶。（〈節·六二〉）
> 月幾望，馬匹亡，無咎。（〈中孚·六四〉）

按照《周易》的說法，爻辭的前半部份爲「象」辭，後半部份爲「占」辭，而占辭即是根據象辭所得出的結論。但拿今天的邏輯推理來衡量，兩者之間似乎還缺少一中間環節。換言之，象辭與占辭之間在思維上已出現了跨度。例如，〈泰‧初九〉說拔茅茹要按照他的種類來分辨，這樣才吉利，其「象」辭與「占」辭之間便看不出有什麼必然的聯繫。同樣的，夾在石縫中不到一天與「貞吉」（〈豫‧六二〉）、「不出門庭」與「凶」（〈節‧九二〉）、馬匹在月亮正圓的時候奔馳與「無咎」（〈中孚‧六四〉），如沒有邏輯推理上的中間環節，都很難發生什麼聯繫。

這種思維上的跨越性，在〈小雅〉中也有很明顯的例子：

有杕之杜，其葉萋萋。
王事靡盬，我心傷悲。（〈杕杜〉）
菁菁者莪，在彼中阿。
既見君子，樂且有儀。（〈菁菁者莪〉）
蓼蓼者莪，匪我伊蒿。
哀哀父母，生我劬勞。（〈蓼莪〉）
交交桑扈，有鶯其羽。
君子樂胥，受天之祜。（〈桑扈〉）
鴛鴦于飛，畢之羅之。
君子萬年，福祿宜之。（〈鴛鴦〉）
營營青蠅，止於樊。
豈弟君子，無信讒言。（〈青蠅〉）

〈杕杜〉中棠梨的綠葉萋萋、生長茂盛與官差的沒完沒了實在看不出有什麼聯繫。〈菁菁者莪〉與〈蓼莪〉開頭一寫莪蒿，一寫青蒿，兩物本自相類，但卻引出了不同的話題：一言君子之「樂且有儀」，一言父母生我之劬勞。〈桑扈〉與〈鴛鴦〉開篇，一寫斑鴿之往來飛翔、羽翼鮮亮，一寫鴛鴦之比翼齊飛而被網羅補掩，而兩者所要告訴人們的卻是一致的意思，即「君子樂胥」和「君子萬年」。至於〈青蠅〉中的青蠅之落於籬笆更無法令人聯想到信不信讒言的問題。〈小雅〉在思維上的這種跨越性給後來的說《詩》者帶來了極大的困惑，同時也留有了無限的餘地。人們把類似於卦爻辭中「象辭」的部份稱作「他物」，把類似於「占辭」的部份稱作「所詠之物」；而「先言他物以引起所詠之辭」即是所謂的「興」。由今觀之，無論「象、占」也好，「興」也好，皆應是古人跨越性思維的產物。

再次是思維的神秘性。由於〈小雅〉和卦爻辭在思維方面已將自然界和人類社會的若干不同質、不同態的事物聯繫在一起，又由於潛意識的大量介入，所以皆表現出相當的神秘性。這是人類思維尚不夠縝密和明晰的神祕。我們不妨將兩者所具有共同的「神祕」色彩放在一起進行比較：

> 包有魚，無咎。（〈姤·九二〉）
> 包無魚，起凶。（〈姤·九四〉）
> 貫魚以宮人寵，無不利。（〈剝·六五〉）
> 其釣爲何？維魴及鱮。
> 維魴及鱮，薄言觀者。（〈小雅·采綠〉）
> 牧人乃夢：眾維魚矣，旐維旟矣。
> 大人占之：眾維魚矣，實維豐年。（〈小雅·無羊〉）

這是一組有關魚的爻辭和歌詞。顯然，〈小雅〉和卦爻辭時代的人們對魚都比較感興趣。廚房有魚就平安無事，無魚則凶。宮人會因射中魚而被寵幸，怨女會因相伴情人去釣魚而喜悅，甚至連牧羊人作夢也會夢見許多的魚。這種對於魚的寵愛心理，無疑已帶上了一定的神祕色彩。至其底蘊，則雖經聞一多等先生的不斷探索（認爲與愛情和生殖有關），也還很難說就已發覆。時至今日，「年年有魚（餘）」仍是許多農村都喜歡張貼的年畫。還值得注意的事，〈無羊〉中「大人占之」的一段話，實際上已類於《易經》中的占辭，對於我們探討〈小雅〉和卦爻辭在思維方式上的聯繫，具有著十分重要的意義。

再看一組與愛情和婚姻有關的神祕詞語：

以杞包瓜，含章，有隕自天。（〈姤．九五〉）

輿說輻，夫妻反目？（〈小畜．九三〉）

歸妹以娣，跛能履。（〈歸妹．初九〉）

喓喓草蟲，趯趯阜螽。

未見君子，憂心忡忡。

既見君子，我心則降。（〈小雅．出車〉）

皎皎白駒，食我場苗。

縶之維之，以永今朝。（〈小雅．白駒〉）

白華菅兮，白茅束兮。

之子之遠，俾我獨兮。（〈小雅．白華〉）

〈易經〉的三條爻辭講的是婚姻，〈小雅〉的三段歌詞講的是戀愛，兩者都帶有一定的神祕色彩。舉行婚禮用的瓠瓜突然從杞樹上掉下來，這會不會預示著上天將賜給人一個好媳婦？而大車的兩個輪子忽然脫掉一個，又會不會預示夫妻將要反目和分手？這是典型的潛意識在起作用。今人也有類似的心理，如「做夢取媳婦」，或因打碎某一件物品而產生聯想等，只是不肯說出來罷了。至於姐姐出嫁妹妹也要一同隨嫁，經典作家雖從社會和婚姻發展史的角度作出了解釋，但這樣做就如同使瘸子能走路一樣，其道理又何在？也還是不能明白。〈小雅．出車〉是男思女，〈白駒〉和〈白華〉是女悅男；前者以草蟲和蝗子起興，後兩者以白駒食苗和白茅束菅起興，也皆有一定的神秘性。如果說蝗子紛紛可以被用來象徵子女眾多，那麼，白駒食嫩苗是否爲男女性行爲的隱指？而白茅括菅管作爲戀人間的信物，又是否會象徵愛情的純潔和纏綿？這些，雖經箋注家的不斷解詁，也仍令人有撲朔迷離之感。這不能不說還是古人的神祕思維在起作用。

〈小雅〉與卦爻辭的作者在思維方式上的相似，不但說明了他們製作年代相去不遠，而且還告訴人們，他們的作者群極可能是同一類型的人物。

三

〈小雅〉與卦爻辭在語言風格、表現手法及美學特徵上也有相似之處。

從語言風格上來看，首先值得注意的是歌謠風味。〈小雅〉中的民歌自不必說，就是貴族文人的作品，有不少也在儘量模仿民歌的情調。如被《詩序》稱爲「大夫刺宣王」的〈白駒〉，就頗具民間情歌風味。此詩第一章已見前引，現引其第二章：

> 皎皎白駒，食我場藿。
> 縶之維之，以永今夕。
> 所謂伊人，於焉嘉客。（〈小雅・白駒〉）

詩意說，小白駒吃了我場圃中的豆葉，我要將他拴住，以長度今宵。所說的這個人啊，將是這裡的嘉客。拋開其喻意不說，這是一首多麼情深意切的愛情歌謠啊！再如被《詩序》稱作「太子之傅作」的〈小弁〉，其中也有這樣的一章：

> 菀彼柳斯，鳴蜩嘒嘒。
> 有漼者淵，萑葦淠淠。
> 譬彼舟流，不知所屆。
> 心之憂矣，不遑假寐。

茂密的柳林裡，知了在不停的鳴叫著，深深的潭水旁也長滿了蘆葦，而自身卻像船兒一樣在漂流，內心充滿憂傷。其模仿民歌可謂十分到家。再如「大夫刺幽王」的〈四月〉，也分別以「四月維夏，六月徂暑」、「秋日淒淒」、「冬日烈烈」起興，表現出十足的民歌風味。

卦爻辭中的韻文約占三分之一，其中也有不少的短歌，有些還可能是直接取材於民歌。爻即謠。爻辭中的不少短歌都是可以與〈小雅〉中的民歌相媲美的，有些句子甚至可以互換。如〈中孚・九二〉：

> 鳴鶴在陰，其子和之。
> 我有好爵，吾與爾靡之。

公鶴在樹蔭裡鳴叫，雌鶴在歡樂的和唱。我有醉人的美酒，要與你共飲。這是一首舉行婚禮時唱的民歌，男歡女樂的高興氣氛漾溢其中，與前引〈小雅・鶴鳴〉皆以鶴鳴起興，而又有異曲同工之妙。再如〈明夷・初九〉：

> 明夷于飛，垂其翼。
> 君子於行，三日不食。

明夷鳥垂翅而飛，而君子卻在餓著肚皮走路，三天沒有吃到東西。以鳥起興，人鳥映對，上下對比，表現出行役人的勞苦，也是一首絕好的民歌。又如〈歸妹・上六〉：

> 女承筐，無實。
> 士刲羊，無血。

雖語言簡古，但音節和諧，生動有姿，亦應是民歌中的佳作。

其次，語句的簡短和洗鍊，描寫的生動而形象，也是卦爻辭和〈小雅〉在語言上的共同風格。如寫家人的生活情態，〈家人・九三〉曰：「家人嗃嗃」、「婦子嘻嘻」，〈棠棣〉曰「妻子好合，如鼓瑟琴」。寫人的悲苦，〈離・六五〉曰「出涕沱若，戚嗟若」，〈雨無正〉曰「鼠思泣血，無言不疾」。寫人心的險惡，〈頤・六四〉曰「虎視眈眈，其欲逐逐」，〈正月〉曰「哀今之人，胡爲虺蜴」。這些描寫都是運用切當的詞彙，鑄成簡短洗煉的語句，以繪出生動的形象。

從表現手法來說，無論賦、比、興，還是誇張、對比、說理、抒情，在

〈小雅〉與卦爻辭中都大量地運用著。值得注意的是，有時兩者所使用的興象還是一致的。除前引〈中孚・九二〉和〈小雅・鶴鳴〉皆以鶴鳴取象或起興外，《易經》的〈漸〉與〈小雅〉的〈鴻雁〉也是可以對讀的。〈漸〉卦六爻都是用鴻雁進到不同的地方以喻人們所處的不同環境，如「鴻漸於干」、「鴻漸於磐」、「鴻漸於陸」、「鴻漸於木」、「鴻漸於陵」、「鴻漸於阿」等。而〈小雅・鴻雁〉三章也分別以「鴻雁于飛，肅肅其羽」、「鴻雁于飛，集於中澤」、「鴻雁于飛，哀鳴嗷嗷」起興。再如〈大過〉的兩條爻辭：

> 枯楊生梯，老夫得其女妻。
> 枯楊生華，老婦得其士夫。

枯楊樹，生幼芽，老頭子取個女嬌娃。枯楊樹，開花朵，老太婆嫁個少年哥。（高亨譯）其起興靈巧，形象之生動貼切，比起〈小雅〉中的〈白駒〉等有名的愛情詩來，一點也不遜色。

至於敘事、說理與抒情的手法，〈小雅〉中多用，而卦爻辭也不少概見，如：

> 豐其屋，蔀其家，窺其户，闃其無人，三歲不覿。（〈豐・上六〉）
> 大君有命，開國承家，小人勿用。（〈師・上六〉）
> 得敵，或鼓或罷，或泣或歌。（〈中孚・六三〉）

第一例敘述人去屋空的景象，第二例說明不利小人的道理，第三例抒發打敗敵人之後各種人的不同心情，皆具有相當靈巧的表現手法。

卦爻辭與〈小雅〉在美學上所表現出的共同特徵是古樸的美、流動的美和朦朧的美。這與其作者所處的時代、思維特點以及作品的表現手法都是不無關係的。

卦爻辭中有不少爻辭都能令人感到一種古奧、簡樸的美：

舍爾靈龜，觀我朵頤。（〈頤·初九〉）

鴻漸于阿，其羽可用爲儀。（〈漸·上九〉）

密雲不雨，自我西郊。（〈小過·六五〉）

第一例說，你放著美味不食，卻來羨慕我張嘴吃東西。話說得多麼通俗、直率而又幽默！宛如兩位古人在面對面調侃一般。第二例說鴻雁飛下了山，他的羽毛可以作爲舞蹈的工具，也能令人聯想到古人頭戴鴻羽翩翩起舞的葛天氏之樂的場面。第三例之「密雲不雨」一詞，至今仍被人們應用著，更可見其魅力之永久。〈小雅〉中雖有些刺詩的時代色彩比較強烈，但也不乏古樸的篇章。如：

幡幡瓠葉，采之亨之。

君子有酒，酌言嘗之。

有兔斯首，炮之燔之。

君子有酒，酌言獻之。（〈瓠葉〉）

兩位老朋友，採來瓠瓜的嫩葉，再烤上一隻兔子，同飲美酒，共訴衷腸，這是多麼古樸的生活，又是多麼美妙的畫面！

思維的跳躍性與神秘性又造成了〈小雅〉和卦爻辭的流動美和朦朧美。流動美是一種動態的美，他雖然有賴於思維的跳躍，但卻能使感情靈動飛揚。如〈賁〉卦的兩爻：

賁如皤如，白馬翰如。匪寇，婚媾。（〈賁·六四〉）

賁于丘園，束帛戔戔。吝，終吉。（〈賁·六五〉）

熱熱鬧鬧的隊伍裡，有身著鮮艷服裝的青年人，也有鬚髮皆白的老人，只見小伙子騎著白馬在飛奔。他們不是強盜，而是去迎親。到了姑娘家門前，女方已裝飾得喜氣洋洋。男方獻上一束布帛作爲彩禮，但禮物太薄，受到了冷遇，後經斡旋，婚事終於順利。爻辭將人們感情的先後變化及起伏波動，形象的表現出來；而最後又統一於婚禮的喜氣之中，從而產生出一種流動的美感。〈小雅〉中的〈菁菁者莪〉、〈蓼莪〉、〈桑扈〉等篇，在美學上也都具有這樣的特點。

朦朧美在〈國風〉的一些詩篇（如〈蒹葭〉、〈月出〉等）裡曾有著生動的體現。〈小雅〉中，較能體現這種朦朧美的則要數〈鶴鳴〉、〈白駒〉、〈無羊〉、〈隰桑〉諸首。尤其是〈鶴鳴〉，可以說是與〈蒹葭〉不同的另一種類型的朦朧詩。茲將其全詩抄出：

鶴鳴於九皋，聲聞于野。
魚潛在淵，或在於渚。
樂彼之園，爰有樹檀，其下維蘀。
它山之石，可以爲錯。

鶴鳴於九皋，聲聞于野。
魚潛在渚，或潛在淵。
樂彼之園，爰有樹檀，其下維谷。
它山之石，可以攻玉。

此詩據《詩序》說是「誨宣王」，然所誨何事？不得而知。或曰喻求賢，但詩中只言鶴鳴、魚潛，而賢人之思想、面目亦不可睹，只能憑人去想像。朱熹說：「〈鶴鳴〉做得巧，含蓄意思全不發露。」（《朱子語類》）王夫之也說：「〈小雅·鶴鳴〉之詩全用比體，不道破一句，三百篇中創調也。要以俯仰物理而詠嘆之，用見理隨物顯，惟人所感，皆可類通。」（《夕堂永日緒論》）所謂「含蓄意思全不發露」，便指出了此詩朦朧的特點；所謂「惟人所感，皆可類通」，又告訴人們要理解此詩義旨，只有靠讀者的想像和感知了。

《周易》中的有些爻辭也具有這種朦朧的特點。如〈需·上六〉：

入于穴，有不速之客三人來，敬之，終吉。

「穴」即穴居野處的穴。而三位「不速之客」都是些什麼人呢？他們爲什麼要進到別人的「穴」裡？主人又爲何要「敬」他們？都是些朦朦朧朧的事象。又如〈睽・上九〉：

睽孤見豕負塗，載鬼一車。先張之弧，後說之弧。匪寇，婚媾。往，遇雨則吉。

此爻有人說是寫旅人出遊，也有人說是寫搶婚或迎親。但一條豬趴在泥地是什麼意思？一車「鬼」又是些什麼？也還是說不清楚。不過，從整條爻辭來說，又確實能帶給人一種朦朧、神祕的美感。

〈小雅〉與卦爻辭在語言風格、表現手法及美學特徵上的若干相似，也爲我們深入研究《詩》、《易》提供了一條新的思路。

四

在經過了上述的比較之後，現在該談一談對有關問題的幾點看法了：

一是《周易》卦爻辭的製作年代問題。目前，學術界對《周易》卦爻辭的寫作年代大體有著西周初年、西周末年及戰國初年幾種說法。鑑於卦爻辭與〈小雅〉在憂患意識、思維方式及文學和美學特徵諸方面的相似，兩者的製作年代當不會相去太遠。又鑑於〈小雅〉的憂患意識較卦爻辭更爲明確（以涉及到個人）、更強烈，其文學和美學水平也較後者稍有提高，則《易》的製作年代又當稍早於〈小雅〉。具體說，當在西周厲、宣之際，不會晚到幽王或平王東遷。當然，這裡是指《周易》的最後編定時間。在此之前，作爲《周易》卦爻辭來源的一部分民歌，可能早已在社會上流傳了。

二是卦爻辭與〈小雅〉中一部分詩歌的來源問題。竊以爲，〈小雅〉與卦爻辭中的相當一部分詩歌都有一個共同的來源，那就是當時社會上流行的民歌和知識份子的作品。後來這些歌謠一部分收入《易》中，一部分被收入

《詩》中。故兩者之間雖有著編定時間先後的區別，而其思想內容、思維方式及文學和美學特徵又是十分相近的。

三是卦爻辭及〈小雅〉作品的作者群問題。從其憂患意識而言，當是對周王朝的命運非常關心而又與周王朝有著密切關係的宗室成員或政府官員；從其文學修養而言，又當是具有相當文化水平的知識份子，亦即人們通常所說的「士」。

末了還可以一提的是，《詩》、《易》作爲中國文化的重要來源和載體，雖被歷代治「經」者長期分而「治」之，其實他們間的關係倒是很密切的。

經 學 研 究 論 叢
第 五 輯 頁73～86
臺灣學生書局 1998年8月

歐陽修《詩本義》的版本問題

車行健*

一、序　言

歐陽修是北宋時代治學極爲廣博的學者，在經學、史學、金石學及文章、詩詞等方面均有極高的造詣。《詩本義》一書是他在經學領域的主要著作，由於勇於向正統的漢唐注疏之學提出質疑與挑戰，因而不但動搖了傳統經學的權威，更啓迪了宋代經學理性思辨的學風，朱熹在提及《詩本義》時便說道：

> 理義大本復明於世，固自周、程，然先此諸儒亦多有助。舊來儒者不越注疏而已，至永叔、原父、孫明復諸公，始自出議論，如李泰伯文字亦自好。此是運數將開，理義漸欲復明於世故也。(《朱子語類‧卷80》，標點本，頁2089。)

宋朝人樓鑰更稱許他作《詩本義》的成就爲「始有以開百世之惑」，影響所及，「其後王文公、蘇文定公、伊川程先生各著其說，更相發明，愈益昭著，其實自歐陽氏發之。」（《經義考‧卷104》）

《詩本義》既對宋代經學發生極大影響，則此書在宋代之受重視當屬必

---

* 車行健，東華大學中國文學系副教授。

然。根據南宋人周必大的說法，在南宋時《詩本義》一書已有所謂「江、浙、閩本」及「蜀本」等版本通行❶。這些本子的版本特色及彼此的差異雖因文獻不足徵而無法知悉，但今日通行或流存下來的本子尚有《四部叢刊》本、明刻本、明抄本、《通志堂經解》本及四庫本等。對這些本子進行的研究雖然不見得有助於對該書版本原始面貌的了解，但至少可幫助我們釐清現存《詩本義》的版本系統及不同版本間的關係與差異。

二、宋版系統——《四部叢刊》本、通志堂本與四庫本

現存《詩本義》最早的版本是宋刊本，今影印收入《四部叢刊》中，主持編印《四部叢刊》的張元濟替此書作跋時說道：

> 右書《晁志》十五卷，與是本同。《解題》、《通考》暨《四庫》均十六卷，則併圖譜而言也。……此為宋刻本，鈔配六卷。其原刻各卷，遇玄、敬、警、驚、槳、殷、慇、楨、讓、樹、桓、完、覯、愼諸字，均以避諱闕筆，當刊於南宋孝宗之世。通志堂刊本，即從此出；然校勘未精，字句不免訛誤，篇次亦偶見傎倒。宋刻為世間孤本，故亟印行以餉世之治新經學者。原有開禧三年張瓘跋，此已佚。俟訪得續補。
>
> （《涉園序跋集錄》，頁 10。又載於《四部叢刊廣篇・冊 3・詩本義》書後。）

張氏斷定該刊本為宋刻本的主要根據除了版本內部之「避諱闕筆」證據，因而判斷當刊於南宋孝宗之世外，另外一項根據當為藏書家傳承之證據。事實上《四部叢刊》本乃上海商務印書館就上海涵芬樓景印吳縣潘氏滂喜齋藏宋刊本再影印而成，所謂吳縣潘氏，即清末名藏書家潘祖蔭。檢視《四部叢刊》

❶ 周氏曾編集歐陽修《居士集》中未錄之作品，稱之為《居士外集》。在《居士外集・卷二》按語總括說道：「公〈墓誌〉等皆云《詩本義》十四卷，『江、浙、閩本』亦然。……惟『蜀本』增〈詩解統序〉並〈詩解〉，凡九篇，共為一卷。」可知南宋時《詩本義》至少已有四種刻本。

本，確可發現於卷六首頁鈐有「潘祖蔭藏書記」印記，而潘氏《滂喜齋藏書記》亦有著錄該書，云：

> 宋刻《詩本義》十五卷（四冊）
>
> 宋歐陽修撰，後附《詩譜補亡》。《四庫提要》作十六卷，合《詩譜》言之也。每半葉十行，行二十字。前五卷、末一卷(案：第十五卷)皆鈔補。卷十之末有點校周見成，姓氏中有顧元慶印，即陽山大石顧家也。

案：顧元慶爲明代藏書家，字大有。長洲人，家陽山大石下，學者稱之曰大石先生。葉昌熾《藏書紀事詩・卷二》有載其事跡，其印記在卷十三末頁。顧氏和潘氏的印記足以證明該刊本確有來歷。不過，潘氏收藏時，該刻本已非全帙，據潘氏所述，共有六卷乃鈔配而成。然檢視臺灣商務印書館出版之景印複製本，卻發現卷八有六頁，卷九有一頁亦爲鈔補而成。原書留存卷帙與鈔配六卷差別甚爲明顯，不但字體風格不同，且可以顯示版本年代的重要證據，如刻工、點校者及每頁刊刻字數等，仍然保留在原宋版僅存的卷帙中。

此外，張氏、潘氏皆提及該刻本乃十五卷本，然據宋人周必大之說：

> 公〈墓誌〉等皆云《詩本義》十四卷，江、浙、閩本亦然。仍以〈詩圖總序〉、〈詩譜補亡〉附卷末。（《居士外集・卷2》按語）

所謂〈墓誌〉係與歐陽修同時的北宋名臣韓琦替歐陽修所撰的〈墓誌銘〉。除此之外，當時人如吳充所撰之〈歐陽修行狀〉、蘇轍所撰之〈歐陽文忠公神道碑〉，以及歐陽修之子歐陽發所撰的〈先公事迹〉等皆聲稱爲十四卷❷，

---

❷ 以上資料均見於《歐陽修全集・附錄》，〈行狀〉見於頁 197，〈墓誌銘〉見於頁 203，〈歐陽文忠公神道碑〉見於頁 209，〈事迹〉見於頁 239。除此之外，尚有多種記錄十四卷的史傳資料收錄於《歐陽修全集・附錄》中，如〈神宗實錄本傳〉見於頁 215，〈重修神宗實錄本傳〉見於頁 219，〈神宗舊史本傳〉見於頁 223。

可知十四卷應爲《詩本義》的原貌。而張氏、潘氏所稱的十五卷則較十四卷本多出〈詩解統序〉及〈詩解〉八篇，以此多出的九篇爲第十五卷，〈詩圖總序〉、〈詩譜補亡〉則爲卷末附錄，不另計卷次。《四部叢刊》景印的宋刊本及晁公武所著錄的版本均爲十五卷本。除十四卷本、十五卷本之外，又有十六卷本，周必大又云：

> 惟蜀本增〈詩解統序〉並〈詩解〉，凡九篇，共爲一卷；又移〈詩圖總序〉、〈詩譜補亡〉自爲一卷，總十六卷。故綿州於集本收此九篇，它本則無之。今附此卷中。（同上）

十六卷本基本上同於十五卷本，只不過將卷末附錄的〈詩圖總序〉與〈詩譜補亡〉另立爲一卷，成爲第十六卷，張元濟於〈跋〉中已說得很明確。十四卷本與十五卷本、十六卷本最大的差異是〈詩解〉九篇收錄與否的問題，據裴普賢先生推測，此九篇係歐氏早年所撰，後來「廢而不用」❸。因而可知，十五卷本、十六卷本的形成純是後人踵事增華的結果。

張氏〈跋〉文復稱「原有開禧三年張瓘跋，此已佚」云云，案：開禧爲南宋寧宗年號，年代晚於南宋孝宗之世，而孝宗之世卻是張氏根據「避諱闕筆」原則判斷出來《四部叢刊》本刊刻的年代，因此十五卷本的《四部叢刊》本不應有「開禧三年張瓘跋」，「已佚」云云更無從說起。除非此跋是後來刊刻時再加上去的，不過張氏並無其他積極證據足以支持這種說法。而張氏之所以有《四部叢刊》本亡佚此跋的判斷，卻極可能是因爲他看到其他書目記載有此跋，因而有此推測。不過其他書目所記載的本子卻不一定是與《四部叢刊》本同一來源的版本系統，這點可能是張氏失察之處。

張氏在〈跋〉文中又有一重要判斷，即認爲通志堂刊本乃出於《四部叢刊》所根據的宋本。事實上，二者在許多方面的確極爲類似，除同爲十五卷

---

❸ 以上關於《詩本義》卷數的考證，詳參裴普賢《歐陽修詩本義研究》頁 5－7，及趙明媛《歐陽修詩本義探究》第一章第二節。

本外，通志堂本亦無張瓘跋，二者在較大的文句段落方面無顯著差別，存在著大多只是字詞的差異及訛誤。基本上，二個本子可以視做是同屬一個版刻系統，張氏的判斷大致可以成立。而從二者同闕卷二〈騶虞〉篇之「論」二十餘行文字的情形來看，《四部叢刊》本所鈔配的部分當也是從通志堂本所補回。不過，通志堂本所依據的版本是否即爲目前《四部叢刊》本這個本子呢？這需要費點工夫考證一番。據翁方綱《通志堂經解目錄》引何焯之語云：「遵王宋本，顧伊人校勘未當，深爲可惜。」顧伊人即顧湄，江蘇太倉人，徐乾學刻《通志堂經解》時，曾延主校正之役，事蹟見《清儒學案》卷三十三附錄。所謂遵王，即清初名藏書家錢曾，字遵王。其《述古堂藏書目・卷一》載有收藏宋本《詩本義》的記錄，其著錄如下：「歐陽修《詩本義》十五卷，二本，宋板。歐陽修《鄭氏詩譜補亡》一卷，一本，宋板。」何焯所謂「遵王宋本」即指徐乾學刊刻《通志堂經解》時，於《詩本義》一書根據錢遵王所藏的宋本刊刻而成。何焯之語也可以自徐乾學口中獲得印證，徐乾學在〈通志堂經解序〉中曾大略提及他刊刻《通志堂經解》時所依據的版本來源：

> 因悉余兄弟家所藏本覆加挍勘，更假秀水曹秋嶽、無錫秦對巖、常熟錢遵王、毛斧季、溫陵黃俞邰及竹垞家藏舊版書，若抄本釐擇是正，摠若干種，謀雕版行世。

錢氏與徐氏圖書流傳的情形極爲明顯，其中當亦包括宋本《詩本義》。

在徐乾學之後，該書流傳至何人之手，目前尚難查考，也沒有直接證據可以證明徐氏這個本子即爲潘祖蔭所藏的本子，因爲潘氏所藏的本子前五卷和末一卷皆已亡佚，而通常最能顯示收藏之跡，如印鑒、題跋識語等都保留在這部分，這部分亡佚，使探尋該刊本流傳過程的工作失去不少可能的積極證據。

雖然沒有直接證據可以證明《通志堂經解》本所依據的本子爲《四部叢刊》本，不過就目前這兩個本子的內容來做相互對照，至少可以肯定二者屬於同一個版本系統，其特色同爲：書名爲《詩本義》、十五卷、附錄一卷、無張瓘跋。

宋版系統的《詩本義》，除了《四部叢刊》本、通志堂經解本外，現藏於臺北故宮博物院的文淵閣《四庫全書》中所收錄的本子當亦屬宋版系統。據裴普賢考證：

> （《四庫全書》）書目雖標《毛詩本義》十六卷，而書前紀昀提要，仍稱「詩本義」，其提要云：「臣等謹案，《詩本義》十六卷，宋歐陽修撰，是書凡爲說一百十有四篇，統解十篇，時世本末二論，豳魯序三問，而補亡鄭譜及詩圖總序附卷末。……乾隆四十五年五月恭校上。」前云十六卷，而後仍言詩譜圖序附於卷末。檢其內容，僅標前十五卷與四部、經解同。而末附之譜序，則未標爲第十六卷。則實仍爲十五卷末附譜與序耳。查其文字，則十三卷義解第二條無邶字，檜、鄭譜亦全與經解本同，僅桓王莊王下缺釐王惠王，未照經解本有「釐」「惠」二字，則四庫本實襲用納蘭所校定之經解本，其間偶有疏漏耳。（《歐陽修詩本義研究》，頁6－7。）

除了裴氏上所論者，四庫本亦不載張瓘跋，卷二〈騶虞〉篇之「論」中亦闕二十餘行文字，這些證據都可支持四庫本與《四部叢刊》本、通志堂本同屬一個版刻系統。

三、明版系統——明抄本、明刻本

除了十五卷的宋版系統，尚有十六卷本的明版系統，不過這些明代的本子反而不若宋版系統的本子易見。屈萬里先生在替美國普林斯頓大學葛思德東方圖書館整理中文善本書時曾見到這種明本，他對這個本子做了如下記載：

> 歐陽文忠公毛詩本義十六卷（六冊 一函）

宋歐陽修撰

明萬曆間刊本。　　十行二十字。皮匡高二〇・六公分，寬一三・九公分。

是書明代僅有此刻，而傳本頗少。張氏愛日精廬，陸氏皕宋樓兩書志雖均著錄，而未言何時所刻。今按：此本書口下端鐫「戴惟孝刊」四字，以戴氏所刻他書證之，知乃萬曆間刊本也。此書今習見者爲通志堂經解本。通志堂本雖據錢遵王所藏宋本傳刻，然校勘粗吡，頗多訛誤，不如此本之善。《愛日精盧藏書志》所言如此。（《普林斯頓大學葛思德東方圖書館中文善本書志》，頁 17－18。）

在屈氏之前，清代的藏書家張金吾、陸心源、莫友芝、朱學勤等人均曾錄過《詩本義》的明刊本。張氏《愛日精廬藏書志・卷三》著錄云：

《毛詩本義》十六卷（明刊本）

宋翰林學士兼龍圖閣學士，朝散大夫給事中知制誥充史館修撰判秘閣歐陽修撰。是書每篇冠以《小序》、經文，下備列《傳》、《箋》，後乃繫之以論與本義。通志堂本刪去《小序》、經、注，止以篇名標題，蓋非歐陽氏之舊矣。張瓘跋（開禧三年）

陸氏《皕宋樓藏書志》僅提及：

《詩本義》明刊本十六卷，有開禧三年張爟序。

莫氏《郘亭知見傳本書目・卷二》則著錄頗詳：

《毛詩本義》十六卷。宋歐陽修撰。通志堂本內有《詩譜》一卷，昭文張氏有明刊本，較通志本爲完善。何義門云：「通志堂據錢遵王宋刊本，顧伊人校勘，惜未當，可惜。」

明刊本每篇冠以《小序》、經文，下備列《傳》、《箋》，乃附論及本義。國朝吳騫有《訂正詩譜》，並附許謙《詩譜》，刊入《愚谷叢書》。

邵亭有《詩本義》寫本甚舊，蓋出明刊。其錄《傳》、《箋》頗有刪節，疑歐氏原本如此，通志堂刊悉去《傳》、《箋》，非也。近江西祠堂刊本又依《傳》、《箋》悉補舊本節去字句，亦非也。舊抄亦有《詩譜》。

朱氏《結一廬書目》則著錄：

《毛詩本義》十六卷，明成化刊本。

從這些清代藏書家的書目著錄資料來看，可以發現，在民國以前應該有不少的明本《詩本義》收藏於藏書家之手。再翻查上海古籍出版社出版的《中國古籍善本書目·經部》，更可以發現大陸各收藏單位尚收藏了至少六種的《詩本義》明刻本以及兩種的明抄本❹。此外，在日人編纂的《靜嘉堂文庫漢籍分類目錄》中也著錄了明刊本的《詩本義》。這些明代的本子皆著錄爲「歐陽文忠公毛詩本義十六卷」，與屈氏著錄者相同。以清人的收藏著錄和現在保存的紀錄來看，實在不可說是「傳本頗少」。以刻本來說，現在存於天壤之際的明刻本至少就有八種，而明抄本也有兩種，二者加起來即已達十種。雖然如此，卻因流通不廣，反不若大量影印通行的宋版系統，如《四部叢刊》本、通志堂本、四庫本之易見。此外，屈氏認爲明刊本《詩本義》僅有葛思德東方圖書館所藏的刻本，即屈氏斷定爲萬曆年間的刊本，然而朱學勤的《結一廬書目》卻分明記載爲成化刊本。因此不是屈氏判斷萬曆間刊本爲誤，或是朱氏著錄有誤，即是明刊本的《詩本義》不止一種刊本。由於《中國古籍

❹ 收藏刊本的單位有中國人民大學圖書館、遼寧省圖書館、甘肅省圖書館、南京大學圖書館、浙江圖書館、重慶市圖書館。收藏抄本的單位有上海圖書館、山東省圖書館。

善本書目・經部》和《靜嘉堂文庫漢籍分類目錄》並沒有提供更多的刊本年代的鑒定資訊，因此無法得知存在大陸和日本等七種明刊本《詩本義》究爲成化間刊本或爲萬曆間刊本，或者二者皆有。但至少可以確定的是，屈氏「是書明代僅有此刻」的判斷是該做進一步驗證的，目前不妨持保留的態度。

四家著錄以張氏《愛日精廬藏書志》對版本特徵描述最詳細，其中提到幾個項目頗值得注意：一、書名爲《毛詩本義》；二、卷數爲十六卷；三、每篇冠以《小序》、經文，下備列《傳》、《箋》，後乃繫之以論與本義；四、有張瓘跋文。這幾項特色皆與宋本系統有極大的不同，値得做深入的探究。首先是書名名稱的問題，張金吾、莫友芝與朱學勤皆著錄作「毛詩本義十六卷」，而屈氏與《中國古籍善本書目・經部》、《靜嘉堂文庫漢籍分類目錄》則均著錄爲「歐陽文忠公毛詩本義十六卷」，屈氏和《中國古籍善本書目》及《靜嘉堂文庫漢籍分類目錄》的編纂者們皆受過現代圖書館的訓練，著錄較爲嚴謹，可信度也較高。因此，可以認定該書的完整書名應是「歐陽文忠公毛詩本義」，張氏、莫氏、朱氏的著錄應是將作者名銜省略的作法。不論完整的著錄或省略的著錄，除了陸心源的著錄之外，這些著錄都告訴我們一項事實，即明本的《詩本義》皆稱做「毛詩本義」，而非「詩本義」，且其卷數爲十六卷，而非十四卷或十五卷。似乎可以說，書名稱做「毛詩本義」，卷數爲十六卷是明本系統的主要特徵，與書名稱做「詩本義」，卷數爲十五卷的現存宋本系統有極爲明顯的差異。關於這兩個問題，作《通志堂經解提要》的關文瑛曾加以論辯：

> 謹案：宋歐陽修《詩本義》十六卷，蓋以辨毛、鄭之失爲主也。其意以爲《毛傳》、《鄭箋》頗有違舛，乃推闡詩人言志之初衷，故曰「本義」也。惟《通志堂總目》作《毛詩本義》十五卷，附鄭氏《詩譜》一卷。尋繹其理，有二誤焉：夫修既不主《毛傳》，何得以「毛詩」命名？故錢曾述古堂藏宋板書，是書並無毛字，此其一也。又《鄭譜》久闕，修從而補之，不過爲《本義》之一篇，而非別自爲書者，若《總目》所錄，似爲二書，故陳振孫《書錄解題》作十六卷，陸心源《皕

宋樓藏書志》載明版本亦作十六卷，此其二也。然諸目錄之載是書，其題名與卷數之誤者，往往而有，不獨此本爲然，故特爲辨正，所以還歐陽氏之舊也。(卷2)

關氏於書名問題論辯甚有見地，而於卷數問題則似未尋波探源，不知十五卷、十六卷皆非歐氏之舊。

歐氏既不主《毛傳》，則何以明本是書皆作「毛詩本義」？這點恐怕和明本的另一項版本特徵有關。張金吾和莫友芝皆述及：「每篇冠以《小序》、經文，下備列《傳》、《箋》。」這是明本的另一主要的版本特徵，宋本系統未見如此做法。張金吾和莫友芝都相信這是歐陽修原來的設計，《詩本義》的「舊本」應該是有這些文字的，清代流通最廣的通志堂本將這些文字刪去，再加上當初刊刻時校勘不善，因此張氏遂認爲從版本的角度來看，號稱據宋本刊刻的通志堂本不如明本。不過除非有更直接的證據可以證明明本系統係來源於較十五卷本的宋本系統更早的版本，否則張氏的判斷是站不住腳的。明本加上經、《序》、《傳》、《箋》文的做法可能純是基於方便讀者的目的，而當書中加上《毛詩》經傳的相關文字之後，則書名被稱做《毛詩本義》似乎也是極自然的事。不過，這麼一來，則反而可能失去了歐陽修當初著書的「本義」。

最後當再述及張爟跋文的問題。宋版系統皆不見此跋，張元濟遂誤以爲佚失不載。然而據張金吾和陸心源所著錄，確知明本的確有此跋。明本既和宋本有極大的差異，二者在版本上實爲兩種不同的版刻系統，則此跋的有無適爲判斷《詩本義》一書版刻系統的重要證據之一。張爟跋文作於南宋寧宗開禧三年，由此推測，明版系統可能來源於南宋寧宗之後的另一宋版系統。明本今日雖不易見，然此跋文尚收錄於《經義考・卷一百四》。朱彝尊稱是書爲「毛詩本義」，卷數依《宋志》爲十六卷，則朱氏所見之本亦當屬明本系統。

四、結論——新校本的展望

透過以上的討論可知，《詩本義》一書主要有兩種版本系統流傳至今，一是書名稱做「詩本義」，卷數爲十五卷，不附張瓘跋文的宋版系統。另一是書名稱做「歐陽文忠公毛詩本義」或省稱做「毛詩本義」，卷數十六卷，附張瓘跋文的明版系統。雖然宋版系統年代早於明版系統，但根據宋人的資料可知，這兩種系統的版本皆不是歐陽修原書之舊，十四卷本才是《詩本義》的原來面貌。

現存的十五卷本宋版系統與十六卷本的明版系統的主要差異在於書名、卷數、《毛詩》經傳相關文字的有無以及張瓘跋文存附與否等方面。從版本的角度來看，似乎宋版系統較符合《詩本義》的原來面貌，不過，就校勘的立場而言，明版系統也自有其價值所在。除了文句的校勘之外，明版系統還保存了南宋張瓘的跋文，以及，更重要的，可能仍然存留了宋版系統的闕文。清人周中孚曾感慨道：

> 又按是本（案：《通志堂經解》本）卷一（案：當爲卷二）〈騶虞〉篇之「論」，計闕二十一行，止賸末二行。《提要》所據亦即是本，竟無從據別本以補之矣。（《鄭堂讀書記・卷八》）

周中孚當時未見到明本，遂有此感慨，今日既知仍有不少明本存世，則便有據以補入的可能，而宋版《詩本義》也可望回復原貌。

然而，對《詩本義》一書的流傳以及爲現代讀者的研讀而言，今日的當務之急應是在宋版系統和明版系統的基礎之上，重新校勘、出版，使這部深具價值的古書更能爲現代人所認識。如此，方能使這部書的諸多版本具有除了版本和文獻之外更豐富的價值和意義。

參考書目（略依時代排列）

歐陽修撰：《歐陽修全集》。臺北・河洛出版社，民國六十四年臺影印初版。

黎德靖編：《朱子語類》，點校本。臺北・文津出版社印行，民國七十五年出版。

朱彝尊編：《經義考》。京都・中文出版社，一九七八年出版。

錢　曾撰：《述古堂藏書目》。民國二十三年排印本，收入《書目類編》第三十二冊。臺北・成文書局，民國六十七年出版。

徐乾學撰：〈通志堂經解序〉，見《通志堂經解》卷首。臺北・大通書局影印康熙十九年巴陵鍾謙鈞重刊本，民國六十一年再版。

翁方綱撰：《通志堂經解目錄》。臺北・新文豐公司據商務印書館民國二十六年依粵雅堂叢書本排印，民國七十三年初版。

周中孚撰：《鄭堂讀書記》。臺北・世界書局，民國五十四年再版。

張金吾撰：《愛日精廬藏書志》。臺北・文史哲出版社，民國七十一年景印出版。

陸心源撰：《皕宋樓藏書志》，十萬卷樓刊本。收入《書目續編》，臺北・廣文書局，民國五十七年初版。

朱學勤撰：《結一廬書目》，宣統元年晨風閣叢書本。收入《書目類編》第三十冊。臺北・成文書局，民國六十七年出版。

莫友芝撰：《郘亭知見傳本書目》，上海國學扶輪社刊本。收入《書目類篇》第七十四冊，臺北・成文書局，民國六十七年出版。

潘祖蔭撰：《滂喜齋藏書記》，民國十三年愼初堂印本。臺北・廣文書局景印，民國七十七年再版。

葉昌熾撰、王欣夫補正：《藏書紀事詩附補正》。上海古籍出版社，一九八九年第一版。

張元濟撰：《涉園序跋集錄》。臺灣・商務印書館，民國六十八年臺初版。

關文瑛撰：《通志堂經解提要》。民國二十三年關氏嗣守齋叢書本〔排印本〕，收入《書目類篇》第八十一冊。臺北・成文書局，民國六十七年出版。
屈萬里撰：《普林斯頓大學葛思德東方圖書館中文善本書志》，收入《屈萬里全集》第十三冊。臺北・聯經公司印行，民國七十三年初版。
靜嘉堂文庫編纂：《靜嘉堂文庫漢籍分類目錄》。臺北・大立出版社影印版，民國六十九年出版。
中國古籍善本書目編委會編：《中國古籍善本書目・經部》。上海古籍出版社印行，一九九零年出版。
裴普賢撰：《歐陽修詩本義研究》。臺北・東大圖書公司印行，民國七十年初版。
趙明媛撰：《歐陽修詩本義探究》。中壢・中央大學中文研究所民國七十九年碩士論文。

經　學　研　究　論　叢
第　五　輯　　　頁87～110
臺灣學生書局　1998年8月

論八卷本《詩集傳》非朱子原帙，兼論《詩集傳》之版本
——與左松超先生商榷

朱杰人

朱子《詩集傳》現今存世者，有二十卷本和八卷本兩個不同的版本系統❶。二十卷本因有宋刻本傳世，歷來受到重視。八卷本則因其出現較晚，而被論定爲「坊間妄并」❷。但從明以來的各種書目著錄看，八卷本較二十卷本流行爲廣，且清代修《四庫全書》所收《詩集傳》也爲八卷本，更助長了八卷本系統之《詩集傳》的廣爲流傳，大有取二十卷本而代之之勢。

但是，八卷本系統之《詩集傳》與二十卷本系統之《詩集傳》究竟是怎麼樣的關係呢？他們之間有什麼樣的區別呢？長期以來對這些問題竟很少有人做過認眞而科學的考察。似乎，這兩個版本系統的區別僅在于「妄并」卷帙而已，在內容上並無實質性的分歧。

但事實卻大大出乎人們的意料。

臺灣學者左松超作〈朱熹《詩集傳》二十卷本和八卷本的比較〉一文（以

---

❶ 現在通行的二十卷本爲《四部叢刊三編》影印中華學藝社借照日本靜嘉堂文庫本，此爲宋本。現行通行的八卷本爲清武英殿本，一九三六年世界書局據以影印。以上兩種版本，亦即左松超先生論文所據之版本。

❷ 陳鱣《簡庄文鈔》卷三《宋本詩集傳跋》。

下簡稱「左文」）❸，將八卷本與二十卷本詳加比勘，發現二者區別甚夥，並得出結論：八卷本乃朱子最後之定本。

遺憾的是，經筆者研究，左先生的這一結論並不正確。

左文認爲：「朱熹《詩集傳》的注解可以分爲兩部分，一是經文中的夾注，一是傳文。比較八卷本和二十卷本，它們主要不同的地方在經文夾注部分。」這是正確的。經對校，兩種版本的傳文只有極個別地方有出入，主要的分歧出現在經文夾注中。八卷本對二十卷本的經文夾注作了大量的刪改。

誠如左先生所說，朱子《詩集傳》的成書有一個從尊序到反序的過程，其中並經歷過幾次對《詩集傳》稿本及刊本的修改。這就決定了《詩集傳》會有不同的版本，會有修改的痕跡。這也就決定了《詩集傳》會有不同的版本系統，而且在不同系統的版本之間，內容上會有較大的差異。

現在的問題是，在沒有確鑿可信的版本依據的情況下，我們究竟以什麼來判斷這些版本的先後，乃至最後確認朱子的最後定本（如果有定本的話）。

左先生的做法是將二十卷本與八卷本對勘。對勘的結果，發現八卷本對二十卷本作了大量的「簡化」、「刪削」。就此他得出結論：八卷本較二十卷本更符合朱子「簡約易讀」的原則，當爲朱子之定本。

但是左先生的結論只能是一種假設。憑什麼可以斷定這些「簡化」、「刪削」一定是朱子所爲呢？我認爲，在沒有可靠版本依據的情況下，兩個不同版本的系統誰先誰後，誰爲初刻本，誰爲定本，唯一可以依據的判斷標準只能是：修改本之「修改」是否正確（不是個別的，而是從整體上看），是否與全書的總體結構與內在邏輯相符合。如果八卷本對二十卷本的修改、刪削，完全（或大部分）是錯誤的，是與全書的內在邏輯不相符合的，那麼，左先生的結論就發生了動搖。而事實卻無情地告訴我們，八卷本恰恰是這樣的一個版本。

---

❸ 《高仲華先生八秩榮慶論文集》（高雄：高雄師院國文研究所，1988 年 4 月）。

一

左文將《詩集傳》的經文夾注歸納爲五種類型：「㈠爲有關讀音的，㈡爲有關押韻的，㈢爲異字的說明，㈣爲用韻的說明，㈤爲通假、脫文、絕句的說明。」這一分類雖不盡完善，但大致可以反映《詩集傳》夾注的主要情況。爲行文方便，我們暫且以此作爲論述的依據。

第一類，「有關讀音的」：

左文將這一類對勘的結果列成四張表，「表一」、「表二」、「表四」與「表五」。其中「表二」是八卷本將二十卷本原注直音刪去，如《鄘・柏舟》一章「髧彼兩髦」，「髦」字下注直音「音毛」，八卷本刪去。此表共19條，計16字：髦（音毛）、簧（音黃）、棣（音悌）、魴（音房）、湯（音傷）、樂（音洛）、勝（音升）、大（音泰）、祉（音恥）、舍（音捨）、女（音汝）、聞（音問）、駿（音峻）、於（音烏）、觩（音求）、假（音格）。

爲了說明問題，我們抽出幾個字加以分析。

髦：《詩經》中髦字共出現四次，二十卷本注音二次，見表：

篇	章	句	二十卷本	八卷本	經典釋文	注
柏舟	1	髧彼兩髦	音毛	刪	音毛	髮垂貌
小雅　甫田	1	蒸我髦士	音毛	音毛	音毛	俊也
大雅　棫樸	2	髦士攸宜				俊也
大雅　思齊	5	譽髦斯士				俊也

同一個字，二十卷本先後加音注二次，八卷本刪去一個，保留一個，刪去的在前，保留的在後。

簧：《詩經》中簧字共出現四次，二十卷本注音三次，見表：

篇	章	句	二十卷本	八卷本	經典釋文	注
王　君子陽陽	1	左執簧	音黃	音黃	音皇	笙竽管中金葉也
秦　車鄰	3	並坐鼓簧	音黃	刪	音黃	笙中金葉
小雅　鹿鳴	1	吹笙鼓簧	音黃	音黃	音黃	笙中之簧也
小雅　巧言	5	巧言如簧				

簧字二十卷本加音注三次，八卷本刪一次。「并坐鼓簧」、「吹笙鼓簧」，同樣是「鼓簧」，前一個刪了，後一個卻不刪。

勝：《詩經》中勝字共出現四次，二十卷本注音四次，見表：

篇	章	句	二十卷本	八卷本	經典釋文	注
小雅　正月	4	靡人弗勝	音升	音升	音升	
大雅　綿.	5	鼓弗勝	音升	刪	音升	
周頌　武		勝殷遏劉				
商頌　玄鳥		武王靡不勝	音升	音升	音升	

第一次出現，八卷本不刪。第二次出現，刪。但第三次出現時又不刪。如果第二次出現時刪是合乎邏輯的話，那麼，爲什麼第三次出現時卻不刪了呢？

觩：《詩經》中共出現三次，都有注音。八卷本刪去其第三個注音，見表：

篇	章	句	二十卷本	八卷本	經典釋文	注
小雅　桑扈	4	兕觥其觩	音求	音求	音	角上曲貌
周頌　絲衣		兕觥其觩	音求	音求	音求	
魯頌　泮水		角弓其觩	音求	刪	音	弓建貌

值得注意的是，前兩個句子完全相同的注音保留下了，卻刪去了第三個句子不同、字義亦不同（「兕觥其觩」，朱子傳曰：「角上曲貌」。「角弓其觩」，朱子傳曰：「弓健貌」。）的注音。

特別值得一提的是「假」字。

《商頌．烈祖》中有三個「假」字：

「鬷假無言」、「以假以享」、「來假來饗」三處，二十卷本均注「音格」。「鬷假無言」傳曰：「鬷，《中庸》作奏，正與上篇義同。」按上篇即《那》，有「湯孫奏假」句。二十卷本注爲「音格」，傳曰：「假，與格同，言奏樂以格于祖考也。」下篇《烈祖》中又出現三個「假」字，二十卷本都不厭其煩地注音爲「音格」，實際上是告訴人們這三個「假」字，其義與「奏假」之「假」同。但八卷本卻刪去了《那》中的注「音格」，又刪去了《烈祖》中最後一個（「來假來饗」）中的注「音格」。這樣就使《烈祖》中的三個「假」字失去了依據，並使讀者對最後一個「假」字不知所從。

他如「樂」字、「大」字、「女」字、「於」字，因出現的頻率太高，不能一一列舉。但被刪除的除「女」字有二處外，其他字都只有一處，且不知爲何別處（有的地方甚至句子完全相同）不刪，而偏偏只刪這一處。從八卷本對二十卷本直音的刪除的統計可以看出，八卷本的刪除部分呈現出極大的隨意性和非邏輯性。如果原書編修時這些被刪除的部分即爲如此狀況，那麼是可以理解爲原著者的疏忽，或體例上的偶爾失控。但現在的問題是，這是對原有版本的刪改。那麼，這只能說明，這種刪改是不負責任的，或者說，這不可能是原作者自己的修改。

左文「表五」，列舉了被八卷本刪去的叶音，計 34 條。仔細核查原文，同樣發現了與刪除直音一樣的問題。以「表五」所列前四句爲例：「野」字，在《詩經》中被用作韻腳的共 12 處，一律注押韻「叶上與反」。被八卷本刪除的僅《邶風．燕燕》一章「遠送于野」一處。「南」字，被用作韻腳共七處，被八卷本刪除的亦僅《邶風．燕燕》三章「遠送于南」一處。「懷」字，共四處用作韻腳，僅《邶風．終風》四章「愿言則懷」一處。「兵」字，共三處用作韻腳，被刪除者僅《邶風．擊鼓》一章「踊躍用兵」一處。這裡表現出的，依然是毫無規律和莫名其妙的隨意性。我們依然可以認定，這決不可能是原作者自己的刪改。

八卷本除了對二十卷本的音切作了刪改外，左文還注意到「八卷本對二十卷本的讀音反切進行了大量的修改」，並總結出修改的「三個方式」:「一、將反切注直音，二、將反切改注聲調，三、將反切刪除」。據筆者研究，應該還有第四種方式——以新反切取而代之。誠如左文所稱：八卷本「保留原注讀音反切不加改動的反而較少。這是八卷本和二十卷本最大不同處，例子極多，開卷即得」。因爲太多，我們不能一個一個的加以分析，判斷是非。但是，卻有一本現成的著作可以幫助我們作出判斷。

清乾隆八年，雪汀老人史榮撰《風雅遺音》四卷，「據朱子孫鑒所作《詩傳補遺後序》，定朱子《集傳》原本有音未備，其音多後人所妄加。因以《集傳》與音互相考證，得其矛盾之處，條分縷析以辨之」。❹共得十五門二十四類。這是一本研究《詩集傳》音讀的專著。書出之後，很受重視。紀昀對全書作了認眞審定，剔除並改正了原書的一些錯誤，重新編排了目錄及內容，以《審定風雅遺音》爲名刻版印行。其中卷上：「音切之誤」一章專以抉摘《詩集傳》音切之失爲務。筆者將此章與八卷本及二十卷本對勘一過，眞是不對不知道，一對嚇一跳。史、紀二位所指摘的《詩集傳》音切之誤，竟然絕大多數（76%）是八卷本妄改二十卷本所致，而史、紀所指出的正確音切，又往往恰恰與二十卷本吻合。

《審定風雅遺音》「音切之誤」一章共201條。限于篇幅，不能一一排比。但爲了說明問題，我們隨意抽出前四條加以分析。

《周南．關雎》：關關雎（音疽）鳩

雎、疽，并七余反。《論語》「關雎之亂」、《孟子》「痈疽」，朱子《集注》皆云七余反。可見當時並無誤讀，然《詩》「國風」如「只且」、「揚且」、「狂且」、「椒聊且」等文與「二雅」中「且」字

---

❹ 《四庫全書總目提要》，卷18，《詩類存目二》。

之爲子余反者，莫不音「疽」。則其於疽字竟誤認爲子余反。雎、疽二字必不讀爲七余反矣。朱子寧有是耶？

這一條指出，關雎之雎，八卷本注爲直音「音疽」，並不錯。因爲雎、疽二字的反切均爲「七余反」。但問題卻出在八卷本中「且」字的注音爲「音疽」，而「且」字的正確讀音應爲「子余反」。也就是說，在注音者的眼中，「疽」也應當讀爲「子余反」。由此，「雎」字當然也應該讀爲「子余反」了。於是產生了錯誤。

但是，我們檢查二十卷本，雖「雎」字注音爲「七余反」，「且」字注音爲「子余反」，完全正確。由此，我們可以肯定，錯的不是朱子，而是被篡改過的八卷本。

這一條還給了我們一個旁證：朱子注《論語》「關雎之亂」，《孟子》「痈疽」，均作「七余反」。檢《四書集注》《論語・泰伯》「師摯之始，《關雎》之亂，洋洋乎。」注：「雎，七余反。」。《孟子・萬章上》「或謂孔子於衛主痈疽」，注：「疽，七余反。」這證明，朱子注關雎之雎用「七余反」是他一貫的做法。八卷本改爲直音「疽」，又以「疽」注「且」，從而產生一連串的錯誤，「朱子寧有是耶？」

《卷耳》：我姑酌彼兕（音似）觥

兕，徐履反，不音似。似，詳里反。

檢八卷本作「音似」，二十卷本作「徐履反」。

又：陟彼砠（音疽）矣

說見《關雎》篇。

檢八卷本作「音疽」，二十卷本作「七余反」。

《樛木》：葛藟累（音雷）之

累，力追反，音縲，在支韻，雷乃灰韻。

檢八卷本作「音雷」，二十卷本作「力追反」。

據筆者統計，史、紀二人所指出之音切之誤，與八卷本完全符合者占100%，而史、紀二人以爲正確的讀音反切與二十卷本不相符合者共 49 條，占 24%（其中還包括反切用字不同，但反切讀音相同者）。也就是說，史、紀所訂正八卷本之誤與二十卷本完全吻合者高達 76%。也許我們已經可以得出結論：八卷本對二十卷本的改定，從總體上說是錯誤的。

但是，僅有統計學上的反映似還不足以說服以爲八卷本是朱子定本的人。人們有權反問：「憑什麼認定史、紀與二十卷本吻合就是正確的？我們也可以反過來說，八卷本改定以後才是正確的呀。」

確實，這裡有一個誰是誰非的問題。統計數字並不能孤立地拿來作是非的標準。所以，我們有必要進一步追問，朱子注《詩集傳》究竟以什麼爲依據？史榮以爲，朱子注《詩集傳》音切，應該是以《經典釋文》爲準（引文詳見下文）。筆者將八卷本、二十卷本的音切與《釋文》對勘，發現凡八卷本改動的地方都與《釋文》不同，而二十卷本卻與《釋文》一致。這就證明史榮的推斷是正確的，也反證了八卷本的改動是錯誤的。

八卷本對二十卷本音切改訂還有另一種情況，即左文「表一」所列舉，以「與×同」代替二十卷本的反切。如：《邶風．燕燕》「頡之頏之」，「頡」字注，二十卷本爲「戶結反」，而八卷本改作「與絜同」。「表一」共列出 27 條。其中第 1 條八卷本作「絅同」，第 25 條作「音帝同」，26 條作「音與郁同」，27 條作「如字」，與其他各條不同外，其餘 23 條均作「與×同」。史榮注意到了這一現象，而且還發現了另一個有趣的「秘密」：所有作「與×同」的改訂例，無一例外地全部集中在《邶風》中。爲此他專列一章曰「《邶風》注與某同之誤」，指出「凡古之注書者，必其字音義皆同而後曰與某同，否則曰音與某同，或曰與某字義同音別而已。此其例然也。如《衛風．淇奧》之云『音與鬱同』（按，即左文表一第 26 條）則可矣。但以音之合而遂曰與某同，非也。然唯此一卷有之，豈非別出一手而莫之檢定乎？」

紀昀對此表示了不同的看法：「按《傳》所云與某同者，不過音與某同之省文，非謂此字即彼字也。但應糾其義例之陋，必謂誤合二字爲一字則深文矣。」❺他毫不客氣地把這一節全部刪去。紀氏的駁正有一定的道理。孤立地看這一問題，史氏確有「深文」之嫌。但是如果把這一現象與八卷本全書刪改混亂，錯誤百出的情況聯系起來分析，卻恰恰露出了八卷本之修訂是成於多人之手，以致體例不一，顧此失彼的破綻。史榮責問：「然唯此一卷有之，豈非別出一手而莫之檢定乎？」是抓住了問題的要害。

《審定風雅遺音》還糾正了《詩集傳》（八卷本）一書中音讀的其他一些錯誤。如果我們不讀二十卷本，是很可以爲史、紀二人的功力及學養所感佩的。但非常遺憾的是，他們犯了一個不可原諒的錯誤——選擇版本不慎。他們用的是八卷本，而八卷本非朱子原帙。如果他們用二十卷本，那麼也許根本現在就不會存在《審定風雅遺音》這樣一本書了。但，我們還是要感謝史、紀二位，正是他們有力的論著在客觀上幫助我們揭穿了八卷本的眞面貌。

八卷本對二十卷本的刪削，除了音切、押韻之外，還有一種情況，即左文「表三」、「表六」、「表七」、「表八」中所列舉的內容。表三是關於押韻的，表七是關於押韻的說明的，表六及表八的一部分是關於異字、異文的說明的，表八的一部分是關於斷句的說明，一部分是關於校勘的說明（如：《魯頌・閟宮》四章「房」下注：「此下當脫一句，如『鐘鼓喤喤之類』」）的。左文爲分類的方便，把這些刪削的情況分成了四張表。這有利於分析，但卻掩蓋了由綜合而可以發現的另一個更爲重要的問題。如果我們把所有這些表合并在一起，再與二十卷本所有的經文夾注（除了有關音切及押韻的以外）對勘，就可以發現，八卷本對二十卷本經文夾注的刪削，是不分青紅皀白，一律取消。這樣，就使整部書的體例及其內部邏輯發生了衝突。左文在認定八卷本爲朱子定本的「確鑿的例證」第三條中稱：「《周頌・維天之命》『假以溢我』，『假』下注『春秋傳作何』，『溢』下注『春秋傳作恤』，

---

❺ 《審定風雅遺音・原目錄》。

傳文曰：『何之爲假，聲之轉也。恤之爲溢，字之訛也。』上下文正相承接。八卷本則『假』下『溢』下並無夾注，使得文『何以爲假』云云上無所承，突如其來，令讀者不知爲何有此一說。這是因爲八卷本刪除二十卷本此處經文異字夾注，卻沒有注意到下面傳文不能銜接。《商頌·烈祖》『鬷假無言』『鬷』下夾注：『《中庸》作奏，今從之。』八卷本也刪去了，有同樣的問題，則是另一個例子。」這顯然是一種爲了論證自己的假設（八卷本爲朱子定本）所作的回護之說。如果從公正的立場出發，應該得出這樣的結論：作者在編修時發生了內在邏輯上的失誤。

但是，這一結論不適用于二十卷本，因爲二十卷本並沒有把「假」下、「溢」下的夾注刪除。二十卷本的內部結構並沒有發生邏輯上的混亂。這恰恰又證明了八卷本的不是。

誠然，八卷本刪除的經文夾注有很多是無法判斷其是非的，很難說朱子自己沒有做過刪改。但如果我們可以找出一個例證，證明這是無論如何不能刪去的，那麼我們就可以證明，不分青紅皀白地把夾注全部刪去是錯誤的。從而也可以證明朱子自己絕不會這麼做。

有沒有這樣的例子呢？

有。請看《周頌·天作》：

《周頌·天作》《毛詩正義》斷句爲：「彼徂矣，岐有夷之行。」《鄭箋》曰：「徂，往。行，道也。」這是傳統的斷句法，歷來如此。

然朱子據沈括《夢溪筆談·藝文一》引《後漢書·西南夷傳》，疑「徂」字當訓爲「岨」。故夾注曰：「沈括曰，《後漢書·西南夷傳》作『彼岨者岐』。」按，沈括原文爲：「書之闕誤，有可見於他書者，如……《詩》『彼徂矣，岐有夷之行』，《朱浮傳》作：『彼岨者岐，有夷之行』。」沈括曰《朱浮傳》，誤。當爲《西南夷傳》中朱輔上疏之言。朱子引沈文不引原文，而曰「《後漢書·西南夷傳》，實質上是糾正了沈氏之誤。同時，沈氏又有一誤，曰《朱浮傳》作「彼岨者岐」，但《後漢書》原文「岨」實作「徂」。故朱子夾注下文又曰：「今按，彼書『岨』，但作『徂』。」再次糾正沈氏引文之誤。接者又指出《後漢書》注引《韓詩薛君章句》，也訓「徂』爲「往」，可見「徂」不當作「岨」。下文朱子又云：「獨『矣』字作『者』字，如沈氏說。」指出，《後漢書》中所引《詩》句「彼徂（岨）者岐，有夷之行」除了「矣」字作「者」字外，是和沈氏說一致的。據此，那麼「徂」訓爲「往」，應不成問題了。但《後漢書》注引《韓詩薛君章句》又云：「故岐道阻險而人不難。」所以，朱子曰：「則似又有岨意。」緊接著朱子又聯想到韓愈《岐山操》中有「彼岐有岨，我往獨處」之句，因「疑（韓愈）或別有所據，故今從之，而定讀『岐』字絕句。」

這是一段非常重要的夾注，說明了朱子改變句讀的理由。如果刪除了，那麼讀者會感到與傳統的讀法不一致，卻又不知所以然。所以這一段夾注是刪不得的。而八卷本卻統統刪除了。但刪除了又怕人讀不懂，故乾脆把經文「徂」改成了「岨」字。

其實，朱子是懷疑「徂」自當作「岨」字的。夾注第一句話詳言「沈括曰」並用「今按」來強調「彼書岨，但作徂」，實際上已有暗示沈括所引《後漢書》與今本不同，也許沈括所見的本子「徂」正作「岨」也是「或別有所據」。再加上韓愈也作「岨」，不會是偶然的巧合。但朱子不會改動經文，他的意思在「傳」中表明了：「岨，險僻之意也。」經文不能改，但注文可改，所以以「岨」代「徂」。❻八卷本不僅將這一段夾注全部刪除，而且據朱子夾注逕改經文爲「彼岨矣岐」，暴露出篡改者的無知與輕率。

再如《大雅・嘉樂》「假樂君子」，二十卷本「假」下注：「《中庸》《春秋傳》皆作嘉，今當作嘉。」八卷本全部刪去，而注直音「音嘉」。但朱子在此章的「傳」文中接著說：「嘉，美也。」這是承接上文「《中庸》《春秋傳》皆作嘉，今當作嘉」而言。八卷本刪去了這一段夾注，「傳」文「嘉，美也」便落了空。

其實上文所引左文的第三條，也是這樣不該刪而刪了的例子。我想，這

❻ 此乃朱子注釋儒家經典常例。如《四書章句集注》《大學章句》篇注「《大學》之道，在明明德，在親民」句，解「親民」二字曰：「程子曰：『親，當作新。』」「新者，革其舊之謂也。」以新解親，但經文依然作「親民」。

些例證已足以說明，八卷本經文夾注的全部刪除，也是被人篡改的結果。

史榮早已懷疑八卷本《詩集傳》是一本被改篡過的書。

請看他的《風雅遺音序》：

> 陸氏《釋文》自漢以來相傳之音讀也。《詩》雖主毛鄭，而《韓詩內外傳》與王肅、徐邈、沈重諸儒異同之說亦多載之。音則兼備九家，後來者度不能別爲一讀也。朱子作《集傳》爲不信《小序》耳，其於《傳》《箋》及《孔疏》，義訓相仍者，殆十之五六，豈反置《釋文》不用哉？然而今本所載之音，非惟與《釋文》乖，並《集傳》中語時或背之。則非朱子手定明矣。顧亭林《日知錄》謂朱子使其門人爲之。吾謂門人親炙有素，而又以其師之命，何至忽視如此？恐亦非也。間於朱竹垞《經義考》，見有文公後人朱鑑所作《詩傳遺集後序》乃知當時本有音而未備。然則今之音蓋不知誰何人因其未備，妄取世俗訛誤之音篡入其間也。又觀《邶風》注，或無音切而泛云與某同，及坊間所引京本，則知今音不成於一手，又即朱子舊有者而亦妄改之也。流傳數百年，世儒咸信爲朱子手定，而莫知其誤。即知之，亦莫敢言，不已誣乎。

這是一篇可以在辨僞學史上佔有一席之地的序文。他指出了八卷本《詩集傳》的可疑之處，得出了這是一本被人妄改之書的結論。

如果世上沒有二十卷本，那麼史榮已經成就了一項重要的辨僞大業。但是他竟然沒有見過二十卷本，這就使他的發現打了一個大大的折扣。但不管怎麼說，他發現了八卷本的妄改之跡，爲我們認清八卷本的眞正面貌提供了線索與證據。其功依然不可掩沒。

二

如果說八卷本一無是處，也是不公道的。八卷本確實也有改正了二十卷本錯誤的地方。

如：《秦風・蒹葭》「在水之涘」，二十卷本注「叶以始二反」這顯然是刊刻之誤。八卷本改作「叶以始二音」。

再如《陳風》題解，二十卷本：「百二十四句」。八卷本作「一百一十四句」。八卷本是。

又如《小雅・祈父》一章傳，二十卷本：「《康誥》曰……」八卷本作《酒誥》。查《尚書》，當作《酒誥》。

《周頌・雍》題解，二十卷本：「《周禮・大師》及徹，帥學士而歌徹。」八卷本「大師」作「樂師」檢《周禮》，八卷本是。

這樣的例子不多，但還可以舉出幾個。於是就出現了一個問題：上文既已論定八卷本非朱子原帙，現在又承認八卷本確有訂正了二十卷本之誤的地方，這又該如何解釋呢？

這確實也曾是一個困擾過筆者的難題。但當我以更多的本子對校以後豁然茅塞頓開了。

筆者爲點校《詩集傳》，曾以台北中央圖書館藏元刻本、上海圖書館藏明正統十二年司禮監刻本、北京圖書館藏明嘉靖三十五年崇正堂刻本（以上三種版本均爲二十卷）與二十卷本、八卷本對校。發現上述元明三個版本，與二十卷本並不屬於同一版本系統，但基本接近。其區別主要集中在左文所列「表九」中。再與八卷本對校，發現也不屬於同一系統，但差異較大，其有部份吻合者，亦集中在「表九」中。據對「表九」中的統計，上述三個版本與八卷本吻合處達 80%，而八卷本改動二十卷本，並被證明是正確的部份，也全部集中在「表九」中。

顯然，我們可以推測到，現今傳世的宋刻二十卷本是一個系統。上述元明三個本子屬於另一個系統。八卷本則是在元明版本系統基礎上作了大量篡改的又一個系統。

《詩集傳》版本是一個非常複雜的問題。由於現存版本及文獻依據不足，多年來，學者們對《詩集傳》版刻的研究多停留在推測的層面上。左文引用糜文開先生的論點，主張「朱子甲辰五十五歲廢《小序》的《集傳》是二十卷本，甲寅年六十五歲以後的更定本，則是八卷本」。《詩集傳》究竟有沒有所謂的「最後的定本」？這是一個值得探討的問題。據朱子之孫鑑稱：「先文公《詩集傳》豫章、長沙、后山皆有本，而后山讎校爲最精。第初脫稿時音訓間有未備，刻板已竟，不容增益，欲補脫終弗克就，未免仍用舊版，葺爲全書，補綴瓚那，久將漫漶。竭來富川，郡事餘暇，輒取家本親加是正，刻寘學宮，以傳永久。」❼這段話說明直至朱子去世，《詩集傳》一直在不斷的修訂中，並無所謂「定本」。唯后山所刻的本子比較精而已。那麼，后山本究竟是什麼樣的本子呢？束景南先生在論述《詩集傳》版刻時認爲：「后山本朱熹集中無考，然今人有見此本者，《藏園群書經眼錄》卷一著錄《詩集傳》二十卷，云：『宋刻本，版框高六寸二分，寬四寸四分。半頁七行，每行十五字，注雙行同，白口，左右雙欄。版心單眼魚尾下記詩卷第幾，上記字數，下記刻工姓名。宋諱避至鞹止，蓋成書後第一刻本也。……（陳）仲魚所作綴文，定爲后山所刊。』其謂『成書後第一刻本』則非。后山本疑在慶元五年朱熹又讎校《詩集傳》，刊刻於后山。此即朱鑒藏本，今本《詩集傳》所從出也。」❽其實在束景南先生之前，陳鱣已作過這樣的推測：「考文公孫鑒《詩傳遺說叙》云：『《詩集傳》豫章、長沙、后山皆有本，而后山校讎最精。』是本無題識可證，而校讎之精，疑爲后山本。」❾

束、陳二先生的結論是否正確呢？這首先要弄清楚后山是什麼。呂藝先生認爲：「后山，當指當時福州路南劍州之將樂縣。」❿這是不對的。后山，是朱子晚年生活所在地建寧府建陽縣的一個地名。據清道光十二年版《建陽縣志》卷首《輿圖》載，崇泰里，村坊共三十，其中有后山。同書《人物志·蔡元定傳》：「蔡元定，字季通，崇泰里人……朱子移寓建陽，元定亦由麻沙遷居后山。」當時，朱子居考亭，兩地相距約十一公里。

武夷山朱熹研究中心方彥壽先生曾著文考證后山及后山刻書。現將其文

---

❼ 《詩傳遺說跋》（《通志堂經解》本）。

❽ 《朱熹佚文輯考》（江蘇古籍出版社，1991 年版）。

❾ 同注❷。

❿ 《清及近代傳世〈詩集傳〉宋刊本概述》，《文獻》第 22 輯（1984 年 12 月）。

轉錄如下：

> 后山，在建陽崇泰里，今莒口鎮后山村。宋元時期，有后山堂，始建於嘉熙三年（1239）……所謂后山刻本，顯係刻印於建陽后山無疑。陳振孫《直齋書錄解題》著錄《詩集傳》二十卷《詩序辨說》一卷云：「今江西所刻晚年本，得於南康胡伯量，校之建安本，更定者幾十一云。」據《解題》，則《詩集傳》又有一建安本，與此建陽后山本似別爲一刻。案，《解題》所云建安本，與朱鑒所云后山本，實乃同一刊本。陳振孫所說的建安，實即建陽，乃沿用古建安郡名。《解題》只錄建安本而不及后山本，朱鑒只言后山本而不及建安，這是由於兩人著錄的立足點不同所致。朱鑒乃建人，於「建安本」刻印的具體地點十分清楚，故直稱「后山本」……由於建安或后山本乃朱熹及其門人蔡元定所校定，故「校讎最精」而江西胡伯量本乃晚年本，朱熹於傳文增補甚多，故「更定者幾什一」。⓫

方先生的考證十分精到，不僅解決了后山在哪裡的懸案，而且證明了建安本實即后山本。唯一稍嫌不足的是蔡元定刻書事的證據。現補充如下：

蔡元定是否直接主持過刻書之務，史無明載。但細檢朱子與元定來往書信，依然可以找到元定曾主持過刊刻朱子著作的線索。

《晦庵先生朱文公文集續集》卷二《答蔡季通》七十五：

> 《啓蒙》中欲改數處，今簽出奉呈，幸更審之。可改即改爲佳，免令舊本流布太廣也。但恐不好看，亦無奈耳。

同上書，同卷《答蔡季通》九十：

⓫ 此爲方彥壽先生尚未發表之文稿，徵得方先生同意刊布於此。方先生以學術爲公器，可敬可佩。

兩匠在此略刊得數行矣，字畫頗可觀。未可印，未得寄去也。但此間獨力，深恐校讎不精，爲後日之累耳。向來看它人刊書，重於改補，今乃知其非所樂。大抵非身處之，則利害不及而心乃公耳。

案：此處言「兩匠」，「刊得數行」，「字畫可觀」可以判斷是談刻書事。同上書，同卷《答蔡季通》九十五：

《中庸》首章更欲改數處。第二版恐須換卻，第二版卻只刊補亦可。然想亦只是此處如此，後來未必皆然也。且催令補了此數版，並《詩傳》示及也。來日取得來教，卻別上狀。

案：此處言及換版、刊補，並提及《詩傳》。可證蔡曾主持刻《詩集傳》。同上書，同卷《答蔡季通》一一五：

《詩傳》中欲改數行，乃馬莊父來說。當時看得不仔細，只見一字不同便爲此說，今詳看乃知誤也。幸付匠者正之，便中印一紙來。《中庸》必已了矣。

案：這是一個更有力的刊刻《詩集傳》的證據。

不僅蔡元定主持印務，其長子淵（字伯靜）也參與其事。同上書，卷三《答蔡伯靜》一：

《啓蒙》已爲看畢。錯誤數處已正之。又欲添兩句，想亦不難。但注中尊丈兩句不甚分明，不免且印出，俟其歸卻商量。

案：從文意看，蔡元定不在家時，由蔡淵主持印務，此書乃朱子與其討論校勘事宜。

這些例證恐怕已足以證明蔡元定居后山時主持過刊刻朱子的著作，其中包括《詩集傳》。同時也可證明，所謂「后山本」即蔡元定所主持刊刻的版本，其地在建陽，而不在別處。

后山之疑既明，接下來的問題是今傳世之宋刊二十卷本《詩集傳》是否即后山本。呂藝先生曾就《詩集傳》宋刊本的刊刻問題作過很好的考證，現轉錄如下：

> 此本（案，即《四部叢刊》影印宋刊本）刻工是黃埜、蔡友、鄭恭、吳炎、王燁、蔡明、游熙、賈直、馬良、何彬、周嵩、張元彧、蔡仁杏、賈端仁、劉霽……黃埜又刻過淳熙本《史記》，王燁、吳炎、馬良三人又刻過寶佑本《通鑑紀事本末》……此本爲「寶佑六年（1258）趙與佑刻本」。……趙氏「居湖州城內之叢桂坊」，此書是他「退里而居」所刻，故爲湖州本。自淳熙八年至理宗寶佑六年，間隔七十餘載。而《史記》也不見得是黃參與刊刻的第一部書，即便如此，以黃氏二十歲開始刻書計，至寶佑六年也已九十餘歲，尚能操刀刻書，似也不大可能。所以，《詩集傳》當刻於此前。且此本避諱至「鞹」字，乃避宋寧宗趙擴（「鞹」與「擴」音同）諱，則此本當刻於寧宗以後至理宗寶佑六年之前，即一一九五至一二五八年之間。湖州，治所在今浙江吳興，南宋屬兩浙西路。桐川，宋時指廣德軍，治所在今安徽廣德縣，宋時與兩浙西路安吉縣接壤。安吉又是湖州所轄縣。黃埜當是先在桐川刻書，後來又到湖州和王燁、吳言、馬良一起刻書的。安吉又距臨安不遠，所以此本很可能是湖州或臨安一帶刻本。而且此本字體爲歐體字，版式爲左右雙邊、白口、單魚尾，這都是南宋浙本通常具有的特點，因疑此本爲浙刻本。⓬

此外，據《古籍宋元刊工姓名索引》⓭載，《周易本義》宋刊七行本，

⓬ 同注❿。

⓭ 王肇文編，上海古籍出版社 1990 年版。

刻工姓名除王熚爲《詩集傳》所無，賈直、劉霽爲《周易本義》所無外，其餘刊工完全重合。且《周易本義》之版式、字體亦與《詩集傳》完全相同。這說明，這兩本書刻於同時同地。傅增湘疑爲浙杭刻本。又二書刻工中均有馬良。而馬良爲「南宋嘉定間杭州地區良工」。⓮以上種種，都可以排除此本《詩集傳》乃蔡元定的后山本。

再者，此本避諱至寧宗趙擴。這證明此書只能在寧宗（即慶元元年 1195）以後。前引朱子致蔡元定書，其中兩通談及《中庸》刊印事。案，《中庸章句》刊於己酉（1189）春，則此書當作於己酉年。據此，則《詩集傳》刊刻也當在是年。其第二通亦言及《詩集傳》，且論及「《中庸》必已了矣」。可證與第一通作於同時。此時宋寧宗尚未即位，何來避其諱？可見，今傳本《詩集傳》絕非后山刻本。

案：《詩集傳》又有所謂「江西本」。陳振孫《直齋書錄解題》卷二：「今江西所刻晚年本，得於南康胡泳伯量，較之建安本，更定者幾什一云。」此本與今傳世之宋刻本究竟是什麼關係，且留待下文討論。但陳氏云「較之建安本，更定者幾什一云」卻給了我們某種啓示。

元代有兩部專以闡釋朱子《詩集傳》爲宗旨的著作。一爲劉瑾《詩傳通釋》。此書因處處回護朱子之說，受到清儒的批評。但四庫館臣則曰：「此書既專爲《朱傳》而作，其委屈遷就，固勢所必然。亦無庸過爲責備也。」⓯

另一爲朱公遷《詩經疏義會通》。「是書爲發明朱子《集傳》而作，如注有疏，故曰『疏義』……其說墨守朱子，不逾尺寸。」⓰

到了明代永樂，又出了一本以胡廣領銜官修的《詩傳大全》，「實本元安城劉瑾所著《詩傳通釋》而稍損益之」，然「此書爲前明取士之制」。⓱

這三本書的編修體例是一致的：一本朱子《集傳》（包括經文、夾注、

⓮ 《古籍宋元刊工姓名索引》馬良條。

⓯ 《四庫全書總目提要》卷十六《詩類二》。

⓰ 同上注。

⓱ 同上注。

音釋、協韻、傳）、然後以雙行小注對朱子的傳文加以闡釋、注疏。所以，如果剔除劉、朱、胡三人的注疏發明，剩下的就是一部《詩集傳》。筆者將這三本書與二十卷本、八卷本及上述元（臺灣中央圖書館本）、明（上海圖書館及北京圖書館本）三個版本對校，發現他們基本上與上述元、明三個版本相吻合。元代離南宋不遠，《通釋》與《會通》又都是以解釋《集傳》爲目的的著作，他們選用的版本應該是而且有可能是最好的本子。《大全》則是明代的官修本，又是取士的標準教材，所以胡廣選用的版本應該被認爲是具有權威的。

然則，何謂權威的版本呢？

朱鑑《詩傳遺說跋》告訴我們，一、朱子生前的《詩集傳》刻本，以后山本校讎最精，故后山本可視爲朱子生前的最佳版本。二、但后山本依然存在著「音訓間有未備」的缺點。原擬作補脫附錄於後，但「終弗克就」。三、針對以上情況，朱鑑在富川時用家本親加是正，並版刻於學宮。這應該是一本經過認眞修訂的刻本，「音訓間有未備」的問題當已有所解決。故朱鑑改訂本應可視爲最權威的版本。朱鑑此跋作于端平乙未（1235），是在理宗朝。故朱鑑改訂本當刻于現存宋本之後。從元明等三個版本與宋本的對校可以發現，除了對宋本的幾處的明顯的刻誤做了改正外，主要的修改確在「音訓之間」。故我們推測，現存宋刻本當據蔡元定后山本刊刻，而元明等三個版本則傳自朱鑑改訂本。反過來說，正因爲朱鑑改訂本是最具權威的版本，所以元明等三個版本及劉瑾、朱公遷、胡廣才會選用這一系統的版本。

那麼「江西本」又是怎樣一個版本呢？

如上所引，最早提出這一問題的是陳振孫的《直齋書錄解題》。

要弄清何爲「江西本」，首先必弄清朱鑑跋文中的「富川」爲何處。朱鑑此跋作于端平乙未（1235），文末自屬：「承議郎權知興國軍兼管內勸農營田事節制屯戍軍馬」。興國軍，南宋時屬江南西路，其治所在永興。永興及富川。《隋書・地理志下》江夏郡統縣四，永興即其一：「陳曰陽新。平陳，改曰富川，開皇十一年廢永興縣入，十八年改名焉。」據此，則朱鑑所謂「富川」即「興國軍」，南宋時屬江西。故朱鑑所刻本當可稱爲「江西本」，此其一。朱鑒之跋，列舉《詩集傳》刻本，曰「豫章、長沙、后山皆有本」，唯獨不及「江西」。這是因爲「江西」本即其自己所刻之本，此其二。陳氏《直齋書錄解題》曰：「今江西所刻本」，既言「今」，說明其書刻于當時。據陳樂素先生考證，陳振孫主要的生活年代，在嘉定中至景定初⑱。這一段時間（而且在「江西」）《詩集傳》的刻本，只有朱鑒富川本，此其三。陳振孫又云「得于南康胡泳伯量」。南康與永興（富川）比鄰，胡氏又爲朱子門人，永興刻朱子著作，胡氏熱衷於得到，又易於得到，這完全在情理之中，此其四。陳振孫又稱「校之建安本，更定者幾什一云」。這與我們上文考證朱鑒本與后山本的差異時所得結論完全一致，此其五。凡此種種，都使我們相信，《直齋書錄解題》所謂「江西本」即朱鑒校改本。

從以上的論證中我們可以更清楚的看到，八卷本確非朱子原帙，因爲根據現有的文獻記載，不可能在「后山本」，朱監改訂本之外，還有另一個經朱子或其后人（門生）改定的刻本。如果有，那只能是僞篡之本，不能視爲朱子原帙。

三

以上就八卷本內容之誤與版刻之非論證了八卷本非失子原帙。除此之外，還有一個更直接、更充分、更重要的證據可以判斷八卷本之非——宋元時代的各種官私書目著錄朱子《詩集傳》均爲二十卷，一無八卷之記載。

八卷本《詩集傳》最早的著錄，出現在明代：焦竑《國史經籍志》卷二：「《詩集傳》八卷。」焦竑乃萬曆時人。而現在可知的最早的《詩集傳》八卷本刻本爲明「巡按福建監察御史吉澄校刊」本。據黃永年先生考證乃嘉靖年間蘇州刻本。此後八卷本漸多，筆者所見還有萬曆三十年劉似山刻本、崇禎四年汪應魁刻本、崇禎六年閔齋刻本等。但是，明代依然有二十卷刊本問世，現在可見的如：正統十二年（1447）司禮監刊本、嘉靖三十五年（1556）崇正堂刻本等，時間都早于八卷本。

⑱ 《〈直齋書錄解題〉作者陳振孫》，一九四六年十一月二十日《大公報文史周刊》。

此外，從元明兩代出現的一些以注疏朱子《詩集傳》爲宗旨的著作看，也大多爲二十卷，這一類例子除上文已經提到的劉瑾《詩傳通釋》、朱公遷《詩經疏義會通》，明胡廣《詩傳大全》外，還有元余謙《詩集傳音考》⑲、羅复《詩集傳名物鈔音釋纂輯》⑳、胡一桂《詩集傳附錄纂疏》等㉑。

這些事實都說明，八卷本出現很晚，而且沒有前人著錄之根據。在沒有根據的情況下，怎麼可以武斷的下結論，說八卷本是朱子的最後定本呢？

再從朱子對《詩集傳》的分卷看，也決不是隨意的，二十卷之分有著充足的歷史依據及其內在的邏輯性。

最早著錄《毛詩》卷數的是《漢書．藝文志》：「《毛詩》二十九卷。」「《毛詩故訓傳》三十卷。」但是，到了《隋書．經籍志》已經變成了：「《毛詩》二十卷，漢河間大傅毛萇傳，鄭玄箋。」從此《毛詩》就一直以二十卷出現。《新唐書．經籍志》：「鄭玄箋《毛詩故訓》二十卷。」《舊唐書．經籍志》：「《毛詩故訓》二十卷，鄭玄箋。」《宋史．藝文志》：「《毛詩》二十卷，漢毛萇爲故訓傳，鄭玄箋。」

誠然，朱子作的是《詩集傳》，而非《毛詩》，《毛詩》的卷數不必與《詩集傳》相同。但是朱子的《詩集傳》是在《毛詩故訓傳》和孔穎達《毛詩正義》的基礎之上撰述的，在詩篇次第的排列和分卷的問題上，他是基本沿襲前者，而作了一些他認爲必須調整的調整。我們把《詩集傳》的卷帙與《毛詩》、《毛詩正義》作了對比，除《小雅》部份有所改定外，其余完全相同。對於《小雅》部分的改定，朱子作了如下說明：

> 《南陔》，此笙詩也，有聲無詞，舊在《魚麗》之後。以《儀禮》考之，其篇次當在此，今正之。
>
> 《白華》之什二之二，毛公以《南陔》以下三篇無辭，故升《魚麗》

⑲ 《藏園群書經眼錄》卷一。

⑳ 同上注。

㉑ 《鐵琴銅劍樓藏書目錄》卷三。

以足《鹿鳴》什數，而附笙詩三篇於其後。因以《南有嘉魚》爲次什之首。今悉依《儀禮》正之。

這兩段說明告訴我們：一、朱子作《詩集傳》，其篇次與分卷是沿襲《毛詩》的。二、但朱子對《小雅》部分作了調整。這是因爲他認爲毛公爲了湊數弄錯了的篇次，故依據《儀禮》糾正了過來。

所以，分《詩集傳》爲二十卷是有根據的。

再以二十卷本與八卷本對照：

卷一，八卷本與二十卷本相同。

卷二，八卷本把《邶》《鄘》《衛》《王》歸併。這就出現了疑問：如果把《邶》《鄘》《衛》歸併，那還說的過去，因爲自來學者都認爲這三國之風實際上就是《衛風》。但是《王風》卻與《邶》《鄘》《衛》風馬牛不相及，爲什麼要把他和前三者歸併在一起呢？這是無法解答的問題。

八卷本卷三，是把二十卷本卷四中的《鄭風》，卷五中的《齊風》、《魏風》，卷六中的《唐風》、《秦風》，卷七中的《陳風》、《檜風》、《曹風》，卷八中的《豳風》，即剩下的九國風全部合并在一起。而這樣歸并的結果是使這一卷的容量大大膨脹，明顯的與其他各卷不相稱，破壞了二十卷本分卷的相對平衡。

八卷本的卷四，與二十卷本的卷九相同，是《小雅》中的《鹿鳴》之什與《白華》之什。

而卷五又把《小雅》剩餘的部份《彤弓》之什（二十卷本的卷十）、《祈父》之什（二十卷本的卷十一）、《小旻》之什（二十卷本的卷十二）、《北山》之什（二十卷本的卷十三）、《桑扈》之什（二十卷本的卷十四）、《都人士》之什（二十卷本的卷十五）全部歸併。這樣歸併的結果又使卷四和卷五（同樣是《小雅》）的容量大大不相稱。

八卷本的卷六，是《大雅》的《文王》之什（二十卷本卷十六）、《生民》之什（二十卷本的卷十七）。

八卷本卷七，是《大雅》的《蕩》之什（二十卷本的卷十八）。

同樣是《大雅》，爲什麼把前二十首歸併，單獨留下後十一首？而這樣歸併的結果依然是《大雅》的兩卷前後不平衡。

八卷本的卷八，是《頌》的全部。而二十卷本卻是卷十九爲《周頌》，卷二十爲《魯頌》、《商頌》。

從以上的對照可以看出，二十卷本的分卷是有其內在的邏輯性的，而且照顧到各卷容量上的大致平衡。八卷本卻表現出極大的隨意性，而且有明顯的邏輯上的漏洞。請問，朱子有什麼理由和必要，要把二十卷作如此莫名其妙的歸併呢？

餘　論

現在我們已經可以肯定，《詩集傳》八卷本非但不是朱子的最後定本，而且不是朱子原帙。這是一個經過明代人改篡的本子，已經失去了《詩集傳》的原貌。

但是，爲什麼在明代會出現這樣的一個《詩集傳》的版本呢？這是一個很值得研究的問題。筆者尚來不及作深入的研究，不敢妄下結論。但是，筆者卻有幾點意見可以貢獻出來供有志者討論。

首先，在明代出現八卷本，恐怕與當時的科舉制度有關。有明一代，科舉的標準教材是朱子的各種經解。胡廣的《詩傳大全》是官方頒布的《詩集傳》的權威注解，但是它的缺點，正和唐代的《五經注疏》一樣，失之繁瑣和累贅。此外，由於明代的科舉主要是以義理取士，故音訓、考據之類的東西是可以忽略的。所以，一部刪去了「多餘」成份的《詩集傳》便應運而生了。

其次，由宋而明，語音已經發生了很大的變化。爲了迎合當時代人的讀音需求和習慣，便有了對《詩集傳》音讀及押韻加以改造的必要。而這一類的「改造」對童蒙教育特別有用而迫切。八卷本《詩集傳》中以大量的直音取代反切，恐怕與此不無關係。因此筆者懷疑，八卷本《詩集傳》最早恐怕只是一部童蒙教材。

第三，八卷本《詩集傳》的出現，也許還和明代的商業需求有關。在科舉、童蒙教育及一般民眾文化消費的極大需求下，書賈們必然要選擇一種最節省、最簡便的版本來加以刻版印刷，以便節省成本，提高效益。於是，一本為童蒙教育而經陋儒改編過的《詩集傳》便被商人們一眼看中了。而大量印刷的結果則是以假亂眞，乃至最後幾乎要取代了眞正的原帙《詩集傳》。

現在，應該是到了還朱子《詩集傳》本來面貌的時候了。

經 學 研 究 論 叢
第 五 輯 頁111～134
臺灣學生書局 1998年8月

蜀漢譙周及其禮學

——以清人輯佚書所見爲說

曾聖益*

引 言

三國分立，曹魏承襲兩漢文物之英華，爲當時之政治、學術之中心。東吳、蜀漢地處僻隅，文風不盛。再加以戰事頻仍、兵馬倥傯之際，講經問學自是不受重視。宜其學術之發展不如曹魏。觀之史志，於吳、蜀之載亦多疏略。歷來論及三國之經學發展者（如皮錫瑞《經學歷史》、馬宗霍《中國經學史》、汪師惠敏《三國時代之經學研究》等），多詳於魏而略於吳、蜀。然吳、蜀之經學雖未如曹魏之盛，卻非無研經究學者。程元敏先生《三國蜀經學》論述漢季以來，蜀中有張陵等五十三家，所治經籍則遍及十三經（有《大戴禮》，無《孟子》）。可見蜀漢之經學，亦有其發展及其特色。諸家經學史之略於蜀漢，誠有所不足焉。

蜀漢之經學家以譙周最爲淵通，然其學今多不傳。唐晏《兩漢三國學案》咎其「晚節之不善自持」而使後人不甚重之，此誠可歎者也。今姑不論其勸後主降魏之舉如何，且就其論經之語以見其經說之特點，此或可見蜀漢經學之有異同於鄭玄、王肅之處者也。

---

* 曾聖益，臺灣大學中國文學研究所博士生。

一、譙周之生平及其著作

《三國志·蜀書·譙周傳》：

譙周，字允南，巴西西充國人也。父岍，字榮始，治《尚書》，間通諸經及圖、緯。……周幼孤，與母兄同居。既長，耽古篤學，家貧未嘗問產業，誦讀典籍，欣然獨笑，以忘寢食。研精《六經》，尤善書札。頗曉天文，而不以留意；諸子文章非心所存，不悉偏視也。身長八尺，體貌素朴，性推誠不飾，無造次辯論之才，然潛識內敏。

建興中，丞相亮領益州牧，命周爲勸學從事。……大將軍蔣琬領刺史，徙爲典學從事，總州之學者。

後主立太子，以周爲僕，轉家令。時後主頗出游觀，增廣聲樂，周上疏諫…徙爲中散大夫，猶侍太子。

于時軍旅數出，百姓彫瘁，周與尚書令陳祇論其利害，退而書之，謂之〈仇國論〉…後遷爲光祿大夫，位亞九列。周雖不與政事，以儒行見禮，時訪大議，輒據經以對，而後生好事者亦咨問所疑焉。

景耀六年冬，魏大將軍鄧艾克江由……後主使群臣會會議，計無所出……周曰『若陛下降魏，魏不裂土以封陛下者，周請身詣京都，以古義爭之。』……於是遂從周策。劉氏無虞，一邦蒙賴，周之謀也。

時晉文王爲魏相國，以周有全國之功，封陽城亭侯……晉室踐阼，累下詔所在發遣周，周遂與疾詣洛。

五年…周語予曰：「昔孔子七十二，劉向、揚雄七十一而沒，今吾年過七十，庶慕孔子遺風，可與劉、揚同軌，恐不出後歲，必便長逝，不復相見矣。」……六年……至冬卒❶。凡所著述，撰《法訓》、《五經論》、《古史考》之屬百餘篇。

---

❶ 時年七十一，姚振宗《三國藝文志·譙周喪服圖》注云：「時年七十一，《續漢五行志注》引《蜀志》云：『蜀亡，魏徵不至，蓋周以魏亡兩年之後，始至洛陽也。』」

又《三國志・杜瓊傳》載曰：

> 杜瓊……雖學業入深，初不視天文有所論說，後進通儒譙周常問其意…周緣瓊言，乃觸類而長之……蜀既亡，咸以周言爲驗。

〈譙傳〉雖言譙周以精研《六經》爲務，但在當世，似以通讖緯、能預言而見重。故劉公任《三國新志》反言其「本不以經學名家」。然證之他處，卻可見譙周以經學名重當時之載。《三國志・秦宓傳》及《華陽國志》均載譙周傳秦宓之學❷。而宓通《五經》、《孝經》、《論語》，有東漢古文家博通諸經之風，譙周既傳其學，豈有不通經學之理。又《晉書・文立傳》載曰：

> 文立……少遊蜀太學，治《毛詩》、《三禮》兼通群書，師事譙周，周門人以立爲顏回，陳壽、李密爲游、夏，羅憲爲子貢。

史傳雖未明言譙周通經學，然由其師承及其傳授弟子皆以兼通群經而著名於時，可推其必也博通經學。《益部耆舊傳》載曰：

> 益州刺史董榮圖畫周像於官學，命從事李通頌之曰：「抑抑譙侯，好古述儒，寶道懷眞，鑒世盈盈，雅名美迹，終始是書，我后欽賢，無言不譽，攀諸前哲，丹青是圖。嗟爾來業，鑒茲顯模。」❸

譙周在蜀漢之受推重如是，幾爲儒者之典範，受人欽仰。此亦可知其風範果爲如何矣。

周之學問經術不僅受推重於當時，後世亦多贊之者，陳壽稱其「辭理明

---

❷ 見《三國志・蜀書・秦宓傳》；《華陽國志》卷十中：「宓甚有通理，弟子譙周具傳其業。」

❸ 見《三國志・蜀書・譙周傳注》引。

通，爲世碩儒，有董、揚之規。」❹常璩許爲「淵通」❺。唐晏則稱「三國之際，譙周經術最深，著書亦眾。」❻由諸家之讚辭，可見譙周之經術深邃，足與王肅並爲一時之俊彥者也。

譙周之著述除見於《三國志》之三種（《法訓》、《五經論》、《古史考》）外，見於史志尚有下列數種：

《論語注》十卷

《五經然否論》五卷（按：即《五經論》；程元敏先生曰「既爲論，非然即否，可以省則省也。」）

《三巴記》一卷

《五教志》五卷（以上四種見《隋書·經籍志》）

《喪服圖》

《天文志》

《災異志》

《後漢記》

《蜀本記》

《異物志》

《益州志》（以上七種見侯康《補三國藝文志》）❼

《禮祭集志》（亦作《祭志》，姚振宗曰：「疑在《五經然否論》中」）

《讖記》（以上二種見姚振宗《三國藝文志》）

譙周之著述凡有以上十五種，然多散佚。今由清人輯佚所得僅下列五種。

---

❹ 見陳壽《三國志·蜀書·譙周傳贊》。

❺ 《華陽國志》卷十二，〈益梁寧二州先漢以來士女目錄〉。

❻ 見《兩漢三國學案》卷十一，〈明經文學家列傳〉。

❼ 已見於《隋志》者不復列出，下引姚振宗《三國藝文志》同。

《論語注》一卷（見馬國翰《玉函山房輯佚書》）

《五經然否論》一卷（有王謨《漢魏遺書鈔》、馬國翰《玉函山房輯佚書》、黃奭《黃氏逸書考》三種輯本））

《古史考》一卷（有章宗源《平津館叢書》、《黃氏逸書考》二種輯本）

《法訓》一卷（有陶宗儀《說郛》、馬國翰、黃奭、王仁俊《玉函山房輯佚書續編》四種輯本）

以上五種，總計凡六十餘條。其中以論「禮」之文爲多（凡二十七條），本文即據此以探討譙氏說《禮》，並徵引鄭玄、王肅等諸家之說以相較之。蓋譙周經說本長於禮服❽，且其論述多不同於當時，故頗爲史家所采而見流傳。程元敏先生稱「周治五經，而長於《禮》，其說多爲後世議禮家所采。」❾蓋亦因此而謂之也。

二、譙周之禮學

諸家所緝譙周之禮學，略可分爲四類；㈠論昏冠；㈡論答拜；㈢論祭；㈣論喪服。茲列其說並采許愼、鄭玄、王肅等說與之相較。

㈠論昏冠

1. 論成王冠

譙周《五經然否論》曰：

> 《古文尚書》說武王崩，成王年十三，推武王以庚辰歲崩，周公以壬午歲出居東，癸未歲反。《禮・公冠》記周公冠成王，命史作祝辭告，是除喪冠。周公未反，成王冠弁，開金縢之書，時十六矣。是成王十

❽ 馬國翰語，見《玉函山房輯佚書・五經然否論》。

❾ 見程元敏《三國蜀經學》，以下引用程氏之語均同，國科會76年獎助論文。

五，周公冠之而後出也。⑩

《通典》引許愼之說曰：

《春秋左氏傳》曰：「歲星年紀十二而一周於天，天道備。故人君子十二歲可以爲冠，自夏、殷天子皆十二而冠。」

又引《五經異義》曰：

武王崩後，管、蔡作亂，周公出居東。是歲大風，王與大夫冠弁，開金滕之書，成王年十四，是喪冠也者，恐失矣。按《禮傳》，天子之年，近則十二，遠則十五，必冠矣。

鄭玄於此亦有論說。《尚書・金縢注》：

天子諸侯十二而冠佩，爲成人，成王此年十五，於禮已冠。⑪

又《儀禮・士冠禮正義》引鄭注曰：

國君十五而生子。冠而生子，禮也，君可以冠矣。故《尚書・金縢》云：「王與大夫盡弁，時成王年十五。云王與大夫盡弁，則知天子亦十二而冠矣。」

又《禮記・明堂位正義》引鄭注：

---

⑩ 以下引譙周之說，皆見王謨、馬國翰、黃奭等諸家輯本，除文字不同者外，不復注明。

⑪ 《春秋公羊疏・隱公元年》引許愼之說曰：「古《尚書》說云：武王崩時，成王年十三。後一年，管、蔡作亂，周公東辟之。王與大夫盡弁以開金縢之書。時成王年十四，言弁則已冠矣。」

武王崩，成王十歲。⓬

又曰：

《周書》以武王十二月崩，至成王年十二，十二月喪畢。

《正義・明堂位》亦引王肅之說曰：

武王崩，成王年十三。

以上四家之說異者有二：

⑴武王崩，成王之年

許慎、譙周、王肅皆主成王年十三。

鄭玄則主成王年方十歲，故稱其「幼弱」⓭。

⑵成王行冠之年

許慎之意當爲十二，且在武王歿之前。

鄭玄亦主成王年十二而冠，然是在服喪畢（成王年十二之十二月）之後。

譙周以成王年十五行冠。蓋喪畢，周公出居東方之前加冠之也。

可知譙周論成王繼位之年同於許慎、王肅，異於鄭玄；論加冠則與諸家皆異。

2.論婚

譙周曰：

國不可久無儲貳，故天子諸侯十五而冠，十五而娶。娶必先冠，以夫

⓬ 王聘珍《大戴禮記解詁》云此用衛宏之說。

⓭ 見《禮記正義・明堂位注》。

婦之道，王教之本，不可以童子之道治之。禮十五爲成童，以次成人，欲人君之早有繼體，故因以爲節。《書》稱成王十五而冠，著在〈金縢〉；《周禮・媒氏》曰「令男三十而娶，女二十而嫁。」〈內則〉云：「女子十五而笄。」說曰：「許嫁也，故男自二十以及三十，女自十五以及二十，皆得以嫁娶。先是則速，後是則晚。」凡人嫁娶，或以賢淑，或以方類，豈但年數而已。若必差十年，乃爲夫婦，是廢賢淑方類，苟比年數而已，禮何爲然哉。則三十而娶、二十而嫁，說嫁娶之限，蓋不得復過此爾。故舜年三十無室，《書》稱曰「鰥」。《周禮》云：「女子年二十未有嫁者，仲春之月，奔者不禁。」奔者，不待禮聘、因媒請嫁而已矣。

其說要之有二：

(1)男二十至三十，女十五至二十適嫁娶，先是則速，後是則遲。

(2)凡人嫁娶，以方類或賢淑爲要，不以年數爲主。

男女婚嫁之年，亦見諸許愼、鄭玄、王肅之說。

《詩正義》引許愼《五經異義》曰：

人君年幾而娶，今《大戴禮》說男子三十而娶，女子二十而嫁，天子已下及庶人同禮。又《左傳》說人君十五生子，禮三十而娶，庶人禮也。⑭

《詩正義》引《鄭箋》曰：

女年二十，則依《周禮》、《書》、《穀梁》、《禮記》，皆言男三

⑭ 王謨輯本許愼《五經異義》：「《大戴禮》說男三十，女二十有昏娶，合爲五十，應大衍之數。自天子達於庶人同一也。古《春秋左氏》說國君十五而生子，禮也。二十而嫁，三十而娶，庶人禮也。」

十而娶，女二十而嫁。故不從《毛傳》，且女子十五正言許嫁，不言即嫁也。

《正義》按曰：

鄭意依正禮，士及大夫皆三十而後娶。《禮》云：「夫爲婦長殤者，關異代也。」或有早娶者，非正法矣。天子、諸侯昏禮則早矣。

王肅《聖證論》曰：

《周官》云「令男三十而娶，女二十而嫁。」爲男女之限，嫁娶不得過此也。三十之男、二十之女，不待禮而行之，所奔者不禁娶何？三十之限，前賢有言，丈夫二十不敢不有室，女子十五不敢不有其家。《家語》魯哀公問於孔子，男子十六精通，女子十四而化，是則可以生民矣。聞禮男三十而有室，女二十有夫，豈不晚哉。孔子曰：夫禮言其極，亦不是過。男子二十而有冠，有爲人父之端，女子十五許嫁，有適人之道，於此以往，則自昏矣。然則三十之男，二十之女，中春之月者，所謂言其極矣。⓯

王肅意以男年二十，女年十五當有室家。「三十而娶，二十而嫁」乃嫁娶之限，故過此不待禮而奔亦不禁之。

綜觀四家，可分爲兩說：

⑴許愼、鄭玄皆主男三十而適娶，女二十而適嫁，二十、十五則許嫁娶之年而已。天子、諸侯則早昏，非適用於三十、二十之制也。

⑵譙周、王肅二者主男二十、女十五適嫁娶，先是爲早，三十、二十則爲嫁娶之限，過此則不待禮而奔可也。孔穎達《詩正義》言此「皆取

⓯ 此王謨《漢魏遺書鈔》輯文，輯自《周官．媒氏疏》。

說於毛氏矣」。

譙周說此異於許慎、鄭玄可不辯而明。其雖同於王肅，然亦有過於王肅之處，即在於以「方類」、「賢淑」爲嫁娶之主要依據，而非全取決於「年數」矣。

㈡論三老答拜

譙周曰：

漢初，或云三老答天子拜，遭王莽之亂，法度殘缺。漢中興，定禮儀，群臣欲令三老答拜⑯，城門校尉董鈞駁曰：「養三老所以事父之道也，若答拜是使天下答子拜也。」詔從鈞議。譙周論之曰：「禮，尸服上服，猶以非親之故答子拜，士見異國君亦答拜，是皆不得視猶子也。」

按：「三老」之制，見於《禮記・文王世子》：

適東序，釋奠於先老，遂設三老五更、群老之席位焉。

又〈樂記〉：

食三老、五更於太學，天子袒而割牲，執醬而饋，執爵而酳，冕而總干，所以教諸侯弟子也。

又〈祭義〉：

食三老、五更於太學，天子袒而割牲，執醬而饋，執爵而酳，冕而總

⑯ 《續漢書・禮儀志上》：「明帝永平二年三月，上始帥群臣躬養三老、五更於辟雍…先吉日，司徒上太傅若講師故三公人名，用其德行年耆高者一人爲老，次一人爲更也…其日，乘輿先到辟雍禮殿，御坐東廂，遣使者安車迎三老、五更。天子迎於門几，交禮，道自阼階，三老升自賓階。至階，天子揖如禮。三老升，東面，三公設几，九卿正履，天子親袒割牲，執醬而饋，祝鯁在前，祝饐在後。五更南面，公進供禮，亦如之。明日皆詣闕謝恩，以禮遇大尊顯故也。」

> 干，所以教諸侯弟子也。是故鄉里有齒，而老窮不遺，強不犯弱，眾不辱寡，此由太學來者也。

觀譙周之意，三老當答天子之拜。其舉「尸服」以明之，則天子聽講於辟雍，即以師禮事三老，三老答拜則以臣禮，二者分別觀之。故答拜不亂君臣長幼之序也。

論三老答拜之制者未見於鄭玄、王肅等人之注疏中。但鄭玄注《禮記・文王世子》曰：

> 養老東序，則是視學於上庠。三老、五更各一人也。皆年老更事致仕者也。天子以父兄養之，示天下孝悌也。

又曰：

> 三老、五更入而即位於西階下，天子乃退而酌禮獻之，以脩孝養之道也。

鄭玄之意似同於董鈞，即天子事三老以事父兄之節，如此，三老不必答天子拜也。譙周之異議於董鈞者，實即異議於鄭玄者也。

㈢論祭

譙周論祭之文，今可考者有二：

1. 論四時祭之神位：

譙周曰：

> 四時祭，各於其廟室中，神位奧西牆下，東嚮諸侯廟，木主在尸之南，爲在尸上也，東牆以南爲上。

此當是論宗廟四時祭祀，木主及尸之方位。《春秋繁露・四祭篇》云：「古者歲四祭。四祭者，因四時之所生熟，而祭其先祖父母也。」下論「月祭」、「薦新之祭」等亦與此意同也。《通典》引之於《吉禮·諸藏神主及題板制》，蓋是。鄭玄等人但言祭物之不同，未見言主、尸之方位。故無以比較諸說之不同。

2.論月祭、時祭、薦新之祀

譙周曰：

> 天子之廟，始祖及高曾祖考皆月朔加薦，以象平生朔食也，謂之月祭、二祧之廟時祭，無月祭也。凡五穀新熟，珍物天成，天子以薦宗廟，禮未薦，不敢食新，孝敬之道也。其月薦及臘薦，薦新皆奠，無尸。故群廟皆一朝之間盡畢。

《禮記·祭法》記「月祭」及「二祧時祭」之制曰：

> 王立七廟，一壇一墠。曰考廟、曰王考廟、曰皇考廟、曰顯考廟、曰祖考廟，皆月祭之。遠廟爲祧有二，祧享嘗乃止，去祧爲壇，去壇爲墠，壇墠有禱焉，祭之無禱乃止，去墠爲鬼。

《禮書綱目》綜引《三禮》記「薦新」之禮曰：

> 㲋人春獻王鮪；仲春，天子乃先羔開冰，先薦寢廟；季春，天子始乘舟，薦鮪于寢廟；孟夏，農乃登麥，天子乃以彘嘗麥，先薦寢廟；仲夏，農乃登黍，天子乃以雛嘗黍，羞以含桃，先薦寢廟；孟秋，農乃登穀，天子嘗新，先薦寢廟；仲秋，以犬嘗麻，先薦寢廟；季秋，天子乃以犬嘗稻，先薦寢廟；季冬，命漁師始漁，天子乃嘗魚，先薦寢廟。未嘗不食新。

「月祭」、「二祧」之制及四時「薦新」之物，如《三禮》所記，而其義及禮則譙周說之矣。以上諸禮之義，均未見鄭玄等諸家之說，無從考較其異同。然因未獲諸家之說解，更可見譙周之論之不容見棄。今考「四時祭」之木主方位及「月祭」、「薦新」之祭義，已不見魏晉以前論之者也⑰。

㈣論喪服

譙周之經說，今存者以禮爲多，其中又以論喪服者爲多。茲歸納其說之要點爲下數項：

1. 出母、嫁母、繼母之喪服

譙周曰：

> 父卒母嫁，非父所絕，爲之服周可也。

又曰：

> 父卒母嫁，非父所絕，嫡子雖主祭，猶宜服期，而喪服爲之出服期，嫁母與出母俱是絕族，故知與出母同也。

又曰：

> 繼母嫁，猶服周，以親母可知，故無經也。

又曰：

> 凡外親正服皆緦加者，不過小功，今異父兄弟，父沒母嫁，所生者皆相報服。

又曰：

---

⑰ 《通典·吉禮》僅記魏代高隆堂論木主之位，未見漢代之論也。

其母歿，白服其母之黨，則繼母之黨無服，出母之子爲繼母之黨服，則爲其母之黨無服也。⑱

又曰：

妾不得有繼母之名，慈母也。但慈以無父命者，不過小功。

又曰：

慈母如母，父在爲慈母，則條不見。今文載所說慈於貴妾，父在，齋縗周；慈於賤妾，父在大功九月。古文鄭氏說此，主大夫之妾子，父命爲母子者也，大夫之妾子，以父在爲母大功。士之妾子，爲母周矣。其大夫降爵一等，士無爵降例也，父卒皆伸。按經：大夫之妾子，父在爲其母大功，不別貴賤。自非祖嫡，大夫以降爵一等，故妾之子從母例，母一等爲大夫。妾雖有貴者，不得體君何？得不爲爵序。凡此之類，今文說不如古文也。

以上七條，約之可爲數項：

(1)出母之喪服，不論親母、繼母，其服同，皆爲周。
(2)繼母、出母之黨喪，子服一而已，不皆服也。
(3)妾爲繼母之喪，雖慈而不得服以同母，不分其爲大夫、士，皆不過小功也。

鄭玄注「出母無服」曰：

「不敢以己私廢父所傳，重之祭祀。」《疏》曰：「母子至親，義不

---

⑱ 此說見於《禮記·服問》：「傳曰：『母出，則爲繼母之黨服，母死，則爲其母之黨服，爲其母之黨服，則不爲繼母之黨服。』」

可絕。父若在，子皆爲出母期。若父沒後，則適子一人不復母服。所以然者，己系嗣蒸，嘗不敢以私親廢先祖之祀，故無服。」

故知鄭、譙論「出母之喪服」一者主不服，一則服，頗有不同。又「父卒繼母嫁」之服，馬融、鄭玄、王肅皆有論述。

馬融《喪服經傳注》⓳曰：

繼母爲己父三年喪畢嫁，後夫重成母道，故隨爲之服。繼母不終己父三年喪，則不服也。

《鄭注》曰：

嘗爲母子，貴終共恩。

王肅《喪服經傳注》曰：

從乎繼而寄育，則爲服。不從，則不服也。服則報，不服則不報⓴。

觀馬、鄭、王三家之論，馬融重在繼母成母之道否，而定子之喪服。鄭玄則貴終爲母子名分，故不別服與不服，主皆服也。王肅則由「從」字立說，謂從母撫養，則服；不從，則不服也。三家之論，皆有所異。譙周之說則暗同於鄭玄，皆主當爲嫁之繼母服喪也。然於繼母之黨喪，有服與否，則視母（當指生母）之黨而定，未必皆服之也。此因未見馬、鄭、王諸家之論，無得論其異同。

妾爲慈母之服者，鄭玄曰：

⓳ 馬國翰《玉函山房輯佚書》輯文；《通典》卷八十九。

⓴ 同注⓱。

妾子之無母，父命爲母子者，其使養之，不命爲母子，則亦服庶母慈之服可也。大夫之妾，父在爲母大功，則士之妾，子爲母期矣。

王肅曰：

大夫之妾爲庶子適人者，庶婦君母之父母，從母適士，降一等在小功。

譙周於此說雖言今文不如古文，然其論述卻異於鄭玄之以大夫、士而別喪服。而同於王肅，主大夫、士皆服小功可也。

綜觀譙周論母之喪服與馬融、鄭玄、王肅等相較，雖有所合，但有所異者則亦多矣。於此可知譙周非專主一家之學者。

2.庶子之喪服

譙周《五經然否論》曰：

〈喪服小記〉：「庶子不爲長子斬，不繼祖與禰故也。」此但別庶子，而下言不繼祖者，爲庶子身不繼禰，故其長子爲不繼祖，合而言之也。

又《集圖》曰：

庶子之爲殤者，祔祠於祖廟，庶子共其牲物，而宗子主其禮。士、庶人之庶子，雖成子而無後，亦祔祠於祖，其主之如祭殤。殤及無後者，祔祠於祖廟，皆異日祭於其處耳。天子、諸侯之庶子，無子不得祔祠於其廟，當從其庶祖昭穆也。

又曰：

大夫之子，父在，降旁親亦如大夫，旁親無服，從父厭也。大夫庶子爲妻父母無服，爲其妻大功，父沒，皆如國人。[21]

前二者，均是譙周釋〈喪服小記〉之語。〈喪服小記〉曰：

庶子不祭祖者，明其宗也。庶子不爲長子斬，不繼祖與禰故也。庶子不祭殤與無後者，殤與無後者，從祖祔食。庶子不祭禰者，明其宗也。

馬融《喪服經傳》釋「庶子不爲長子斬」曰：

庶子賤，爲長子服，其服不得隨父服三年，故言不繼祖也。

鄭玄於「庶子不爲長子斬」及「庶子之殤者」皆有所論。《禮記・喪服小記注》論前者曰：

明其尊宗以爲本也，禰則不祭矣。言不祭祖者，主謂宗子，庶子具爲適士，得立祖禰廟者也。凡正體在乎上者，謂下猶爲庶也……尊先祖之正體，不二其統也。

又注「庶子不祭殤與無後者」曰：

不祭殤者，父之庶也；不祭無後者，祖之庶也。此二者，當從祖祔食而已。不祭祖無所食之也。共其牲物而宗子主其禮焉。祖庶之喪，則自祭之。凡所祭殤者，爲適子耳。無後者，謂昆弟諸父也。宗子之諸父無後者，爲墠祭之。

觀鄭、譙二者之論，大體相同。「庶子不爲長子斬」皆因嫡傳而立論。「庶

[21] 〈通典〉卷九十三引之，未著書名。

子之殤及成子而無後」一條，則譙周言及「天子、諸侯之庶子」與士、庶人之不同。而鄭玄未細辨之，餘皆未見其異者也。

於「庶子之殤」，可見譙周之解經，亦頗有取法鄭玄之說者。

3.童子之喪服

譙周論「童子之喪服」曰：

> 童子不釋成人小功親以上，皆服本親之縗。童子不杖、不絻、不麻，當室者絻麻，十四以下，不堪麻則不。

「童子之喪服」，《禮記・雜記下》載曰：

> 童子哭，不懷、不踊、不杖、不菲、不廬。

又〈問喪〉曰：

> 或問曰：免者以何爲也？曰：「不冠者之所服也 J。《禮》曰：「童子不緦，唯當室緦，緦者其免也，當室則免而杖矣。」

《禮記正義》引戴德釋「童子」曰：

> 童子當室謂年十五以上，若世子生則杖，故〈曾子問〉云：「衰杖」成子禮是也。

《通典》引《喪服變除》曰：

> 童子當室，謂年十五至十九，爲父後，持宗廟之重者。其服深衣、不裳，其餘與成人同禮。不爲未成人制服者，爲用心不能一也。其能服者，亦不禁縗絰，不以制度，唯其所能勝。

鄭玄注〈雜記〉曰：

> 未成人者，不能備禮也，當室則杖。

又注〈問喪〉曰：

> 不冠者，猶未冠也，當室謂無父兄而主家者也。童子不杖，不杖者不免，當室則杖而免。免，冠之細，別以次成人也，緦者其免也。言免乃有緦服矣。

譙周之意，童子之喪服，分十五歲以上（當室）及以下二者分別言之。當室則絻麻，十四歲以下則視其情況而有所簡易。故其所言，與戴德當是一致，皆以「爲其所能勝」爲考量之依據。實得「喪禮唯哀爲主」之精義。

鄭玄則以不冠（十五歲以前）而當室者，其服杖而免，則其所主重於戴德、譙周多矣。於此，可見譙周之因戴立說，而不取鄭說也。

於「庶子」及「童子」之喪服，可見譙周之說經義，或采鄭玄之說，或否，視其見解立論，而有所揀擇，固非全取或全然否定者也。

4.論絳服

譙周說此，凡三見：

> 大夫之子，父在，降旁親亦如大夫，從父厭也。大夫庶子，爲妻父母無服，爲其母妻大功。父沒皆如國人。

又曰：

> 諸侯夫人，亦隨其君降旁親無服，爲其族亦降。旁親非諸侯，自周以下無服，爲其父母及祖如國人。又大夫命婦爲旁親，以大夫爵降，又降一等，其爲父後者，不以降嫁，但以尊降一等。

又曰：

諸侯降旁親，旁親若爲諸侯，若女子嫁於諸侯者，服如國人。諸侯嗣子爲母、妻及外祖父母、妻父母皆如國人。嗣子雖無正爵，與君爲體，其誓於天子，則下其成人一等。未誓，次小國君，其妻君爲之主，故嗣子之所爲服，服如國人。舊說外祖父母，母族正統也，妻之父母，妻族正統也，母妻與己尊同，其所不降，亦不降也。故嗣子亦不降。妻之父母、諸侯夫人，爲其父母、祖，如國人，大夫命父爲其昆弟，爲父後者大宗，則服如國人也。

「大夫之子服」見《禮記‧雜記上》：

大夫之適子，服大夫之服；大夫之庶子爲大夫，則爲其父母服大夫服，其位未與未爲大夫者齒。

「大夫之庶子之服」見《儀禮‧適婦》：

大夫之庶子，則從乎大夫而降也，父之所不降，子亦不敢降。

鄭注曰：

言從乎大夫而降，則於父卒如國人也……父之所不降者，謂適也。

譙周說「大夫之降服」頗同於《禮》及鄭玄之說，甚明矣。

諸侯旁親之降服，茲未見諸家之說，無以論其得失，然譙周不取「舊說」則甚明矣。

譙周論喪禮者，略盡於此。今存其說中，尚見論國君致祭之喪儀及哭哀之道數條。此可見其精於《禮》，非僅止於禮義之說，亦兼通於禮之形式儀文也。

三、結　語

皮錫瑞《經學歷史・經學中衰時代》論蜀漢之經學曰：「蜀漢君臣亦鄭學支裔」。然細觀譙周之說《禮》，卻非盡合於此言。由以上細論，知譙周之學實非專主一家之說者，其說固有合於鄭玄者，卻非以伸鄭氏之學爲要。亦有同於王肅者，亦不以反鄭氏之言爲旨。故知其乃博采諸家而成己說者也。

譙周之學，以《禮》爲長，然非以《禮》爲限。程元敏先生論曰：

> 譙之經學，徧及《易》、《書》、《詩》、《儀禮》、《禮記》、《春秋》（《左傳》）、《論語》，力主古文，尤長於禮服；通讖緯五行災易，兼亦闚覽諸子，而歸本於六藝。《三國志》一以通儒許之，再以碩儒稱之，畏懼有董、揚規橅，非阿唯之詞也。

譙博通諸經且能兼採眾說，而不泥於一家之言，是其可採之處。然今僅存殘篇碎簡，不能通觀其學，實爲可惜。若能盡輯其說，於了解三國分立之際，其經學之流傳與互動，必有相當之助益。

茲從清人輯佚書中得見譙周說禮如此。以其經說當有可觀者，亦當有助三國經學之了解，故爲此文，然其餘諸經之說，不見流傳，殊爲可歎者也。

參考書目

1.尚書（阮元校勘、十三經注疏本） 藝文印書館 民國74年出版。
2.詩經（阮元校勘、十三經注疏本） 藝文印書館 民國74年。
3.周禮（阮元校勘、十三經注疏本） 藝文印書館 民國74年。
4.儀禮（阮元校勘、十三經注疏本） 藝文印書館 民國74年。
5.禮記（阮元校勘、十三經注疏本） 藝文印書館 民國74年。
6.春秋穀梁傳（阮元校勘、十三經注疏本） 藝文印書館 民國74年。
7.孝經（阮元校勘、十三經注疏本） 藝文印書館 民國74年。
8.五經然否論《漢魏遺書鈔》本 蜀漢・瞧周 中文出版社 民國72年。
《玉函山房輯佚書》本 蜀漢・瞧周 中文出版社 民國72年。
《黃氏逸書考》 蜀漢・瞧周 中文出版社 民國72年。
9.大戴禮記解詁 清・王聘珍 北京中華書局 1992年。
10.通典 唐・杜佑 新興書局 民國51年。
11.五禮通考（影印光緒六年刊本） 清・秦蕙田 正光書局 民國69年。
12.禮書綱目（影印嘉慶十五年刊本） 清・江永撰 中文出版社 民國63年。
13.經義考 清・朱彝尊編撰 台灣中華書局 民國68年。
14.兩漢三國學案 清・唐晏撰 北京中華書局 1985年。
15.經學歷史 皮錫瑞著、周予同注 藝文印書館 民國74年。
16.中國經學史 馬宗霍著 商務印書館 民國81年。
17.經學源流考 甘雲鵬 廣文書局 民國66年。
18.三國時代之經學研究 汪惠敏 漢京文化事業 民國70年。
19.今存兩漢三國遺籍考 簡博賢 三民書局 民國75年。
20.漢晉學術編年 劉汝霖 長安出版社 民國68年。
21.春秋三傳傳禮異同考要 李崇遠著 嘉新文化基金會 民國58年。
22.春秋吉禮考辨 周何著 嘉新文化基金會 民國59年。
23.後漢書 范曄撰 鼎文書局 民國82年。
24.三國志 陳壽著 裴松之注 鼎文書局 民國82年

25.隋書經籍志　長孫無忌　世界書局　民國74年。
26.三國新志　劉公任著　世界書局　民國76年。
27.華陽國志校注　晉・常璩著　劉琳校注　新文豐出版社　民國77年。
28.三國藝文志（《二十五史補編》本）　清・姚振宗撰　開明書局　民國20年。
29.補三國藝文志（《二十五史補編》本）　清・侯康撰　開明書局　民國20年。
30.隋書經籍志考證（《二十五史補編》本）　清・姚振宗撰　開明書局　民國20年。
31.三國史　馬植杰著　人民出版社　1994年。
32.玉函山房輯佚書　清・馬國翰輯　中文出版社　民國72年。
33.黃氏逸書考　清・黃奭輯　中文出版社　民國72年。
34.漢魏遺書鈔　清・王謨輯　中文出版社　民國72年。
35.全晉文　清・嚴可均輯　世界書局　民國82年。
36.三國蜀經學　程元敏　國科會獎助論文　民國76年。

經　學　研　究　論　叢
第　五　輯　　頁135～154
臺灣學生書局　1998年8月

姚際恆之《儀禮》學

奚敏芳*

一、前　言

姚際恆（1647－約1715）生當清初，重要之學術著作有《九經通論》、《古今僞書考》等。其中《九經通論》，係針對《易》、《書》、《詩》、《周禮》、《儀禮》、《禮記》、《春秋》、《論語》、《孟子》各經所做詳細通盤之考辨，旨在明察眞僞，探求經書本義，是書爲姚氏最主要之經學著作，惜多未刻印流傳，卷帙亡佚泰半，各經今可見者，《春秋通論》爲殘鈔本，《古文尚書通論》、《禮記通論》爲輯佚本❶，嚮所見之全本唯《詩經通論》，其餘諸經皆未見傳本。《儀禮通論》亦一直未見流傳，自清以迄民初，沈寂二百餘年，至一九三二年，始由顧頡剛於杭州藏書家崔永安先生處發現鈔本，時嘗借出抄寫一部，旋以抗戰遷徙諸因，原鈔本、重鈔本俱又下落不明。就此倏忽一甲子，近年（1995年）中國社會科學院歷史研究所陳祖武先生，復於該所發現此書鈔本，上並有顧氏校語❷，今已由陳祖武先

* 奚敏芳，國立僑生大學先修班講師。

❶ 《春秋通論》十五卷，今缺十一、十二、十三卷，另〈序〉亦缺首頁。《古文尚書通論》則從閻若璩所撰之《尚書古文疏證》中輯錄出若干條文。《禮記通論》則自清杭世駿《續禮記集說》一書中輯出三十餘萬言。此三書可參考中研院文哲所林慶彰主編之《姚際恆著作集》。

❷ 《儀禮通論》轉徙流傳之經過，可參考中研院文哲所林慶彰、蔣秋華編之《姚際恆研究論集》頁8及頁774。

生重新點校，交中國社會科學院出版社出版。另外，一九九五年上海古籍出版社出版之《續修四庫全書》，其中第八十六、八十七冊經部《禮》類，亦收錄姚氏之《儀禮通論》，是書於封面註明所據底本及版框原有規格爲「據北京圖書館分館藏抄本影印，原書字芯高二七六毫米，寬二〇二毫米」，而鈔本末頁署有「民國二十二年八月國立北平圖書館重鈔顧氏藏鈔本」字句，據此，則今北京圖書館分館亦有一部藏抄本，此抄本係民國二十二年（1933）八月重鈔顧氏抄本而來。今《儀禮通論》公諸於世刊印流傳，則《九經通論》於《詩經通論》外又可見一完整之全本，除可藉資瞭解姚際恆之《儀禮》學，對於姚氏經學全面之研究當亦有所裨益。

二、全書體例與著作旨趣

《儀禮通論》成書於清康熙三十八年（1699），時姚氏五十三歲❸。全書十七卷，前另有〈序〉與〈儀禮論旨〉。此書按《儀禮》十七篇次第，篇各一卷爲之分章斷句，逐篇考論其訓詁、禮制、修辭等要義，各卷卷首皆撮論該篇要旨與佳勝處，鉤玄提要，並有評論前人經說之議論。《儀禮通論》著作之旨趣在力矯世俗以爲《儀禮》多「奇辭奧旨」、「無所用於世」之誤解，姚氏〈儀禮論旨〉曰：

> 古人登降揖讓，飲食動作，無不各有儀，所謂動容周旋中禮，可以徵盛德之至，學者不可以不務乎此也。後世行禮，一往草草，反目此書爲繁苛瑣僻，不適於用，豈非馬、腫背之見乎！不獨古禮亡，併古儀亦亡矣。宜乎此書之在今日若餼羊耳。（頁16－17）

他認爲禮儀可以徵盛德，時代雖有古今，而禮則無古今，若古禮是而今非，則是今世失於不用，絕非古禮眞無用也。因此姚氏著作此書之目的，乃在「爲

❸ 據《儀禮通論・序》所署明之時間爲「康熙三十八年（西元1699）乙卯夏四月」。

之推詳其旨，闡明其義，使後之人曉然知先型之本善」❹。至於撰述之綱領，大凡有四：（一）註疏之紕謬者，必加是正；（二）十七篇之制度節目必研精覃思，考其是非同異；（三）集前人之善詁，載之以明其義；（四）標識辭旨新異美善處，不徒為墨守訓詁之俗儒。❺然欲明經義，先須通曉文義，因《儀禮》文辭「句字艱險，音節促刺，而事義稠疊，卒難通曉」，姚氏特將全書分節、標題、句讀、鉤畫、圈點、評語，各節之訓詁，除以己意發明外，亦兼取元敖繼公《儀禮集說》、明郝仲輿《九經解》之善者以細字書于後，冀使讀者開卷瞭然，全無難通難讀之患。尤其於辭句佳處皆圈點評出之，且重章法變化之分析，務期使人讀之「犁然有當于心，得以深味其妙意」，此為姚氏《儀禮》學於經說外異於諸家之一大特色也。

三、對前人經解之看法

《儀禮》一書之經解，向來較其他諸經為少，《四庫全書總目》謂：「《儀禮》文古義奧，傳習者少，注釋者亦代不數人。」❻自漢代鄭玄始為之作注，唐賈公彥承鄭注而作疏，歷代治《儀禮》之學者或分章句讀，或著釋例，或繪禮圖，大抵皆以鄭玄注為宗。姚際恆治經勇於疑古，不受漢、宋拘囿，對於鄭《注》、賈《疏》、朱子《通解》、以及元明清各家，均多所批駁。其《儀禮通論》批駁最厲者為鄭注，蓋鄭玄最早為《儀禮》作注，漢代以降，《儀禮》以鄭氏為絕學，後儒著述莫不尊奉鄭注。姚際恆認為欲得經書本旨，須自經書本文去探求，而不應受限晚於經書之傳注或經解，故於《儀禮通論》中攻鄭最多最烈，目的即在破除世俗迷信權威之障礙，進而從經書直探聖人本旨。其〈儀禮論旨〉亦明言「駁鄭」，云：「註疏有非處，多與辨正，若《周禮》襲此，而鄭氏反據《周禮》為解者，尤必詳辨焉。故論法與《禮記》

❹ 《儀禮通論・論旨》，頁 24。《儀禮通論》收入《續修四庫全書》（上海：上海古籍出版社，1995 年）。

❺ 《儀禮通論・序》，頁 8。

❻ 引見《四庫全書總目》（臺北：漢京文化事業公司）卷二十・經部二十・禮類二，頁 114，《儀禮注疏》提要。

同。」❼由於鄭注影響最為深遠，故姚氏辨駁糾正不遺餘力。

《儀禮通論》中攻鄭處極多，例如抨鄭注不喻《儀禮》文義，錯解甚多，〈儀禮論旨〉曰：「孟子之學，首在知言，未有不能知言，而可以解經者，雖解聖經，亦用此法，況為周末儒賢之書乎！鄭康成錯解甚多，正以其不喻文義耳！」❽又凡鄭注援引《周禮》之說以解《儀禮》處，尤屢強烈駁斥，如卷十〈覲禮〉辨「朝、覲二字本為一事」曰：「自〈大宗伯〉春曰朝、夏曰宗、秋曰覲、冬曰遇，不獨昧覲即為朝之義，而且增宗、遇為四名，以分屬四時，益謬而無稽矣！鄭氏誤信之，乃謂三時禮亡，張《周禮》之幟而訛亂古禮，更足恨矣！篇中凡據《周禮》以註〈覲禮〉者，無有一是。」❾姚際恆認為《周禮》係西漢末劉歆偽造之書，本非禮書，不足取以證《儀禮》，曰：「《周禮》原名《周官》，則官也，非禮也，況又偽書，是《三禮》者實為妄說，乃流傳至今，相沿而不察，豈不可怪與！」❿此外，姚氏認為聖人經書之理必合於人情，易於循行，絕不致繁冗沈重，難於析理，故對鄭注說禮細密龐博處，輒大力辨駁，如卷十一下〈喪服〉駁鄭注「五服盡分降、正、義三者」，於詳舉證據論辨之後，批駁曰：「于每服皆為之分降、正、義，升數屑屑配合，是五服而為十四服矣（斬衰無降）！比量錙銖，拘攣牽掣，使遭喪之羊如牛毛繭絲，豈能析理，將日事此且不暇，而尙暇哀戚乎？亦大失其旨矣！此鄭氏之禮必不可行，所以後來晉人一掃而空之，秉老、莊之教，務為曠誕簡略，并其所當行者，而亦惡而逃焉，勢自然也！」⓫此將晉代風尚之曠誕虛無，歸咎於鄭玄說禮細密繁冗，使人厭棄，實未免批判過當，然亦可明見其治經尊尚平易近乎人情之態度。

其他如謂賈《疏》「茫昧」、「附會」、「曲說不通」等⓬，又譏朱熹

---

❼ 《儀禮通論・論旨》，頁30。

❽ 《儀禮通論・論旨》，頁28。

❾ 《儀禮通論》卷十〈覲禮〉，頁464。

❿ 《儀禮通論・序》，頁6。

⓫ 《儀禮通論》卷十一下〈喪服〉，頁601、602。

⓬ 見《儀禮通論》卷二、卷七、卷十五，頁83、305、309。

《儀禮經傳通解》爲「經傳顚倒」、「使經義破碎支離」⓭，評楊復《儀禮圖》「于義理鮮所發明」、「全遵註疏，多有沿誤，流爲圖畫，更益鑿鑿」⓮，乃至於敖繼公《儀禮集說》與郝仲輿《九經解》，姚氏雖於〈論旨〉明言多取二書之訓解，然仍屢有批駁。大抵秉持不泥前說，獨立思辨，議論說經之一貫態度與立場。

四、辨《儀禮》全書之眞僞

胡培翬《儀禮正義》云：「三禮，惟《儀禮》最古，亦惟《儀禮》最醇矣。《儀禮》有經、有記、有傳；記、傳乃孔門七十子之徒之所爲，而經非周公莫能作。其閒器物陳設之多，行禮節次之密，升降揖讓裼襲之繁，讀之無不條理秩然，每篇自首至尾，一氣貫注，有欲增減而不能者。」⓯關於《儀禮》之作者，因文獻史料闕如，難以確實考定，陸德明、孔穎達、賈公彥、胡培翬等謂周公所作，皆係推測之詞。姚際恆治經，首重辨別眞僞，其所著《古今僞書考》中，將《儀禮》視爲「眞僞相雜」之經書⓰，而且推翻傳統「《儀禮》爲經，《禮記》爲傳」之說，認爲《儀禮》「作於衰周」，謂「《儀禮》則儀也，非禮也」，其書內容「單著其儀，而未可爲禮者也」。立論見解往往異於前人，茲述其要點於下：

㈠《儀禮》不得為經，僅為輔禮之傳

姚際恆謂昔元聖制作古禮，後世古禮不傳，因而有《儀禮》一書焉。「儀禮」二字之意，禮爲總名，合言之即是「禮之儀也」。姚氏謂《儀禮》一書

⓭ 《儀禮通論・論旨》，頁 30、31。

⓮ 《儀禮通論・論旨》，頁 31。

⓯ 引見胡培翬《儀禮正義》卷一〈士冠禮第一〉，《皇清經解續編》（臺北：漢京文化事業公司），第 10 冊，頁 7219。

⓰ 《古今僞書考》中之「有眞書雜以僞者」類下云：「經則《禮記》、《儀禮》有之。」引見黃雲眉撰：《古今僞書考補證》（濟南：齊魯書社，1982 年），頁 226。

之名稱，初但稱《禮》、《士禮》[17]，至東漢儒者始因其內容專錄儀節，而加以《儀禮》之名[18]。從姚氏解釋《儀禮》之名義，即可看出其對《儀禮》一書性質之看法，《儀禮通論・序》曰：

> 其名以儀，實爲至允。何則？辭讓之心，禮之端也；儀，則禮之委也。從委以求其端，其于辭讓也殆不遠矣。禮者，所以律身，故《論語》曰「執禮」，不可盡以言傳，其可以言傳者，惟儀而已。或者以其規規于器數之末而少之，是烏知禮意！（頁5）

禮乃用以律身，所重在修養與實踐，儀則是禮儀節文，容止進退，因爲禮不易盡以言傳，故此書乃載錄儀節以推知禮意，《儀禮通論・論旨》又曰：

> 《儀禮》，言儀之書也，古以《易》、《詩》、《書》、《春秋》、《禮》、《樂》爲六經，儀既非禮，則不得爲經矣！然儀者所以輔禮而行，則謂《禮經》之傳亦可也。……古禮不傳，亦無專經，《禮記》後起雜出，未足當經之目，而輔禮之書，則固具在焉。學者由所輔而推之所主，思過半矣！惜乎其中多衰世之制，未爲盡善耳！（頁17、18）

姚際恆將《儀禮》、《禮記》均視爲「眞僞相雜」之書，而《儀禮》只是可藉以探知古禮之佐助，甚至《儀禮》也不盡善，未足以盡知古禮，因爲《儀禮》一書作於衰周，其中多有衰世之制之故。至於朱子等學者之視「《儀禮》爲經，《禮記》爲傳」，則是反以「儀爲本，禮爲末」，直是「冠履倒置」矣！但是，姚氏雖然認爲《儀禮》不是聖人之經書，僅爲輔禮之傳，其書上

---

[17] 《史記・儒林傳》云：「禮自孔子時，而其經不具，及至秦焚書，散亡益多，如今獨有《士禮》，高堂生能言之。」《漢書・藝文志》亦云：「漢興，魯高堂生傳《士禮》十七篇。」又：「《禮》古經者，出於魯淹中及孔氏，學七十篇文相似，多三十九篇。」二書皆不稱《儀禮》。《儀禮通論・論旨》，頁26、29。

[18] 《儀禮通論・序》，頁4。

不及文武之盛，下亦不盡裨後世之用，而仍有其不可抹滅之價值，原因是在於「蓋以其可通乎辭讓之心，而不戾于聖賢之教也」[19]。

㈡《儀禮》為周末儒者所撰，十七篇皆一人之作

《史記》、《漢書》均未著《儀禮》之作者何人[20]，唐代以前亦未有言曰周公作者，其他又有云孔子刪定者，或曰儒家所寫定，要皆推測而已，難以確論。姚際恆則認爲《儀禮》係周末儒者所撰，其理由有三：

1.孟子未嘗舉其義，其內容推之春秋侯國，往往而合

《儀禮通論・序》曰：

> 昔者元聖制作，布在方策，傳于天府，非若後代章程法令，昭示乎民，又非若儒生發凡起例，勒成一書，思以垂諸來世，是以禮獨無傳，其後典籍僅存，降至戰國，已復盡去。則此書者，孟子不舉其義，漢世稍出其傳，推之春秋侯國，往往而合。其爲周末儒者所撰，夫復奚疑！（頁4）

他從《孟子》書中未嘗提及此書及書中之事義，加上《儀禮》所載內容，往往與春秋侯國情形相合，而確定《儀禮》係周末儒者所撰。

2.所述多春秋時事，又多用《左傳》事

《儀禮通論・論旨》曰：

> 《儀禮》是春秋以後儒者所作，如〈聘禮〉皆述春秋時事，又多用《左傳》事，尤可見春秋時人之文寓工巧于樸質，若七國以後，則調逸而氣宕矣，此猶近春秋本色也！（頁25）

姚氏從《儀禮》行文風格爲「寓工巧于樸質」，仍屬春秋本色，益以內容所

---

[19] 《儀禮通論・序》，頁7。

[20] 參見註[17]《史記・儒林傳》與《漢書・藝文志》之文。

述多春秋時事，又多用《左傳》事，論斷《儀禮》是春秋以後儒者所作。

3.祝辭多用《詩》語

例如《儀禮》〈士冠禮〉：「始加祝曰：令月吉日，始加元服，弃爾幼志，順爾成德，壽考惟祺，介爾景服。再加曰：吉月令辰，乃申爾福，敬爾威儀，并愼爾德，眉壽萬年，永受胡福。……」姚氏曰：

> 祝辭多用《詩》語，便知《儀禮》爲春秋後人所作。胡與遐通，胡福，即《詩》降爾遐福也。（頁68）

冠禮有祝辭、醴辭、醮辭、字辭等禮辭，姚氏以其中多有《詩》語，故推斷《儀禮》作於周末，爲春秋後人所作。

4.所載見衰世之意，有衰世之禮存焉

例如《儀禮》〈燕禮〉「主人酬卿」節：「……射人乃升卿，卿皆升，就席，若有諸公，則先卿獻之，如獻卿之禮，席于阼階西，北面東上，無加席。」姚氏《儀禮通論》曰：

> 諸侯稱公，其臣稱卿，正也。此稱諸侯臣亦爲公者，《儀禮》作於春秋以後故也。（頁280）

另於《儀禮通論》卷六〈燕禮〉全篇之前，亦有議論曰：

> 此諸侯與其臣燕飲之禮，郝氏因其中有「諸公」字，謂斯禮本公燕臣，而臣又稱公，乃衰世之意。按：作《儀禮》者本春秋後人，其言自應爾！然上下相交，略分而言情，〈彤弓〉、〈湛露〉猶可想見其萬一焉。必以爲衰世之禮而棄之則過矣！（頁263）

姚際恆採取郝敬之說，認爲〈燕禮〉中之文辭，對諸侯之臣亦稱公，於禮非正，乃衰世之禮。此外，《儀禮通論》卷八〈聘禮〉評論「介與賓雍之費用」

曰：「無論薪米狼戾，即街衢充塞，何地可容？晏嬰所謂『飲食若流』者，其然與！故聘禮為季世之衰政，非先王舊典也！」（頁 403）故論斷《儀禮》作於「衰周」。

又姚際恆認為《儀禮》十七篇辭旨符同，全書為一人之作，其《儀禮通論・論旨》曾論《禮記通論》、《儀禮通論》二書著作體例不同，云：

> 愚于《禮記》分為三帖，而是書無分焉。又《禮記》篇各一人，是書十七篇皆一人之作，辭旨符同，尤無庸分其優劣耳！（頁 18）

姚氏《禮記通論》按《禮記》各篇是否合於「孔孟吾儒之言」，而將之分為上、中、下三帖，且議論品評之。但是《儀禮通論》則未予劃分，因為他認為十七篇著作之文辭、旨趣一貫，全書乃是一人所作。另《儀禮通論・論旨》亦論《周禮》、《儀禮》之異，云：

> 《周禮》蹈襲二《禮》，填塞滿紙，無異餖飣，不若《儀禮》自為一書，首尾完善，猶為今中之古也！（頁 20）

他認為《三禮》之中，《禮記》各篇作者皆不相同，《周禮》則又多有蹈襲拼湊二《禮》之跡，唯有《儀禮》全書首尾完善，自成一書，尚可稱為今中之古的著作。由以上各點論斷，姚際恆確認《儀禮》係周末儒者所撰，而且全書是一人所作。

㈢《儀禮》十七篇為全本，並無《逸禮》

《漢書・藝文志》曰：「漢興，魯高堂生傳《士禮》十七篇。」又：「《禮》古經者，出於魯淹中及孔氏，學七十篇文相似（按：劉敞謂當作「與十七篇文相似」），多三十九篇。」高堂生傳《士禮》十七篇，鄭玄所注亦止此十七篇，然而《漢書・楚元王傳》中劉歆〈移太常博士書〉云：「《逸禮》有三十九，天漢之後，孔安國獻之。」《儀禮注疏》賈疏亦曰：「孔子宅得《古儀禮》五十六篇，其字皆篆書，是古文也。」向來皆以為《儀禮》有佚篇，元代吳澄即曾采輯群籍所見之逸禮條文，撰《儀禮逸經傳》二卷。然而姚際恆直接自《儀禮》一書及人情常理上推斷，認爲《儀禮》並無闕佚，而且內容所錄不僅止《士禮》。《儀禮通論・論旨》云：

> 聖人制禮，凡以爲民而已。士爲四民之首，又兼已士未士之通稱，故《儀禮》凡曰「士禮」者，舉其中而言之，則上下可知也。〈王制〉有六禮：冠、昏、喪、祭、鄉、相見，正指此士禮八篇也。以其皆切于民用，故謂之「六禮」，亦可證《儀禮》之士禮別無大夫、諸侯、天子禮矣！其諸侯、天子冠、昏、喪、祭自可推士禮而致天子。如孟堅所言者，故不復更出也。鄙儒不達，必謂其亡。試論之：即如一《冠禮》，使有士、又有大夫、有諸侯、有天子，篇目累重，事義複疊，有此經書體制乎？且人祇見冠、昏、喪、祭，謂諸侯、天子亦宜有耳，若鄉、相見，諸侯、天子固無之也。鄉、相見既無，則冠、昏、喪、祭亦無可知，安得獨謂之亡乎！是十七篇者固爲完書，無識之士或爲之惜其亡，或爲之補其亡，徒自紛挐耳！（頁22－23）

姚際恆基於兩個觀點，謂《儀禮》並無亡佚，一是「士」兼已仕、未仕之通稱，故可推士禮而至大夫、諸侯、天子。二是避免篇目累重，事義複疊，因而同一禮儀，不繁複列舉。《儀禮》各篇本通活，可順情理而推致，他認爲「古人爲文本通活，後人自執滯耳」㉑，又進一步補充說明《儀禮》自士以至於天子之禮，大致具備，曰：

> 《儀禮》以冠、昏、喪、祭、鄉、相見六禮爲士禮，其中有可通大夫、諸侯、天子者，任人推致，而別以燕、聘、覲、大射、公食大夫、少牢饋食爲大夫、諸侯、天子禮，如是則天子至士約略可全，後儒尚謂諸侯、天子之冠、昏、喪、祭禮亡，豈非眼不見其睫乎！（頁23－24）

㉑ 《儀禮通論》卷一〈士冠禮〉，頁39。

此外，《儀禮》一書雖有多篇以「士」名篇，如〈士冠禮〉、〈士昏禮〉、〈士相見禮〉、〈士喪禮〉、〈士虞禮〉等，但其運用則端在「用禮者通其意而已」，且同在一朝之禮，當時之人必亦知其損益，毋庸一一具文詳載，姚際恆說：

> 《儀禮》冠、昏、相見、喪、虞五篇皆冠以「士」，其實多通大夫以上皃言，蓋下而爲民，上而爲君，卿、大夫、士居其中也。其中有言士禮而可以通于君、卿、大夫者，亦有即以士禮等而上之可爲君，卿、大夫禮者，亦在用禮者通其意而已。孔子于異代之禮，尚曰所損益可知，豈有同在一朝之禮，而不能知其損益乎！至於天子、諸侯其禮本不傳于民間，孟子且曰：諸侯之禮，吾未之學。矧下此儒生，其能援筆而記之乎！則謂有《逸禮》者，亦可以息其喙矣！（《儀禮通論·論旨》，頁 36－37）

姚際恆在各卷亦隨篇指出論證，如卷一〈士冠禮〉曰：「按〈郊特牲〉云：無大夫冠禮，而有其昏禮。……此言止有士冠禮，無大夫冠禮，即諸侯、天子亦皆用此士禮也，可爲別無大夫、諸侯、天子冠禮之證。又〈玉藻〉云：『始冠緇布冠，自諸侯下達。』此亦可見其一端也。」（頁 35）卷二〈士昏禮〉曰：「愚謂《儀禮》雖名『士禮』，實兼卿大夫言者，如此篇中言老與爵弁與二乘，及記言士受皮與祖廟未毀之類，皆主卿大夫而言也。」（頁 75）卷三〈士相見禮〉曰：「篇中言下大夫上大夫相見，而云如士相見之禮，則《儀禮》士禮，皆兼卿大夫言益可驗。」（頁 125）卷五〈鄉射禮〉曰：「此鄉射禮之主人乃士也，士與士，或與大夫行之。篇中言『鹿中』，而記云『士鹿中』可證。蓋以射者天子至士庶皆可得行，故特以士著其禮，其餘則可自此而推也。」（頁 187）凡此種種，多有舉證，以證明今本《儀禮》十七篇實兼上下而通之，要在通達其意，其實並無《逸禮》也！

(四)〈冠禮〉記文與〈覲禮〉末一章，係後人竄入

《儀禮》有經、有傳、有記。經即十七篇正文，傳與記，則爲解說經義之文也。相傳子夏作傳，記爲後儒所作。姚際恆認爲《禮記》一書內容，頗多後人竄入部分，《儀禮》則尚少，僅有〈冠禮〉記文與〈覲禮〉末一章，爲後人所竄入，《儀禮通論・論旨》曰：

> 每篇後記，其文零星綴述，更多奇古，惟〈冠禮〉之記乃後人竄入者。《禮記》中多後人竄入，予不自揣，一一辨出，《儀禮》猶少，惟〈冠禮〉記及〈覲禮〉末一章并係竄入。（頁30－31）

以下將姚氏對〈冠禮〉記文與〈覲禮〉末章二者之辨僞，分別述之：

1.〈冠禮〉記文部分：

《儀禮》正文後之記，係雜記諸事以補充前文之所未備，姚際恆認爲因爲〈士冠禮〉、〈士相見禮〉各篇之儀文簡要，遂僅附綴雜事三數端於正文之後，並未別立記名，其實亦仍有記。他論斷現今〈冠禮〉後標識爲記之文字，係後人因爲〈冠禮〉居一書之首而無記，遂取〈郊特牲〉之文增入。他從以下六項理由考辨之：

⑴記文「醮于客位、三加彌尊、冠而字之」等語與前文重複。

⑵記文所推廣〈郊特牲〉之義，與冠禮毫無交涉。

⑶他記從無引孔子之言，而此引之。

⑷他記從不陳三代之道，而此陳之。

⑸他記皆短句敘事，而此則長調行文，別成一格。

⑹禮辭非置於記文，而與〈士昏禮〉參差不同。

他從引文、內容、句法、體例各角度來辨別眞僞，而斷定〈冠禮〉記文部分是僞竄的，故主張將之刪除。

2.〈覲禮〉末章部分：

姚際恆認爲〈覲禮〉之文末章：「諸侯覲于天子，爲宮方三百步，四門。壇十有二尋，深四尺，加方明于其上。方明者，木也，方四尺。設六色：東方青，南方赤，西方白，北方黑，上玄下黃；設六玉：上圭下璧，南方璋，西方琥，北方璜，東方圭。……禮日于南門外，禮月與四瀆于北門外，禮山川丘陵于西門外，祭天燔柴，祭山川丘陵升，祭川沈，祭地瘞」，此一部分乃後人因爲〈覲禮〉「文字寥寥，故妄爲增益」，《儀禮通論》曰：

> 其文與《儀禮》絕不相類，有目之士，可一望而辨，且非正文、非後記，不知何屬！其中如上玄、上圭，又曰東方青、東方圭，兩用圭字，爲玄又爲青，因上甫言圭，故以東方敘于南西北之後，避其重，極爲可笑！其祀方明，設六色、六玉，象上下四方，天子乘龍及升龍降龍，又分四方門，禮日月四瀆山川丘陵等語，事義悉不經，頗類緯書。（卷十〈覲禮〉頁475－476）

姚氏認爲此段文字是僞竄的理由有二：

⑴文句欠缺條理，與《儀禮》絕不相類。

⑵所敘事義悉不經，頗類緯書。

他抨擊鄭玄於此章串合《周禮》、《禮記・明堂位》與《大戴記・朝事》儀節之說，而解釋爲「天子四時與諸侯會同而盟，及祀盟神」等事，解經荒謬無理，不殊說夢，姚氏認爲其實此章乃後人僞竄之文，皆應刪去。

五、解《儀禮》之重要觀點

姚際恆《九經通論》中有關《三禮》之作，原有《周禮通論》、《儀禮通論》、《禮記通論》三書，惜《周禮通論》、《禮記通論》今俱未見傳本，唯《儀禮通論》得見傳抄本，可藉之識其全貌，明其《儀禮》之說，此對於研究姚氏《禮》學，實有莫大助益。綜觀《儀禮通論》之主要觀點，大凡有四：

㈠《周禮》不足信，牽合以說《儀禮》多有誤

姚氏認爲《三禮》眞僞相雜，其中《儀禮》、《禮記》純駁雜收，《周禮》則是「出于西漢之末」的僞書㉒，內容率多「蹈襲二《禮》，塡塞滿紙，

㉒ 引見黃雲眉撰：《古今僞書考補證》（濟南：齊魯書社，1982年），頁37。

無異飯飣」㉓，《儀禮通論・序》論《周禮》曰：

> 《周禮》原名《周官》，則官也，況又僞書。（頁6）

故姚氏力辨《周禮》不足信，凡是他認爲《周禮》蹈襲《儀禮》之處，均詳細辨之。《儀禮通論・論旨》曰：「註疏有非處，多與辨正，若其《周禮》襲此，而鄭氏反據《周禮》爲解者，尤必詳辨焉。」（頁 30）姚氏於《儀禮通論》卷四〈鄉飲酒禮〉詳辨《周禮》〈鐘師〉「九夏」名目之訛，深致感慨曰：

> 即此觀之，《周禮》之僞可不攻自破矣！吁自《周禮》淆亂諸禮，又爲鄭逐處牽合爲解，益惑後世，此皆經學中大事，愚故亦逐處辨正，不敢憚煩，誠不得已也！（頁 176－177）

鄭玄精於禮學，尤善於以禮解經，其頗信《周禮》，時援之以釋《儀禮》，姚際恆以爲大謬，因爲《儀禮》作於周末，而《周禮》出于西漢之末，《周禮》原多蹈襲二《禮》，若反援以釋《儀禮》，則不啻冠履倒置，使經旨益晦不明矣。故姚氏於各篇特重辨明鄭玄與諸儒牽合《周禮》之誤。例如卷七〈大射儀〉云：「射人、司士、宰夫、司馬等官，鄭氏皆援《周禮》以證，不知《周禮》皆襲此也。」（頁 306）另，卷十〈覲禮〉釋「稗冕、墨車」云：「鄭氏執《周禮》〈司服〉六服以爲天子大裘，其餘爲稗，非也。墨車意亦大夫所乘，故《周禮》〈巾車〉襲之以屬大夫，鄭氏反據《周禮》以證，亦無謂。」（頁 467－468）此類多有，亦是姚氏攻鄭最力者也！

㈡不可據今人之見，以說古禮

古、今之時世有異，則禮俗之觀念與做法當有異同，姚際恆屢謂勿以今人之見，以說古禮，例如於〈士冠禮〉拈出「蓋冠者既冠，惟有見人之禮，

㉓ 《儀禮通論・論旨》，頁20。

無拜人之禮」，曰：

> 古人惟祭乃拜，且祭必有尸。此不祭無尸，無徒拜禮也。凡此之類，所謂以今之人見說古禮，必不得也！（頁58）

姚氏於〈士昏禮〉拈出「古禮扶陽抑陰之義」、「古人重卜」、「古人迎送惟施於賓主」、「古人束帛貴束錦賤」，於〈特牲饋食禮〉拈出「凡爲俎者，古人貴骨賤膚」……等等古人制禮之意，均一再申明不可以今人之見說古禮，例如於〈士相見禮〉「請見」節，云：「賓亦于庭中一見即出者，不敢徑造主人之堂，亦不敢必主人之留己也，主人則必請見而後賓乃反見，此則主人之禮當然也，斯乃相見于堂於與！郝氏于此等處概疑之，皆據今人之見以測古禮，自不合耳！」（頁 128）另於卷十五〈特牲饋食禮〉論祭禮云：「大抵祭禮古今懸殊，不若昏喪諸禮，猶有多合者，是古祭禮雖存與亡等矣！」（《續修四庫全書》第 87 冊，頁 75。）姚氏博學勤思明辨，長於引證議論，論斷有時雖仍不免流於主觀，然而釐清古禮、今禮之異同，固爲論禮之重要關鍵，亦姚氏大有啓導於後學者也！

㈢文義與經義並重

姚際恆《儀禮通論》除考辨經義之外，亦強調務須通曉文義，因爲《儀禮》玩索殊不易，「窮經之士亦憚其艱澀」[24]，故於書中凡於斷句讀、辨字義、析文理、贊文義，莫不悉心究之。《儀禮通論・論旨》云：

> 《左傳》無人不讀，《儀禮》則無寓目者，即有一二窮經之士，亦憚其艱澀，玩索殊不易，今是編較若眉目，又爲之贊說文義，一洗俗儒拘牽之陋，遂足與《左傳》方駕齊驅，窮經之士固不可無，摛辭之家亦不可少，若增一人間未見書，良快事也！（頁29）

[24] 《儀禮通論・論旨》，頁 29。

姚際恆此書於經義、文義並重，欲「一洗俗儒拘牽之陋」，使《儀禮》一書之文義、辭采，皆曉然呈現於世，《儀禮通論·論旨》又云：

> 或問：如子言則全屬論文，與經義奚涉？曰：孟子之學，首在知言，未有不能知言而可以解經者，雖解聖經，亦用此法，況爲周末儒賢之書乎！鄭康成錯解甚多，正以其不喻文義耳！（頁28）

由以上兩段姚氏之語，可明白曉文義固然爲知經義之基石，亦是使經書煥然發揮其用，探微闡幽之絕佳津樑。對於解說文義以明經旨，姚際恆特拈出「不附會、不泥古、不強解」三項原則，以下分述之：

1.不附會

姚氏最反對迂曲夸飾、附會穿鑿，例如《儀禮通論》卷六〈燕禮〉主人酬卿部分釋「席于阼階西，北面面東上，無加席」節，姚氏於詳細論辨後，敘其解義之原則，曰：「大凡釋經有所難通，第順其義以釋之可也，矯揉以言禮，則失之矣！」（頁 282）又如《儀禮通論》卷四〈鄉飲酒禮〉抨鄭注附會《周禮》，曰：「鄭氏妄援《周禮》，必欲附會之，毋論《周禮》不足據，且不相涉，而是篇正旨在乎飲酒，鄭固有所未喻耳！」（頁 142－143）其他此類多有，不一一複舉。

2.不泥古

清代漢學漸興，但是姚際恆雖重視考辨引證，亦不迷信漢人之說，例如《儀禮通論》卷十六〈少牢饋食禮〉考辨器物「金敦」，曰：「或謂漢人去古未遠，其言或是。余謂：不可以時代論，第存乎其人！假如今人，苟非博雅于其明代陶冶諸器，或有不能舉其名者矣！漢人于周亦猶是也。三代之器，大著于宋，如呂與叔之〈考古圖〉、徽宗之〈博古圖〉，雖考訂不無疏誤，然摹勒形制，以壽其傳，實爲奇書，且有資于經學，則是反以時代久遠而得之。」（《續修四庫全書》第 87 冊，頁 94－95）他認爲漢人之說未必皆優於今，學各有專精，更何況後代多出古器物，後人有時反可見實物，遠勝於漢人之止於耳聞臆測矣！由此皆可見姚氏實事求是，好學深思，獨立思辨之治學精神。

3.不強解

《儀禮》所載之儀節、服飾、宮室、器物等，極爲繁複，其容止動靜、形貌規制，後人徒據《儀禮》文字求其實，恐僅得之二三耳！或誤解者恐遠多於得其解者矣！故而解《儀禮》未必處處能得其確解也。姚氏於此等處則抱持「大抵古文奧典，姑用闕疑，自無不可」的態度，例如《儀禮通論》卷五〈鄉射禮〉釋「閭」與「皮樹」二詞曰：「閭，《山海經》有閭麋，釋者以爲驢歧蹄，則閭固是獸矣。皮樹，鄭氏亦以爲獸，似是，但屬臆度，不能名爲何獸耳！大抵古文奧典，姑用闕疑，自無不可。郝氏以爲馬，謂馬皮斑駁如樹，則鑿甚矣。」（頁262）另，《儀禮通論》卷十一上〈喪服〉釋「緣」之服制，於引敖繼公、〈間傳〉〈檀弓〉諸說之後，仍覺於義未安，而曰：「以爲重服練前亦皆有緣，亦屬臆度，今姑存敖說以俟考云。」（頁 497）《儀禮》爲三代之文，時世既久遠，名物制度代有遞嬗，姚氏不強解經義，自屬至當。

(四)《儀禮》最宜評點

姚氏認爲《儀禮》於經義之外，文采亦佳妙奇絕，自成一家，無論練字、措辭、句意、章法、意境，俱有其獨到處，最宜於評點㉕。他感慨韓愈嘗評閱《儀禮》，而惜其書不傳，因此思有以續昌黎之墜緒，評點是書㉖。他對於《儀禮》之文極爲推崇，《儀禮通論・論旨》曰：

> 《儀禮》之文，自成一家，爲前古後今之所無。排纘周密，毫忽不漏，字句最簡，時以一字二字該括多義，幾于惜墨如金，而工妙正露于此。章法貫穿，前後變化，成竹在胸，線索在手，或此有彼無，或彼詳此略，義取互見，不獨一篇中，即十七篇亦只如一篇。（頁27）

㉕ 《儀禮通論・論旨》，頁28。

㉖ 見《儀禮通論・序》，頁8與《儀禮通論・論旨》，頁25。

姚際恆認爲《儀禮》字句簡鍊，章法排纘周密，辭義前後貫串，最爲嚴整。又云：

> 又其爲文，外若質實排敘，而其中線索穿插最爲巧密，章句、字法一一皆備，旨趣雋永，令人尋繹無盡，非深心學古，而得古文之妙者，未易知此。一覽生厭，由其不能知之，王介甫妄加廢黜，正坐此病耳！（頁20）

推崇《儀禮》之章句、字法巧密，旨趣雋永，又例如評論〈聘禮〉之文，云：「然吾獨愛其文章法整密，字句奇變，酒肉帳簿寫得精妙如許，古今罕有也。」㉗因爲世人多苦於《儀禮》難讀，且其內容多奇辭奧旨，姚氏乃首先爲之分章析條，標題句讀，使人易讀，並更進而將佳處圈評出來，欲使「板腐者出之靈活，枯寂者出之敷腴，排偶者出之疏斜，雷同者出之變化」㉘，甚至與《左傳》並駕齊驅，毫不遜色。《儀禮通論．論旨》又云：

> 讀《左傳》如入帝都，宮闕富麗，百物具備；讀《儀禮》如入洞天，峭壁奇峰，金光瑤草，別一天地。讀《儀禮》使人『之乎者也』竟無所用，誠古今奇絕之作。（頁29）

姚氏於《儀禮》一書論文、圈評特詳，舉凡鍊字之精妙或傳神，措詞之靈活或古峭，句意之詳略或虛實，章法之變化或井然，文理之合敘、分敘、插敘、對映，手法之寫實如畫或寫意有致，乃至用語之工巧或逞奇，音節之烺然與歷落，皆隨文細加圈點、評論，必欲使人讀之「深味其妙意」，且「若增一

㉗ 《儀禮通論》卷八〈聘禮〉，頁403、404。

㉘ 《儀禮通論．論旨》，頁26。

人間未見書」㉙，此爲姚際恆撰《儀禮通論》別具隻眼、匠心獨運之所在，亦有心之學者所不可忽略者也。

六、結　論

姚際恆爲清初學者，其最重要之經學著作爲《九經通論》，經過近代學者不斷蒐羅輯佚，各經《通論》今可見者，有：《詩經通論》（全）、《儀禮通論》（全）、《春秋通論》（殘存）、《禮記通論》（輯本）、《古文尚書通論》（輯本）等。自其各經《通論》可知姚氏治經深具獨立思辨，勇於疑古之精神，尤其反對過於依賴前人經注，或迷信傳注權威，而主張直接從經書、孔孟之言探證論斷。其手眼往往犀利敏銳，詞鋒勇決，雖時或有主觀太過之失，然其「不受錮於古人」、「讀書必貴有識」之治學態度（註三十），卻能別闢生面，給予後人啓發與影響。本文以《儀禮通論》爲主，綜理姚際恆之《儀禮》學，可得以下幾點結論：

第一、姚際恆根據「孟子未嘗舉其義，其內容推之春秋侯國，往往而合」、「所述多春秋時事，又多用《左傳》事」、「祝辭多用《詩》語」、「所載見衰世之意，有衰世之禮存焉」諸點，考辨《儀禮》係周末儒者所作。而且又據「《儀禮》十七篇辭旨符同」，斷定全書皆作於一人。

第二、姚氏反對「《儀禮》爲經，《禮記》爲傳」之說，認爲「《儀禮》單著其儀，未可以爲禮」，《儀禮》非爲經，僅可作爲瞭解古禮之佐助。

第三、《儀禮》自士以至於天子之禮大致具備，十七篇不僅止士禮，實兼上下而通之，《儀禮》並無闕佚，故而亦無《逸禮》。

第四、《儀禮》內容眞僞相雜，其中〈冠禮〉之記文與〈覲禮〉末一章，係後人竄入。

第五、《儀禮通論》對鄭注、賈疏、朱子通解以及元明清各家，均有批駁。尤以抨擊鄭注最厲，蓋以漢代以降，後儒莫不尊奉鄭注，姚氏攻鄭最多

㉙ 引見清杭世駿所輯之《續禮記集說》（清光緒三十年浙江書局刊本，今藏臺灣大學文學院圖書館）卷六十四，頁 26、27。

最烈，即在破除迷信權威傳注之障礙，冀能直接從經書及孔孟之言直探聖人本旨。

第六、《周禮》是出於西漢末之僞書，不可牽合以解《儀禮》。其次，亦須留意不可據今人之見，以說解古禮。

第七、治《儀禮》須經義、文義並重，姚氏特著重「不附會、不泥古、不強解」等通曉文義之準則。

第八、《儀禮》文采奇絕，自成一家，最適宜於評點，姚氏逐篇細加圈點、評論，其《儀禮》學，有經學義蘊，兼有文學之情致，爲姚氏《儀禮》學特色之一。

姚際恆《儀禮通論》富辯駁議論特色，其立說取捨分明，不苟且依違前儒之見，於所非必詳予辨析駁斥，對前人說禮迂曲牽紐、不合情理處，尤其抨擊不遺餘力。至若深心有得、獨有領會處，亦每詳予申論之，欣喜自得之色溢於辭表。其解經時有獨到之見解，勇於一洗前人之迂曲依違，令人耳目煥然一新，固有時難免失之主觀武斷，然而輒予人思辨之激盪，引導後人一再反省前儒經說之當否，並思考從不同角度理解經義，此正姚氏經學最值得留意處。

經學研究論叢
第五輯　頁155～158
臺灣學生書局　1998年8月

評江蘇古籍版《儀禮正義》

陳秀琳*

這是第一次對《儀禮正義》進行新式整理，嘉惠學者功德匪淺。惟近來頻頻聽到幾位同行對此書整理工作表示不滿，認爲有不少標點不妥之處。現在筆者且就如下兩點試述鄙見，供大家研讀時參考，至於具體點校上的問題，待後日別爲詳評。

一、點校者的問題。此書在卷首及書後附錄裡，點校者自稱皆用「點校者」一詞，並不見其姓名，只有在版權頁印有「段熙仲點校」字樣。案《中國當代社會科學家》第六輯有〈段熙仲自述〉一篇，其中段先生自言：「自去秋九月承擔古籍整理工作之清代胡培翬所著之《儀禮正義》一書點校任務。」考之文中，所謂「去秋」當在 1982 年。據此，則我們似無理由懷疑此書點校之出於段先生。但是，段先生對禮經造詣惟深，早在 1962 年在《文史》上發表「舊稿」〈禮經十論〉，至今猶爲學者所誦習，由他點校怎麼會出現那麼些明顯的錯誤？有人會以爲由於段先生年事已高，精力不逮，所以表現得不很精采。筆者則認爲雖然也會有這種因素在，卻並不可以全部都歸咎於段先生。例如第 62 頁第 10 行「案《士冠禮》：至至〔30〕廟門」，第 11 行「使者至于廟門」，其校記〔30〕云：「下『至』字誤，改作『于』。」實際上原本第 10 行作「至于」不誤，而第 11 行誤作「至至」，段先生校語當繫在第 11 行，今誤在第 10 行，並且正文已妄爲互移。又如第 397 頁第 11

---

* 陳秀琳，北京大學中文系博士候選人。

行「于西階上北面東上。郝氏敬云：立於西階〔3〕」，校記〔3〕云：「『西階』下脫『上』字，當補。」案文中有兩「西階」，應該都作「西階上」，而原本上作「西階」脫「上」字，下作「西階上」不誤，段先生指出的自然是第一個「西階」。今此本卻將校語誤繫在第二個「西階」下，並在正文中將「西階」、「西階上」妄爲互易。這兩個例子都表明段先生校的不錯，而整理者編定時妄改原文，誤繫校語。另外一種情況值得提出的是，所附「校勘記」裡面有不少條目和正文的校勘完全沒有關係，而只不過是點校者對書中內容的個人見解，如第 97 頁〔1〕、第 229 頁以下〔1〕、〔2〕等皆是。想來這些評語應該都是段先生讀書時隨手所記，整理者不辨內容而摻入到校記裡。筆者相信以段先生的學識，應該不會懵然不知編書之體例至於此。

總之，筆者推測段先生的點校工作最終沒有完成，他只做到了初步的點校，後由別人據以整理編定，所以才出現這麼多的標點錯誤、正文妄改、衍錄評語以及誤校漏校等現象。筆者不願意聽到別人誣蔑老先生生平最後的一項工作，所以先辨之如此。

二、文字訛誤問題。黃以周曾經慨歎道：「《儀禮正義》文字之訛有害經義，左右錯寫，東西易位。禮經難讀，禮說亦難校！」正如其言，原書文字訛誤情況十分嚴重，段先生的初步校勘工作所得糾正的也不過其中十分之一而已。例如第 296 頁第 13－14 行「眾賓皆入門右」，是「左右錯寫」，第 197 頁第 7 行「舅阼階東面」，是「東西易位」之例，又如第 324 頁第 3 行「主人阼階東北面辭洗」，是南北互訛，第 326 頁第 7 行「酢于西階上」有上下之誤，第 298 頁第 9 行「鄭君則以揖厭無別，故從今文作厭」則有無、古今併而皆誤。凡此等等應有盡有的錯誤，都是段先生校勘所不及。這就要求我們持讀時慎重注意其中的誤字。

另一方面此本值得稱贊的是，出版社的校對工作做得相當精細，正文文字基本上對底本忠實。雖然也有不少與底本不合的地方，除了像上節舉例據校勘意見妄爲改動者外，大部分卻符合於陸氏原刻本，也可以認爲是段先生校讀時參錄異文，整理者遂據以妄改的，並非出版社校對的錯誤。這樣來，此書正文文字可以說是《續經解》本與陸氏原刻本的合成品，而且除了原由於這兩種清刻本的錯誤以外，新出的誤字是相當少的。既然可靠程度與清刻本相埒，而裝幀精緻，閱讀方便則遠過之，此本完全可以做爲清刻本的代用品。

經　學　研　究　論　叢
第　五　輯　　頁159～180
臺灣學生書局　1998年8月

論清人《儀禮》校勘之特色

彭　林*

《儀禮》爲禮之本經，武帝時即立於學官，其學顯於漢魏。然以文古義奧，復之無由，入唐即衰，注釋者代不數人，誦習者寥若晨星。熙寧中，王安石廢罷《儀禮》，不復立學官。古時科舉分房閱卷，自此至清，再無《儀禮》之房。其學不絕如縷，版刻訛誤日甚一日，而鮮有問津者。萬曆所刻北監本十三經，《儀禮》脫誤最甚，魯魚彌望，滿目榛荊，時人竟無覺察者。

《儀禮》爲實學，所載冠昏饗射喪祭諸禮，儀節皆環環相扣，一字之訛，每每可致進退失序，面位莫辨。今訛脫滿紙，禮法安在？清儒欲以夏變夷，不能不倡導孔學；欲倡導孔學，不能不治《儀禮》；而欲治《儀禮》，則不能不托始於文字校勘，捨此，則一切無從談起。梁啓超云：「校勘之學爲清儒所特擅，其得力處眞能發蒙振落。他們注釋工夫所以能加精密者，大半因先求基礎於校勘。」❶清代之《儀禮》學，由衰微而達於極盛，校勘之役相與始終，自顧炎武至胡培翬，無不傾力於此，其成就亦冠絕群經，極富特色。茲論其數端，以窺全豹。

一、與唐石經之互勘

清人校勘《儀禮》，以顧炎武爲嚆矢，肇端於顧氏以唐開成石經校明北

---

*　彭林，北京師範大學教授。

❶　梁啓超：《中國近三百年學術史》。

監本十三經。

有清以前，儒家經典之刻石有六：漢熹平石經、魏正始石經、唐開成石經、後蜀廣政石經、北宋嘉祐石經及南宋高宗御書石經。《儀禮》經文，僅見於前四種刻石。四種之中，熹平、正始、廣政三石經早遭破壞，僅存零星殘石，唯開成石經猶巋然壁立於西安。

開成所刻《易》、《詩》、《書》、《三禮》、《三傳》等九經，緣起於鄭覃之奏請，意在：「準後漢故事，勒石於太學，永代作則。」❷鄭氏：「長於經學，稽古守正，帝尤重之」❸，參與校定九經者如周墀、崔球、張次宗、溫業等，皆宿儒奧學，為一時之選。鄭氏等校經文上石後，文宗又命唐玄度覆定，不勝鄭重。然「石經立後數十年，名儒皆不窺之，以為蕪累甚矣。」❹其時際遇如此。後數百年間，仍不為世人所重。歐陽脩《集古錄》所收金石文字，以廣博聞名，而獨不載唐石經。張淳校定《儀禮》，參用陸德明《經典釋文》及五代監本《儀禮》等頗眾，惟不及唐石經。朱熹長於《儀禮》之學，然所撰《儀禮經傳通解》，於經文考訂亦不據唐石經。清儒慨嘆於此：「惟自開成至今，幾及千年，罕有從事於此者」❺，「間有一二好古之士，亦與冢碣寺碑同類而並道之。」❻

康熙二年，顧炎武客西安，「見唐石壁九經，復得舊時摹本讀之」❼，而知明北監本十三經中，《儀禮》之「訛脫猶甚於諸經」❽如〈士昏禮〉脫「壻授綏姆辭曰未教不足與為禮也」十四字；〈鄉射禮〉脫「士鹿中翿旌以獲」七字；〈士虞禮〉脫「哭止告事畢賓出」七字；〈特牲饋食禮〉脫「舉觶者祭卒祭拜長者答拜」十一字；〈少牢饋食禮〉脫「以授尸坐取觶興」七

---

❷ 《舊唐書・鄭覃傳》。

❸ 同前注。

❹ 《舊唐書・文宗紀》。

❺ 陳鱣：《唐石經校文記》。

❻ 嚴可均：《唐石經校文・序》。

❼ 顧炎武：《九經誤字序》。

❽ 同前注。

字。此其大者，它如誤受爲授，誤比爲北，誤實爲賓，誤巾爲布，誤戶爲尸，誤唯爲帷，誤薦爲爲之類，觸目皆是，賴有唐石經在，而得以正訛補脫。顧氏此舉，可謂鑿破鴻蒙，石經之價值遂驟顯於世。

雕版印刷始於唐代，然所雕不過佛經、曆書之類。據《五代史・唐書・明宗紀》，雕版印行經籍，始於後唐長興三年刻九經印板。「敕令國子監集博士儒徒，將西京石經本各以所業本經句度鈔寫，……各部隨帙印板，廣頒天下，如諸色人要寫經書，並須依所印敕本，不得更便雜本交錯。」❾足見唐石經爲後世一切雕版經籍之祖本，嚴可均稱之爲「古本之終，今本之祖」，「此天地間經本最完最舊者」❿。丁溶亦云：後世版本，「句皆石經之句，字皆石經之字，讀經而不讀石經，飲水而忘其源。」⓫二氏所言，堪爲清人通識之語，故凡校群經者，無不首先取正於石經，而《儀禮》得益於石經者，遠勝於諸經。若張爾岐《儀禮監本正誤》，以石經正監本訛誤及經文誤細書、注文誤大字混入經文等，幾達二百件。再若彭元瑞《石經考文提要》，以石經正群經文字，《儀禮》所得最多，約一百六十字。又若嚴可均《唐石經校文》，以石經參正《儀禮》者，多至三百五十二件。石經於《儀禮》校勘之價值，不難想見。

顧炎武爲石經之功臣，亦爲《儀禮》之功臣。清人校《儀禮》，於起步時即能高出前人一籌，皆因顧氏睿識。然清人未滿足於此，由文本之對勘拓展爲石經史、摹本、正俗字體等之研究，由此發現石經本身諸多問題，使校勘再入深層，成績亦遠超顧氏。

嘉慶丁巳年，嚴可均校讀石本及《五經文字》、《九經字樣》，歷時八月之久，「隨讀隨校，凡石經之磨改者、旁增者、與今本互異者，皆錄出」⓬，而知石本屢經改動，字體亦不一。嚴氏稽諸《舊唐書》、《冊府元龜》

---

❾ 王溥：《五代會要》八，〈經籍〉。《五代史》亦有類似記載，但甚簡略。

❿ 嚴可均：《唐石經校文・敘例》。

⓫ 丁溶：《唐石經校文序》。

⓬ 嚴可均《唐石經校文・敘例》。

等文獻，考定石經文字雜出四人之手：先由鄭覃等勘定勒石之本；開雕後，再由覆定五經字體官唐玄度校改；其後，文宗命韓泉充詳定官，詳校經文；至僖宗乾符年間，又經張自牧重加勘定。嚴氏又驗諸石本，磨改之跡，歷歷在目：

> 有未刻之前曠格、擠格以改者，蓋鄭覃校定；有隨刻隨改及磨改字迹文誼並佳者，蓋唐玄度覆定；有文誼兩通而字迹稍拙者，蓋韓泉詳定。……若初刻誼長而磨改謬戾，字迹又下下者，及未磨而遽改者，諦視之，竟與《五經文字》末署名及勘定處如出一手，蓋乾符中張自牧勘定。⓭

另據朱彝尊等研究，其後石經又經兩次補刻。其一，石經原立於長安城務本坊內，唐天祐元年（904），韓建築造新城時，「六經石本，委棄於野。」⓮至五代朱梁時，劉鄩守長安城。用幕吏尹玉羽之建議，移石經於城內唐尚書省之西隅。因石經殘泐頗多，故朱梁曾加重刻。其二，明嘉靖乙卯年(1555)，關中大地震，石經復多斷損。萬曆戊子（1588），陝西學官葉時榮、薛繼愚及生員王堯惠等，按舊文集其闕字，別刻小字於石，立於碑旁。

又經馮登府等研究，清人所據石經摹本，爲剪裁割裂之「裝璜本」⓯，大失舊貌。唐石經總有一一四石，正反爲二二八面，碑石高峻，篇幅浩繁，不易省覽，故有摹本行世。嘉靖乙卯前之摹本，尚存石本舊貌，然已絕跡。清代所行之裝璜本，乃裱匠取村塾中九經本，按照前後，將王堯惠之補字盡行嵌入，裝合輻湊，若一手拓出者。王氏補字，謬誤極多，本別刻於小石，尚無妨經義，現盡數嵌入，則經文淆亂，欺蒙世人。顧炎武雖首倡石經研究，然對石經之評價甚平平，顧氏初讀《舊唐書·文宗紀》，見劉昫評石經云「蕪

⓭ 同前注。

⓮ 《京兆府府學新移石經記》，現存西安碑林。

⓯ 馮登府：《石經補考自序》。

累甚矣」，頗不以爲然，「及得其本而詳校之，乃知經中之謬戾非一，劉昫之言不誣也」⑯，石經之文字，「不無踳駁」⑰。顧氏進而歷數《儀禮》石經之訛。然顧氏所據之本，實爲裝璜本，所指訛字，多爲王堯惠之補字者，石經原本並不誤，陳鱣譏顧氏「受王堯惠之欺，是雖校猶不校也」⑱，不爲無端。

上述發現，使清人得以將各色磨改補刻之文字從石經原刻中逐一離析，再區分爲不同等次，於《儀禮》校勘甚有助矣。此僅以阮元《儀禮石經校勘記》爲例，略作申述。乾隆中，阮元任石經校勘官，爲校《儀禮》上石，曾對唐石經磨改補刻之跡詳加考察，一一記錄，再行校讎，創獲頗豐。如〈士昏禮〉，全篇「成」字皆缺筆作「戍」，此朱梁避太祖父誠之諱，阮元推定「此卷全爲朱梁重刻」⑲。又有某段爲朱梁重刻者，如〈燕禮〉「閽人爲大燭」句，石經無「大」字，據鄭注、賈疏則當有之，阮元按：「此段經乃朱梁重刻。別行皆十字，此行獨九字，明脫『大』字無疑。」可知此「大」字爲朱梁補刻時所脫漏。又如〈喪服經傳〉之篇題，諸本多作〈喪服〉，無「經傳」二字。究以何者爲是，似難斷言。阮元按：「石經開成初刻、《釋文》皆作〈喪服經傳〉。石經乾符重修改刻，刪『經傳』二字，諸本沿之。又按，乾符年間磨去經傳二字，今石經拓本痕跡顯然可辨，彼徒因小題「子夏傳」三字與大題重複故耳。」阮氏據石本磨改之跡論定篇名當作〈喪服經傳〉，作〈喪服〉者，乃乾符改刻時爲避免大、小題重出「傳」字而刪改，洵爲不易之論。又阮氏辨明人補字之誤者，如〈既夕禮〉「擯者出請」，補字石本無「出」字而有「須」字。阮曰：「石經每行十字，此雖殘闕，而『擯者出請』四字尚存可辨。明人補字，脫一出字，重衍一須字。」至確。〈鄉飲酒禮〉「勝者先升升堂少右」句，補字石本及明監本均不疊「升」字。阮曰：

⑯ 顧炎武：《金石文字》，卷5。

⑰ 顧炎武：《九經誤字序》。

⑱ 陳鱣：《唐石經校文序》。

⑲ 說詳《儀禮石經校勘記》。本節所引阮說，均同此注。

「唐石經此處雖殘闕無字，然以每行十字計之，亦當疊升字。今明人補字，此行九字，沿監本脫升字之訛。」由上引諸例可知，凡磨改、重刻、補刻處，每每易誤。清人明識於此，留意於斯，再審以字體、行格，屢收奇效，致訛之由，無可隱遁。

清人校勘《儀禮》，力辨非石經原刻之文字，已如上述。於石經原刻，亦不盲目遵從，必考而後信。清人所考校之原刻之誤有二：一爲訛刻，二爲正俗字不辨。訛刻者如，〈有司〉「答拜受爵尸降筵」句，爵尸，石經作尸爵。然揆諸上下文意，此處主婦答拜所受之爵絕非尸爵，而是主人之爵。尸降筵爲受主婦爵，即受於主人之爵，足見石經誤倒其文，當乙正。又此篇「主婦受爵酌獻二佐食」句，主婦，石經作主人。然細審經意，此節所述乃主婦亞獻，若從石經作主人，則睽違不通，當正之。又如石經之「本」字，均作「夲」。檢《說文》，本、夲非一字。本从木一，訓根；夲从大十，音皋，訓進。諸如此類，清人悉校正之。

正俗字不辨者，石經亦時有所見。隋唐時流行俗字，《儀禮》上石前後，鄭覃、唐玄度等不能逐一辨正，故多有攙入正文者。後世版本或改俗從正，或改正從俗，絕少論證，但憑感覺而已。清代文字學勃興，故學者能正本清源，明辨正俗。如《儀禮》習見之「賓」字，石經及諸本皆作「賔」，漢石經〈大射儀〉亦如是作，似無異說。然檢《說文》，知此字从丏，从户者乃隸變，故當以「賓」字爲正。再如宿字，唐石經及諸本皆从佰作宿，然《說文》宿从佰，是爲正字，从佰之宿爲俗字。諸如此類，清人悉校從正。

石經研究，在清代已成專門之學，成就斐然。其結果，使石經得到科學之整理，使之在校勘中之作用更爲可靠。其間，以石經校經，又以經校石經，二者互動並進，使經文返正，禮義復明。

二、廣求善本與精校熟讎

校勘之役，以廣搜異本、精擇底本爲首務，得善本者則可事半功倍。清人深諳此道，版本意識極強，有顧千里之語爲證：

或問居士曰：「汲古毛氏刻十三經，凡十數年而始成，而居士云：『非善本也。』古餘先生合刻《儀禮注疏》，乃一大經而難讀者，僅改歲而成，而居士云：『本莫善矣。』何謂也？」居士笑曰：「吾語汝乎！夫毛氏仍萬曆監刻而已，此其所以不能善也；古餘先生以宋本易之，而精校焉，熟讎焉，此所以善也。」⑳

版本之重要若此。然《儀禮》校勘之難，正在久乏善本。

北宋經注與疏，原本別行，清人名之爲單注本、單疏本。至南宋初，爲省兩讀，始有萃刻注疏者。最早有兩浙東路茶鹽司本五經注疏，後有建州附釋音本十一經注疏，前者即所謂八行本，後者即所謂十行本，均無《儀禮》。自王安石廢罷《儀禮》，《儀禮》遂不爲世人所重，宋人之「九經」不含《儀禮》㉑，故岳珂《九經三傳沿革例》等皆不及於此經，其版刻之稀，當不難想見。

嘉靖初，李元陽巡按閩中，匯刻各經注疏，獨闕《儀禮》，是爲閩本。後陳鳳梧於山東合刻《儀禮注疏》，以補其闕。萬曆十四年，北京國子監翻刻閩本十三經注疏，是爲明北監本。明北監本「校勘不精，訛舛彌甚，且有不知而妄改者」㉒，「至《儀禮》一經，脫誤特甚」㉓。崇禎中，常熟汲古閣毛氏又翻刻明北監本，是爲毛本。毛本刻工雖精，然訛舛更盛，前引顧千里語已譏之。清初士大夫家藏者，北監、毛本而已。《儀禮》之乏善本，於十三經中獨甚，張爾岐慨嘆云：

《易》、《書》、《詩》、《春秋》、《論語》、《孟子》、《禮記》充滿天下，固不容或誤。《周禮》、《爾雅》、《三傳》，人間猶多

---

⑳ 顧廣圻：《合刻儀禮注疏跋》。
㉑ 參見王應麟：《玉海》。
㉒ 顧炎武：《日知錄》，卷18，〈監本二十四史〉。
㉓ 張爾岐：《儀禮監本正誤序》。

> 善本，即有誤，亦易見。《儀禮》既不顯用於世，所賴以不至墜地者，獨此本（北監本——筆者）尚在學宮耳，顧不免脫誤至此。㉔

張氏累年究心於《儀禮》，亦無善本可據，「聞有朱子《經傳通解》，無從得其傳本。坊刻《考注》、《解詁》之類，皆無所是正，且多謬誤」㉕，故張氏所據者，石經、監本而外，僅吳澄《儀禮考注》而已。於此可見清初《儀禮》版本之蕭條。

清人尋訪《儀禮》版本，不遺餘力，所得亦豐。以嘉慶爲界，可約略分爲兩段。嘉慶以前，所獲以《儀禮》研究之宋元書籍爲主；嘉慶以後，始得宋槧《儀禮》單注、單疏善本。

乾隆四年，清廷重雕《十三經注疏》。乾隆九年，于敏中編纂《天祿琳琅書目》。乾隆卅七年，官修《四庫全書》。由此，內廷與民間大批宋元舊籍得以面世，南宋張淳《儀禮識誤》、李如圭《儀禮集釋》及《儀禮釋宮》等，久佚於世，此時亦從《永樂大典》中輯出。可資參校者，多達十餘種。主校本則有朱熹《儀禮經傳通解》、楊復《儀禮圖》、李如圭《儀禮集釋》、魏了翁《儀禮要義》、敖繼公《儀禮集說》等。

朱熹、楊復、李如圭三氏之書，皆全錄《儀禮》經文及鄭氏注，節錄賈疏。時當南宋，尚見古本，故遠勝於閩、監、毛諸本。敖氏《集說》亦全載經注，且對於鄭注「逐字研求，務暢其旨」㉖，卷末各附文字正誤及敖氏考辨，可與朱熹書參互讎校。魏氏《要義》久佚，復現人世，盧文弨曾手撫目睹，確是宋槧，爲朱熹未及見者。此書分段錄賈《疏》，可資乙正處甚多。

明刻本可道者，有陳鳳梧所刻《儀禮注疏》。陳本爲監、毛本所自出，訛誤自少。顧炎武據石經校出監本五處脫文，除〈鄉射禮〉「士鹿中」下所脫注文外，陳本均不脫。金日追據陳本讎校，亦每有所得。以〈士昏禮〉爲

㉔ 同前注。

㉕ 張爾岐：《儀禮鄭注句讀序》。

㉖ 《四庫全書總目》卷21。

例，「葅醢四豆」，葅字誤，當從陳本作菹；「席于北牖下」，牖字誤，當從陳本作墉；「命之辭日」，辭爲衍字，陳本不衍。楊守敬云：陳本與其後發現之嚴州本、徐氏本「取源自異，其足與嚴州、徐氏互證者，正復不少。」㉗

乾隆一朝，頗有讎校《儀禮》者，除去乾隆四年重雕《十三經注疏》外，又有沈廷芳《儀禮正字》、金日追《儀禮經注疏正訛》、阮元《儀禮石經校勘記》、盧文弨《儀禮注疏詳校》等。校勘者皆竭盡心力，參校本亦時有新出，使《儀禮》面貌一新。乾隆四年本《儀禮注疏》，「尤極審正，一切字書，悉依正體，凡舊本之錯誤，多所改定。」㉘盧氏之書，「凡經及注疏，一字一句之異同，必博加考定，歸於至當。」㉙金氏之書，王鳴盛贊曰：「而今而後，此經可以毫髮無遺憾矣。」㉚平心而論，上引諸書，均未能盡掃落，其根源在未能見單注單疏善本，所據諸本雖不無長處，然皆不足以爲規。盧文弨已有識於此：

> 《儀禮》一書，自宋以來相傳之注疏已有訛錯，如朱子《通解》、黃勉齋《通解續》、楊信齋《圖》、魏華父《要義》所引，亦與今本大概相同。㉛

盧說至確。筆者曾以《通解》與北監本《儀禮》比勘，同誤處比比皆是：〈士相見禮〉「若嘗爲臣」，嘗誤作常；〈鄉飲酒禮〉「司正升立于序端」，序誤作席；〈鄉射禮〉「賓與大夫坐反奠于其所」，脫坐字；〈聘禮〉「門外米禾皆二十車」，二十誤作一十；〈大射儀〉「大史在干侯之東北」，大史誤作大夫；〈燕禮〉「烹于門外東方」，前脫其牲狗也四字，《通解》又將此四字誤置「陳饌器」下之記文內；〈喪服〉「大夫去君埽其宗廟」，埽誤

㉗ 楊守敬：《日本訪書志》卷1。
㉘ 盧文弨：《儀禮注疏詳校·凡例》。
㉙ 凌廷堪：《儀禮注疏詳校序》。
㉚ 王鳴盛：《儀禮經注疏正訛序》。
㉛ 盧文弨：《儀禮注疏詳校·凡例》。

作歸；〈既夕〉「眾主人東即位」，脫主字；〈特牲饋食禮〉「出立于戶西南面」，脫戶字；〈有司徹〉「宰夫執薦以從」，薦誤作爵；「受爵酌獻侑侑拜受三獻北面答拜」，此十四字誤重。諸如此類，不勝枚舉。盧氏以精於校讎而聞名，而盧校本不能成善本，無它，在底本不精。所可斷言者，若不能得宋槧注、疏之善本，而僅據此類轉錄注疏之書，則《儀禮》校勘難有盡期。

嘉慶初，黃丕烈訪得《儀禮疏》一部，已闕卷三十二至三十七，尚存卷一至三十一，卷三十八至五十，共四十四卷。因首尾完具，知原書爲五十卷，與清代通行之四十二卷不同。此書不錄經注，僅有賈公彥疏文，當即單疏本。有關《儀禮》單疏本之記載，始見於陳振孫《直齋書錄解題》，稱「《儀禮》五十卷」。其後，馬端臨《文獻通考》、黃佐《南雍志·經籍志》所載亦同。馬氏又記是書曰：「景德中官本《儀禮疏》，……正經注語皆標起止，而疏文列其下。」[32]黃氏所得，亦注語皆標起止，卷數亦同。且每卷結銜曰：「唐朝散大夫行太學博士弘文館學士臣賈公彥等撰」，書末列崔偓、呂蒙正等十四人官銜，皆宋槧古式，故斷此書爲宋景德官本《儀禮疏》。

《儀禮》單疏本之發現，於《儀禮》校勘意義重大。其一，「訂正來自《經傳通解》轉改之失」[33]。此前，校勘者無從得見賈《疏》原貌，因朱子《通解》多錄賈疏，故據以轉校疏文。然朱子書於賈《疏》，既非全錄，又多潤飾。賈書晦澀，朱子爲便於閱讀計，曾細加爬梳，多有刪削，或移易前後，或增成其義。不得視其爲賈氏原疏。時單疏本未見，學者不察於此，遂以《通解》爲準的，刊正諸本，至有成笑柄者。如金日追《儀禮經注疏正譌》，「專以朱子爲正，忘賈疏前文之所有，而遽以後文爲脫去，輒以《通解》補之」[34]，久爲學者詬病。今單疏本出，校勘者可徑直就正，不必再依傍《通解》。其二，單疏本均每節標有經注「某某字至某某字」，即所謂起止語，

---

[32] 馬端臨：《文獻通考》卷180。

[33] 顧廣圻：《重刊宋本儀禮疏序》。

[34] 盧文弨：《儀禮注疏詳校·凡例》。

此等文字猶存部分經注之舊，每每可確定校勘中之是非，而各本早已將其「刊落竄易殆盡」，故尤覺可貴。顧廣圻以單疏本校通行本《儀禮注疏》，「凡正訛補脫，去衍乙錯，無慮數千百處，神明煥然，爲之改觀。」㉟此爲顧炎武、張爾岐、盧文弨輩所不曾夢見者，黃丕烈稱其爲「於宋槧書籍中爲奇中之奇、寶中之寶，莫與比倫者也」㊱，並不爲過。

數年後，黃丕烈又訪得嘉定狀元王敬銘舊藏《儀禮鄭氏注》十七卷，每半頁八行，行十七字，雖未記刊刻時地，然每卷末雙行記經注字數，書末又總記經記字數，皆宋版舊式。張淳《儀禮識誤》校語所引，有南宋嚴州本者十餘條。顧廣圻以此本與之對勘，「無一不合，其爲嚴州本決然矣」㊲。黃丕烈亦取二者詳校，定爲宋嚴州單注本，但爲「忠甫未見未訂之本」㊳。

張淳（字忠甫）於乾道八年校定《儀禮》時，參校本有北宋監本、京師巾箱本、杭州細字本及嚴州本等四種。北宋監本乃沿用五代刻本，爲宋刻祖本。細字本及巾箱本分別爲北宋南北方之翻刻本。嚴州本係以巾箱本爲底本翻刻者，雖晚在南宋，但經精校，訛脫反較監、杭、巾箱諸本爲少，乃宋刻中之善本㊴，其校勘價值，自不待贅言，是爲清人首見之宋刻《儀禮》單注本，頗爲校勘家推崇。

越數年，清人又求得徐氏刻《儀禮鄭氏注》。東吳徐氏於嘉靖翻刻宋本三禮，而以《儀禮》最精審，原書久逸，至此復出。因卷首有「佐文庫」印，殆得自日本國㊵。行格與嚴州本同。每卷末所記經注字數大多與嚴州本同，僅四卷略有出入。書末無經注總字數。全書敬字皆缺筆，但徵、讓等字不避，陳鱣疑其爲「天聖以前本」㊶。天聖爲北宋仁宗年號，如是，是本之原尚在

㉟ 顧廣圻：《重刻儀禮注疏序》。

㊱ 黃丕烈：《百宋一廛書錄》。

㊲ 同前注。

㊳ 黃丕烈：《宋嚴州本儀禮經注疏精校重雕緣起》。

㊴ 參閱張淳：《儀禮識誤序》。

㊵ 參閱丁丙：《雁影齋讀書記》。

㊶ 陳鱣：《宋本儀禮注疏跋（明覆本）》。

嚴本之前，彌足珍貴。陳氏以此本與唐石經相勘，顧炎武所指監本之脫落者，「此本一一皆在，其注亦無不在焉」，「又注之可以訂正今本者甚多」[42]，又《儀禮識誤》所引嚴本十餘條，驗之徐氏本，「皆與之合」[43]。陳氏舉證明監本訛脫而徐本不誤者，達百又十九例之多，葉德輝以徐氏本與嚴州本相較，嚴州本誤而徐氏本不誤者，又有六十五處之多[44]，間有眾本皆非而徐本獨是者，如〈鄉射禮〉鄭注「古文而后作後非也孝經說然後曰」十四字，各本皆闕，此本獨全，「凡注疏闕者，此本俱有」[45]。足見徐本又有勝於嚴州本者。

上揭單注、單疏皆善本，然清人亦再精校熟讎，使臻完美。若嚴州本，未末、凡几互訛，袓或訛祖、或訛租，它如西爲酉、夫爲大、冢爲家之類，亦時有所見。黃丕烈遂以陸氏《釋文》、賈疏、張氏《識誤》、李氏《集釋》等四家之書校訂之，而後刊行。張敦仁（字古餘）萃刻《儀禮注疏》，合嚴州本與景德官疏本爲一書，亦先後邀高手精校，故顧千里稱其爲善本。阮元刻十三經注疏，多以宋十行本爲底本，《儀禮》則另用士禮居所校嚴州本及景德官疏本爲底本。十行本多元明補版，非善刻，故《儀禮注疏》優於群經。胡培翬撰《儀禮正義》，又得見徐氏本，故其校彌精，校勘精則注釋、考辨益密。清人之《儀禮》校勘，使落葉盡掃，善本之功居其首矣。

善本之功用之一，在回校傳本之錯誤。《儀禮》之善本晚至嘉慶初方漸次而出，故此前之校勘無善本可據，其困難可想而知。然清人以其學識，依然多有建樹，所校訛誤，往往與後出之善本暗合，令人稱奇。如〈士冠禮〉「遂以摯見于鄉大夫、鄉先生」，鄉大夫之鄉字，石經及各本（含嚴州本）均同。然劉端臨以鄉爲卿之誤，其一，《禮記・冠義》孔疏引此語作卿大夫，是其所見《禮記》本作卿大夫。其二，據此注賈疏文意，知賈氏所見《儀禮》

---

[42] 同前注。

[43] 同前注。

[44] 葉德輝：《郋園讀書志》卷1。

[45] 丁丙：《善本書室藏書志》卷2。

本亦作卿大夫。其三，《釋文》鄉字無音，而於〈冠義〉鄉大夫、鄉先生並音香，故各本皆改卿爲鄉。其四，「見于卿大夫」與《國語》「趙文子冠，遍見六卿」相合㊻，王引之《經義述聞》亦同劉說，且又補數證：宋明道本《國語》韋注引《禮》亦作卿大夫，足證陸氏《釋文》之誤；《初學記》禮部下引《儀禮》此語，亦作卿大夫，則唐時不獨孔、賈如此。盧文弨、程瑤田等均斷作卿。待徐氏本出，果然作卿，劉說已成定讞。

又如〈既夕〉「御者四人，皆坐持體」下，監、毛本及《通解》、《儀禮圖》等皆有「男女改服」四大字及注「爲賓客來問病亦朝服主人深衣」十三字。彭元瑞《石經考文提要》云，「男女改服」及注，本爲《禮記・喪大記》文，因《通解》集附於〈士喪禮〉下，遂誤入《儀禮》，盧文弨《儀禮注疏詳校》亦以此文爲羼入，當盡刪之。金日追《儀禮正訛》及戴震《儀禮集釋》校語，皆辨其誤。檢之嚴州本、徐氏本，均無此十七字，諸家所論至確。

限於篇幅，此處恕不備舉其例，讀者可參閱本文第四節。

三、對《釋文》之研究及利用

《釋文》即《經典釋文》，陸德明撰，成書於隋滅陳（589）前後。此書「所采漢魏六朝音切凡二百三十餘家，又兼載諸儒之訓詁，證各本之異同，後來得以考見古義者，注疏之外，惟賴此書之存」㊼，人稱「六朝以前經文之淵海」㊽。全書共三十卷，其中《儀禮音義》一卷，所注釋詞目約三百條，由此可以考見唐以前《儀禮》部分文字之字形及音義。

最早將《釋文》用於《儀禮》校勘者爲南宋張淳。張氏將《儀禮音義》諸條一一驗之於《儀禮》，多有不合。如〈士昏禮〉「受笲腶脩升」，《釋文》：「段脩，丁亂反，本又作腶。」是陸氏所見《儀禮》腶字作段，腶爲

㊻ 說詳《端臨遺書》。

㊼ 《四庫全書總目》卷33。

㊽ 葉德輝：《郋園讀書志》卷1。

又作之本，當以段字爲正。今驗之石經，亦作段，朱梁重刻訛作暇。張氏以段訂腵，至確。再如〈士喪禮〉鄭注「將縣重者也」。《釋文》釋重字云「于重同。」是陸氏所據之本重字前有于字。案諸文意，有于字爲安。張氏遂據補于字。又如《儀禮》習見之廟字，諸本或作廟，或作庿，一書之內，雜然紛陳，令人莫知所從。《釋文》：「庿，劉昌宗音廟，按庿古廟字。」張氏據此而知經不當復有从朝之廟字。又，〈少牢饋食禮〉鄭注引《春秋》「禘于大廟」，廟字亦从苗，可知注亦不當作廟。張氏所據《儀禮·士冠禮》經注皆作庿，〈士昏禮〉以下始有从朝者，愈後則从朝者愈多，張氏所見湖北漕司刻本，全書皆从朝，不審之尤。張氏遂從《釋文》，悉改廟爲庿，極是。諸如此類，張氏收穫甚多。

張淳以《釋文》校《儀禮》之成績，清人極爲重視，校勘者無不引及之。然張淳引《釋文》，乃一切以《釋文》爲準，盡歸其說。清人之於《釋文》，如同唐石經，先求諸《釋文》本身，考校研究之，以求認識之堅實，至《釋文》與《儀禮》之異同，則平心審斷，唯從其是。

《釋文》之宋刻，清人無從得見，行世者爲明末葉林宗鈔本，葉鈔本乃據錢謙益絳雲樓藏宋本迻寫，然多有脫誤。清初徐乾學曾將葉鈔本校訂後刊印，即通志堂本。乾隆末年，盧文弨手校重刻葉鈔本，是爲抱經堂本。其間，惠棟、段玉裁、臧鏞堂、顧廣圻、孫星衍、鈕樹玉、袁廷檮、陳奐、王筠等，或據葉鈔細爲讎校，或按宋刻經傳再加刊正，力圖恢復其舊貌。研究《釋文》之作，亦層出不窮，由此，清人對《釋文》之理解，遠較張淳深刻。

其一，《釋文》經宋人臆改，已失眞面。《釋文》與諸經注疏原本別行，各自爲書，宋人爲省兩讀，乃取《釋文》附於注疏之下。然《釋文》與經注文字時有不合。古來所傳經典，皆非一本，若《儀禮》於漢有大戴、小戴、劉向、慶普等四種傳本，文字不能盡歸於一。故陸德明所見《儀禮》之本，與賈公彥所見不能盡同，各據所見而釋，宋人不察，遂妄加竄易，「非強彼以就此，即強此以就彼，欲省兩讀，翻致兩傷」[49]。又，六朝音切，舌上與

---

[49] 盧文弨：《重雕經典釋文緣起》。

舌頭，輕唇與重唇不分，《釋文》音釋亦多如此，宋人則疑其不諧，私為更改，致失原書之真。清人有識於此，故極審慎，不以《釋文》為準繩。

其二，《釋文》多俗字。六朝人好用俗字。如飯，古音反讀如變，與卞音近，故俗作飰。又如校、挍本一字，挍乃校隸變而成之俗字。後人不知，或以俗字為正字，「六朝俗師妄生分別，元朗亦從而知之，顛倒甚矣」[50]。如〈聘禮〉鄭注：「紡，紡絲為之，今之縳也。」縳，《釋文》作繐。又，〈喪服〉鄭注引《禮記·內則》文，孺子字，《釋文》作孺。又〈燕禮〉「袒朱襦」，襦，《釋文》作襦。稽之《說文》，有縳、孺、襦，而無繐、孺、襦，可知前者為正體，後者為俗字。陸德明不能辨，張淳則襲其誤，處處以《釋文》俗字轉改經注正字。又如〈士冠禮〉「徹筵席」，鄭注：「徹去也。」徹，《釋文》作撤。案《說文》有徹無撤，徹去之徹，古皆作徹，不从手，撤亦後起俗字。張淳疏於字學，以俗易正。凡此種種，清人皆逐一審奪，還歸於正。[51]

其三，《釋文》時有誤字。隋唐時，《說文》之學尚不發達，故學者於字形異同多不深究，亦不知取正於《說文》，陸德明亦不免於此。若〈聘禮〉經注，鉶字凡六見，《釋文》均作鈃。鉶、鈃雖同音刑，然絕非一字。《說文》云，鉶為祭器名，鈃乃樂器名，不得相淆。《禮記》間有鉶字而作鈃者，乃同音假借，本字仍當作鉶。又如〈士昏禮〉之冪字，《釋文》作鼏。案《周禮》有冪人、幎人，冪乃幎之變體，或訛作冪、冪。冪為覆食器之巾，鼏乃鼎蓋，雖同有覆蓋義，然究非一字。《釋文》混同為一，張淳則沿訛踵謬。又如〈聘禮〉之齎字，《釋文》作賫。張淳以為齎、賫非一字，齎訓持遺，賫訓資；〈聘禮〉之齎皆當訓資，故從《釋文》改作賫。然《說文》齎字與資字本通，不須橫生分別，且賫、賷皆齎字俗體，並非二字。[52]

清人與宋人同以《釋文》校《儀禮》，然水準懸殊，不可同日而語。宋

---

[50] 錢大昕：《十駕齋養新錄》卷3，〈陸氏釋文多俗字〉。

[51] 詳見《儀禮識誤》戴震校語。

[52] 同前注。

人疏於六書，於文字學鮮有所見[53]，遇有歧異，多不能指其沿革，斷其是非，「往往以習俗相沿之字轉改六書正體」[54]。而清人治學，無不以小學爲根基，故多能識疑斷誤，取正於《說文》。是清人識見高於宋人處。此其一。宋人據《釋文》校改經注文字，大多不記考辨根據，而以「《釋文》作某，從《釋文》」一語結之。清人則不然，凡《釋文》與《儀禮》不合處，必考竟源流，坐實其義，是非皆有出處。是清人學力深於宋人處。此其二。宋人首創以《釋文》校《儀禮》，是知《釋文》者，其功不可沒。然信之過甚，而至「株守《釋文》」[55]，則又入誤區。清人重視《釋文》而不盲目遵從，於《儀禮》之流傳端緒、字體正俗、刻本異同等，無不著力研究，是深知《釋文》者。是清人之成就高宋人一籌也。此其三。

四、長於理校之法

校勘之法，雜然紛陳，眾說不一，陳垣先生歸四端，曰對校、本校、他校、理校。[56]對校者，以同書之祖本或別本，對讀互校。本校者，以本書前後文字互證，校其謬誤。他校者，以引用本書文句之古本與今本對勘。理校者，從本書之訓詁、義理或文勢等發疑，校定是非。四法之中，理校最難，非常人所能爲，唯有通識者能爲之。不得其法者，徒逞臆想，治絲而益棼。精於其法者，善於發疑決疑，而使經義犁然貫通，故「最高妙者此法，最危險者亦此法」[57]。《儀禮》一書，儀節繁瑣，行文多有簡者，不易通讀，加之文字訛舛遠甚於他經，殊難理董。因其學不顯，引之者甚稀，故他校一法，頗難施展。對校之法，亦有限度，版本文字之異同易見，而是非不易遽斷。故校勘者多用本校、理校之法，而以理校之用，最爲精彩。每遇詞句不倫，而無古本可正之時，或數本互異，無所適從之際，或諸本盡同，眾口一辭，

[53] 錢大昕：《十駕齋養新錄》卷4，〈宋人不講六書〉。

[54] 《四庫全書總目》卷32，《儀禮識誤》條。

[55] 同前注。

[56] 參閱陳垣：《元典章校補釋例》。

[57] 同前注。

而義有難安之疑，每每出以理校之法，而屢收奇效。茲以其入手途徑爲端，略作闡述。

其一，由注疏而正經注之誤。《儀禮》經文，時有鄭注竄入，但不與文義乖違，讀之不易察覺，且每每各本皆同，前人鮮有置喙者。顧廣圻曰：「《儀禮》一經，文字特多訛舛，深於此學者，每讀注而得經之誤，又讀疏而得注之誤。」[58]清人多深於此學者，故以此法校經者時有所見。如〈士虞禮〉：「尸左執爵，右取肝，擩鹽，振祭。」初讀之，文意並無扞格之處，且石經及各本皆如是，似無可置疑。然王引之讀此語之鄭注：「取肝，右手也」，細味之，則經文當本無「右」字，倘有之，鄭氏何須加注？故斷言：「右字，後人所加」[59]。其後，胡培翬申述王說：「注云取肝右手者也，以尸左手執爵，則取肝爲右手可知。」[60]足見經文右字，乃因鄭注而竄入者，當刪，其說至堅。再如，〈士冠禮〉「贊者盥于洗西，升，立于房中」文從字順，石經及各本皆如此，前人均不疑。然賈《疏》曰：「盥于洗西無正文。」鄭注曰：「盥于水西，由賓階升也。」揆諸文意，原經當作「贊者盥、升，立于房中」，「于洗西」三字爲衍文。浦鏜曰：「若經有此三字，便是正文，（賈《疏》）何云無也？」[61]朱大韶贊同浦說，認爲鄭氏之注，意在補明經義，「以經但云盥，故云盥于水西。經但云升，故云由賓階升。」[62]頗中鄭注肯綮。「于洗西」三字亦由鄭注而訛入經文者。程瑤田、戴震、胡培翬均同此說，學者至今無異辭。

由上舉二例可知，清人校勘《儀禮》，尤其留意於注疏與經注之驗合，務求經注字字落實，因而善於發現齟齬之處，校出衍文，其讀書之精細，令人欽佩。

其二，由名物制度而考見經注之誤。〈士喪禮〉「死于適室」，鄭注：

---

[58] 顧廣圻：《儀禮疏五十卷（宋刊本）跋》。

[59] 王引之：《經義述聞》。

[60] 胡培翬：《儀禮正義》卷 32。

[61] 浦鏜：《儀禮正字》。

[62] 朱大韶：《實事求是齋經記》。

「疾時處北墉下。」墉，各本同，唯毛本作牖。孰是孰非？若以毛本非善本而斥其非，未免草率，清人不爲也。胡培翬讀下文之記，有「寢東首于北牖下」語，與此相合，似可斷毛本爲誤。然若室中有墉復有牖，則毛本仍可通。爲校定此字之是非，胡氏從考證宮室之制入手，考訂頗詳。

《詩・豳風・七月》「塞向墐戶」，《毛傳》：「向，北出牖也。」據此，似室之北有牖，可爲毛本佐證。然《詩》所云者，爲庶人之室，容有北出之牖，士之燕寢（私室）亦有之，而〈士喪禮〉所記爲宗廟正寢之室，其亦有諸？胡氏引《禮經釋例》所述宮室之制，皆前堂後室，室之南有牖，北惟牆，士大夫以上皆如此。《禮記・郊特牲》云：「薄社北牖，使陰明也。」薄社，亳社也，在殷之舊都，爲亡國之社。「北牖」者，「塞其三面，惟開北牖，使其陰方偏明，所以爲通其陰而絕其陽也。陽主生而陰主殺，亡國之社如此。」(63)足見惟亡國之社有北牖。《禮記・喪大記》云：「寢東首于北牖下」，似又爲北有牖之證，然鄭注云：「或爲北墉下。」又《釋文》：「牖，舊音容。」是牖爲誤字，殆因形近而改，當從或本作墉爲是。故〈喪大記〉之語，仍不足爲北牖之證。胡氏又遍舉文獻之語，證明室無北牖：若《論語》「伯牛有疾，自牖執其手。」皇《疏》：「牖，南窗也。君子有疾，寐于北壁下，東首。今師來，故遷出南窗下。」皇疏言北壁、南窗，可知北墉即北壁。《禮記》之〈檀弓〉、〈坊記〉諸篇，均有「飯于牖下」之文，胡氏推斷曰：「惟室南有牖，北無牖。室內止有一牖，故言牖下，即知其處，不必分別南北。」(64)反之，室之北方有墉無牖，如〈士昏禮〉「婦廟見席于北方」，鄭注：「北方，墉下。」文獻絕無北方有牖之例。至此，胡氏斷言，毛本作牖爲非。

牖、墉之辨，涉於古代貴族宮室之制，其制至清多已湮沒，復之無由，文獻記載，往往牖墉互誤，考證至爲不易。胡培翬細爲爬梳，使是非隱現，實屬難能。此外，尚有以禮器、樂器、服飾之制用於校勘之例，均極成功，

(63) 孫希旦：《禮記集解》卷 25。
(64) 胡培翬：《儀禮正義》卷 26。

此不備舉。

其三，以全書通例校定經文。《儀禮》中又有注疏亦無從發疑決疑者，清人則求諸通例。若〈特牲饋食禮〉：「肝從，左執爵，取肝擩于鹽，坐振祭，嚌之。」句中「坐」字，宋李如圭疑爲衍字，元敖繼公、吳澄均從其說。吳澄曰：「上文云『坐捝手』，至此尚未興，不當復言坐。」[65]此說似極有理。然清人不隨聲附和，必獨立思考。褚寅亮見〈少牢饋食禮〉於賓尸、賓羞燔之後亦有「坐振祭」之文，而疑「豈兩處皆衍乎？」又見《禮記·少儀》曰：「其有折俎者，取祭肺，反之，不坐，燔亦如之」，乃恍然而知，古禮就俎取祭品必興；祭畢，將所祭之物返於俎亦必興，唯祭時坐。故此文「取肝擩于鹽」，必已興起，「經言坐祭，正見其興而起也」[66]。盛世佐曰：「凡振祭皆坐，特於此見之耳」[67]。可見，坐字不衍，李如圭、吳澄之說失之。

清人校勘，善於貫通全書，把握義例，從大體著眼，絕不就字論字，故雖無古本可參，所校仍堅不可移，遠較宋元諸儒精深。

其四，由文例、辭氣校經之誤。〈喪服〉曰：

> 女子子嫁者未嫁者，爲世父母、叔父母、姑、姊妹。
>
> 傳曰：嫁者，其嫁于大夫者也。未嫁者，成人而未嫁者也。何以大功也？妾爲君之黨服，得與女君同。下言爲世父母、叔父母、姑、姊妹者，謂妾自服其私親也。

「傳曰」以下五十六字，唐石經及各本皆如此。然細審其文義，實有費解者，若傳曰「下言」云云，與經文無可繫屬，顯有錯亂。賈公彥作疏至此，即生疑竇，以爲「下言」二字及「者謂妾自服其私親也」九字共十一字，「既非

[65] 吳澄：《儀禮考注》。
[66] 褚寅亮：《儀禮管見》。
[67] 盛世佐：《儀禮集編》。

子夏自著，又非舊讀者自安，是誰置之也？今以義，必是鄭君置之。」68賈氏以「傳曰」最末二十一字分爲兩段，以「爲世父母、叔父母、姑、姊妹」等十字仍爲經之傳文，而以其前後十一字爲鄭玄所加。宋元諸儒均不能移易其說。

清人最先詰難賈說者爲戴震，戴氏反對賈《疏》強分二十字爲兩段，「經既見『爲世父母、叔父母、姑、姊妹』十字，〈傳〉不應重見此十字而絕不釋其意，是二十一字通爲鄭注無疑。」69戴氏所論，入情入理，今驗之武威所出之漢簡〈服傳〉，亦無此二十字，其識見令人驚嘆。乾隆五十八年，阮元奉詔校勘《儀禮》石經，亦以此二十一字爲鄭玄之注，擬改傳歸注70，可謂所見略同。

戴氏進而指出，本節經文之鄭注，末言「大夫之妾爲此三人之服也」，〈傳〉之鄭注曰：「此不辭……」，文意殊不相貫，當以前述之二十一字鄭注插入其間，「凡五十六字，一氣連貫，不可截斷」。戴氏以前二十一字爲錯簡而誤置於此，極是，秦蕙田、孔廣森、胡承珙等均同此說。

盛世佐以爲，此節文字尚有賈氏未識之疑點，〈傳〉曰「何以大功也？妾爲君之黨服，得與女君同」，此十六字與經文無涉，經未言及「大功」，傳何從釋之，顯然不合注疏文例。盛氏曰：此十六字「當在上經『大夫之妾爲君之庶子』下，而脫簡在此」71。如此，文意始得貫通無滯。胡培翬復以此十六字爲「大夫之妾爲君之庶子」之傳文，則辭氣亦無礙，甚是。

此節文字自漢唐以來即已雜亂無次，糾結不清，然經戴震、盛世佐、胡培翬等多方推敲，分之爲三，使兩段錯簡各歸原位，再無糾葛，堪稱理校典範，足啓來者。

清人之《儀禮》校勘，起步之艱辛，非諸經可比，而成就之卓著，亦非

68 賈公彥：《儀禮注疏》卷 31。

69 戴說見《儀禮集釋》（武英殿聚珍版）校語。下同。

70 阮元：《揅經室集一集》，卷 2，〈儀禮喪服大功章傳注舛誤考〉。

71 盛世佐：《儀禮集編》。

諸經能匹，其中頗有發人深思者。鄙見以爲，主要原因有三。從社會原因而言，清廷對經學之提倡，使《儀禮》得以恢復其群經之一之地位，故傳習者日甚一日。或畢生傾力於此，或此經與群經兼治，至績溪胡氏，四世專治《儀禮》，古今罕有。漢族志士爲捍衛民族文化，藉機推動禮學研究，使《儀禮》之學勃興。此其一。從《儀禮》研究本身而言，則爲視野開闊，宏觀與專題並進。有關《儀禮》之研究，幾乎無所不及。通考禮書者如徐乾學《讀禮通考》、秦蕙田《五禮通考》、黃以周《禮書通故》；通解《儀禮》經義者如盛世佐《儀禮集編》、焦義恕《儀禮彙說》、蔡德晉《禮經本義》、方苞《儀禮析疑》、王士讓《儀禮紃解》等；研究《儀禮》目錄者如臧鏞《儀禮目錄》、胡匡衷《儀禮目錄校證》；辨別今古文者如胡承珙《儀禮古今文義疏》；研究禮法通例者如凌廷堪《禮經釋例》；研究宮室者如洪頤煊《宮室答問》、張惠言《儀禮宮室圖》、萬斯大《宮室圖》、焦循《群經宮室圖》等；研究官職者如胡匡衷《儀禮釋官》；研究服制者如萬斯同《喪服》、程瑤田《喪服文足徵記》、汪士鐸《服帶考》等；研究聲讀者如段玉裁《儀禮漢讀考》，等等，不能備舉。此皆專論《儀禮》者，兼論《儀禮》者如王引之《經義述聞》、于鬯《香草校書》等尚不在內。《儀禮》之文字校勘，有賴於經義之理解，而經義之理解則不離文字之校正，兩者相輔相成，不可或缺。至凌廷堪《禮經釋例》，將前人研究成果總結提煉，歸納各色儀節，創爲通例，尤有助校勘。如此交匯融通，校勘之有飛躍，宜矣。此其二。從相關學科之影響而言，亦不無作用。清代學術以經學爲主幹，經學之發展，要求文字、音韻、訓詁之學、版本學、目錄學、金石學、文獻學、考據學等學科有相應之發展，而上述各學科在清代均極發達，故又轉而促進經學研究之深入。《儀禮》校勘亦頗受益於各相關學科，本文所舉之例，多有可印證者。此其三也。

清代經學臻於極盛，校勘之功不可沒，捨此，則難以眞正認識清代學術之特色。然校勘之學今又復衰，或以爲不足道，或不能道，有感於此，草爲此文，既請益於方家大雅，亦有深意存焉。

經 學 研 究 論 叢
第 五 輯　　頁181～192
臺灣學生書局　1998年8月

《左傳》與兩漢經學

郭　丹*

《左傳》之學從戰國到西漢一直傳承不絕。秦始皇焚《詩》、《書》、坑儒士，但卻無法禁絕《左傳》的流傳。據《漢書・儒林傳》記載：

> 漢興，北平侯張蒼及梁太傅賈誼、京兆尹張敞、太中大夫劉公子皆修《春秋左氏傳》。誼爲《左氏傳》訓故，授趙人貫公，爲河間獻王博士，子長卿爲蕩陰令，授清河張禹長子。禹與蕭望之同時爲御史，數爲望之言《左氏》，望之善之，上書數以稱説。後望之爲太子太傅，荐禹於宣帝，徵禹待詔，未及問，會疾死。授尹更始，更始傳子咸及翟方進、胡常。常授黎陽賈護季君，哀帝時待詔爲郎，授蒼梧陳欽子佚，以《左氏》授王莽，至將軍。而劉歆從尹咸及翟方進受・由是言《左氏》者本之賈護、劉歆。

這一段記載可以告訴我們，從漢初至西漢末《左傳》之學的傳承情況。漢初有張蒼、賈誼、張敞、劉公子等人傳習《左傳》。在諸侯王中，則有河間獻王劉德自立貫公爲《左氏》學博士。漢宣帝時，張禹、蕭望之爲《左氏》名家；尹更始以下，傳者更眾。據《漢書》載，翟方進授田終術，胡常授賈護，賈護授陳欽，陳欽授王莽。成、哀之世，還有王龔、王舜、崔發之徒皆通《左

---

* 福建師範大學中文系教授

傳》。劉歆，則从尹咸與翟方進受《左氏》學。所以，從漢興至西漢末，《左氏》之學一直不絕如縷。

這裏，還應該提到的是司馬遷。這位師從公羊大師董仲舒的偉大史學家，卻是推崇古文學的《左傳》。司馬遷作《史記》，《春秋》、《左傳》、《國語》是他所引據最重要的文獻。《史記》中春秋二百多年的歷史事實，主要採自《左傳》、《國語》；《十二諸侯年表》，所據主要也還是《左氏春秋》、《國語》和《春秋歷譜牒》，司馬遷在《十二諸侯年表序》中首次認定左丘明、《左傳》與孔子有直承的關係，《左傳》爲解經之作，是「魯君子左丘明懼弟子人人異端，各安其意，失其眞，故因孔子史記具論其語，成《左氏春秋》」。這一段話，成爲後代主《左傳》傳經說者最主要的依據。後來今文學博士范升與古文學派爭論，范升曾向光武帝「奏左氏之失凡十四事。時難者以太史公多引左氏，升又上太史公違戾五經、謬孔子言及《左氏春秋》不可錄三十一事」（詳見下文）。在今文博士眼裏，司馬遷即使不算離經叛道，也已是古文學派陣營中人。這些都可以說明，儘管西漢時期《左傳》未立於學官，只在民間流傳，但所產生的影響與作用卻不可低估。

但是，西漢二百多年，是以《春秋公羊》學爲代表的今文經學統治的時代。自漢文帝起，開始立經書博士。《史記・儒林傳》說：「言《詩》於魯則申培公，於齊則轅固生，於燕則太傅。言《尙書》自濟南伏生，言《禮》自魯高堂生。言《易》自菑川田生。言《春秋》於齊魯自胡毋生，於越自董仲舒。」以後博士逐漸增加，《易經》分四家，《尙書》分三家，《詩經》三家，《儀禮》兩家，《公羊春秋》兩家，繁衍爲十四家博士。然而沒有《左氏》學。

漢王朝建立以後，政治統治初定，但是意識形態領域仍然混亂異常。朝廷崇尙的黃老之學，其「無爲而治」的思想導致的是吳楚七國之亂。因此，在七國之亂平定之後，全國政治統一穩定之時，漢朝統治者便認識到統一意識形態重要性。他們急需能對大一統的漢帝國起鞏固作用的學術和理論，於是，以今文學派爲代表的「經學」便應運而生。公元前一四〇年，漢武帝即位。即位之後，漢武帝召集全國文學之士，親自出題考試，親自閱卷，選取了《公羊》學大師董仲舒、公孫弘爲首列，崇尚儒學，排斥非儒學的諸子百家，實行學術統一。

漢武帝崇尚儒學，實質是崇尚《春秋公羊》學。《春秋經》是孔子正名分以誅亂臣賊子的著作，最適合漢家改制的需要。王充《論衡》云：「董仲舒表《春秋》之義，稽合於律，無乖異者。然則《春秋》漢之經，孔子制作，垂遺於後。孔子曰：『文王既沒，文不在茲乎？』文王之文，傳在孔子。孔子爲漢制文，傳在漢也。」正如錢穆先生所說，「《春秋》是一種新王法，不啻是孔子早爲漢廷安排了」。（錢著《兩漢經學今古文平議·孔子與春秋》）以漢武帝選中《公羊春秋》，正切合於他的政治需要。

董仲舒的《春秋公羊》學，正是迎合著漢代統治者需要而產生的。董仲舒的《公羊學》要義有三：一即「天人感應論」。「天不變，道亦不變」，公羊家大力宣揚「天人合一」的學說，爲皇權政治找到了神學和哲學的理論依據，二是「大一統」的主張，「人臣無將，將而誅」，皇權大一統，臣下不得擅權，這就爲封建專制制度提供了理論根據。三是「罷黜百家，獨尊儒術」，凡不屬於《六經》，不符合孔子學說的異端，一律廢絕不用，在意識形態領域完成了大一統的任務·由此，春秋公羊學作爲官方哲學，統治著西漢時期整個意識形態領域。

但是，今文經學發展到西漢末年，日益流爲章句之學，「分文析字，煩言碎詞」，尋章摘句，無限演繹，支離蔓衍，日益走向煩瑣。再者，董仲舒用陰陽五行附會經義，大大增加了迷信的成份，再加上西漢讖緯之學的興盛，使經學走向神學化。於是，保持樸學傳統、注重訓詁和史事、較少迷信成分的古文經學驟興。這也是歷史發展的必然。

從西漢到東漢，今古文經學有四次大論爭：「第一次是劉歆（古）和太常博士們（今）爭立《毛詩》、《古文尚書》、《逸禮》、《左氏春秋》。第二次是韓歆、陳元（古）和范升（今）爭立《費氏易》及《左氏春秋》。第三次是賈逵（古）和李育（今）。第四次是鄭（古）和何休（今）爭論《公羊傳》及《左氏傳》的優劣。」（《周予同經學史論著選集》，頁 10）由此可見，幾乎每一次爭論都是圍繞著《左傳》展開。

古文經學的開創人是劉歆。劉歆對於古文經學的貢獻，又是從爭立《左傳》於學官開始的。據《漢書》本傳記載：

> （成帝）河平中，受詔與父向領校秘書。……歆及向始皆治《易》，宣帝時，詔向受《穀梁春秋》，十餘年，大明習。及歆校秘書，見古文《春秋左氏傳》，歆大好之。時丞相史尹咸以能治《左氏》，與歆共校經傳。歆略從咸及丞相翟方進受，質問大義。初《左氏傳》多古字古言，學者傳訓故而已，及歆治《左氏》，引傳文以解，轉相發明，由是章句義理備焉。歆亦湛靖有謀，父子俱好古，博見彊志，過絕於人。歆以爲左丘明好惡與聖人同，親見夫子，而公羊、穀梁在七十子後，傳聞之與親見之，其詳略不同。歆數以難向，向不能非間也，然猶自持其《穀梁》義。

這裏的要害有二條，一是劉歆「引傳文以解經，轉相發明，由是章句義理備焉」。在劉歆之前，《春秋》與《左傳》各自別本單行，劉歆「引傳文以解經」，就將《左傳》與《春秋》掛起鈎來，成爲「解經」之作，《左傳》亦側身「經學之列」，由「傳訓故」的訓詁之學變成義理之學。二是左丘明「親夫子」，「好惡與聖人同」，相比之下，《公》、《穀》只是「傳聞」而得罷了。《左傳》不但來自於孔子嫡傳，而且在《公》、《穀》之前。這樣，《左傳》與《春秋》的關係是無與倫比的，立於學官更是理所當然。所以，「及歆親近，欲建立《左氏春秋》及《毛詩》、《逸禮》、《古文尚書》皆列於學官」。但是這個建議遭到今文學家的激烈反對，「哀帝令歆與五經博士講論其義，諸博士或不肯置對」。《漢書》本傳上說「諸儒皆怨恨」，可以想見今文學家的態度和鬥爭之激烈。由是劉歆寫了著名的《移書讓太常博士》。據歆書，今文學家攻擊劉歆的要害是「左氏不傳春秋」；大司空師丹「奏歆改亂舊章，非毀先帝所立」；左將軍公孫祿斥其是「顛倒五經，變亂家法」等等。今文學家的激烈攻擊，以致劉歆「懼誅，求出補吏，爲河內太守」，以暫時的退卻而告一段落。直到漢平帝時，王莽總攬朝政，欲奪西漢政權，政治上籠絡各派勢力，經學上也要容忍古文經學的興起，加之他自己學過左氏學，又劉歆少時曾與莽「俱爲黃門郎」，得老朋友政治勢力之助，《左傳》遂立於學官。「平帝時，又立《左氏春秋》、《毛詩》、逸《禮》、古文《尙書》，所以罔羅遺失，兼而存之，是在其中矣」（《漢書．儒林傳贊》），古文經學總算擠進了官學的殿堂。

東漢光武帝即位，取消古文博士，提倡今文學，《左傳》又成爲私學。不過士林中盛行古文，且成績超過官學，爭論再次興起，已是不可避免。

東漢光武帝建武年間，「尙書令韓歆上疏，欲爲《費氏易》、《左氏春秋》立博士」，（《後漢書．范升傳》）建武四年（28 年）正月．光武帝親自於雲台召見公卿、大夫、博士，組織了一次辯論會，由今文學家范升與古文學家韓歆、許淑等展開辯論。接著范升又與古文家陳元論爭。范升還「奏《左氏》之失凡十四事」，以爲不可立之理由。如此反覆論爭，「凡十餘上」，才使得「帝卒立《左氏》學」，並以李封爲博士。雖如此，爭論並沒有結束，「諸儒以《左氏》之立，論議讙譁，自公卿以下，數廷爭之」。（〈陳元傳〉）今文學家看來是不肯輕易罷休了。

這次鬥爭，雙方的論爭針鋒相對，據《後漢書》記載，范升的理由是：

> 曰：「《左氏》不祖孔子，而出於丘明，師徒相傳，又無其人，且非先帝所存，無因得立。」
>
> 陛下愍學微缺，勞心經藝，情存博聞，故異端競進。近有司請置《京氏易》博士，群下執事，莫能據正。《京氏》既立，《費氏》怨望，《左氏春秋》復以比類，亦希置立。《京》、《費》已行，次復《高氏》；《春秋》之家，又有《騶》、《夾》。如令《左氏》、《費氏》得置博士，《高氏》、《騶》、《夾》，五經奇異。並復求立，各有所執，乖戾分爭。從之則失道，不從則失人，將恐陛下必有厭倦之聽。……今《費》、《左》二學，無有本師，而多反異，先帝前世，有疑於此，故《京氏》雖立，輒復見廢。……陛下草創天下，紀綱未定，雖設學官，無有弟子，《詩》、《書》不講，禮樂不修，奏立《左》、

>《費》，非政急務。……

陳元則曰：

> 陛下撥亂反正，文武並用，深愍經藝謬雜，眞僞錯亂，每臨朝日，輒延群臣講論聖道。知丘明至賢，親受孔子，而《公羊》、《穀梁》傳聞於後世，故詔立《左氏》，博詢可否，示不專己，盡之群下也。今論者沈溺所習，翫守舊聞，固執虛言傳授之辭，以非親見實事之道。《左氏》孤學少與，遂爲異家之所覆冒。……案升等所言，前後相違，皆斷截小文，媟黷微辭，以年數小差，掇爲巨謬，遺脫纖微，指爲大尤，抉瑕擿釁，掩其私美，所謂「小辯破言，小言破道」者也。升等又曰：「先帝不以《左氏》爲經，故不置博士，後主所宜因襲。」臣愚以爲，若先帝所行而後主必行者，則盤庚不當遷于殷，周公不當營洛邑，陛下不當都山東也。……

范升爲了維護今文學的正統地位，把《費》、《左》皆斥爲「異端競進」，怕由此引起混亂，不利於意識形態的統一；又認爲二者非先帝所存，不得據以再立；再說天下草創，增立博士非當務之急。更關鍵的，則是《左傳》不祖於孔子，非傳經之作。陳元則反駁說，陛下撥亂反正，天下甫定，即詔立《左氏》，委實英明；范升抓住一些細微末節，指小疵爲大尤以攻擊《左氏》，不足以爲據。（所謂「年數小差」，指的是《春秋》與《左傳》記年數不同，《左傳》多出十三年，這恐怕就是范升攻擊《左傳》不傳《春秋》的證據之一。）左丘明親受於孔子，《左傳》當然爲傳經之作，至於說「先帝不以《左傳》爲經」，更不可引以爲據，若依先帝舊制，則光武不可爲帝了。這裏，雙方論爭的焦點，仍在於《左傳》是傳《春秋》，左丘明是否得之於孔子眞傳。既然在漢武帝時代，獨尊儒術已經成了最高統治者所欽定的意識形態的唯一準則，它也就成爲一種統治工具和政治準則，這是經師們所無法也不敢否定和推翻的，那麼，兩派經師唯一辦法就都只能往孔聖人和儒家正統方面攀聯來抬高自己，以求得到朝廷的確認。所以，問題的癥結又回到當年劉歆爭立《左氏》時的焦點，又回到《左傳》本身，也就不奇怪了。

光武帝立李封爲博士，後李封病死，「《左氏》復廢」。雖然如此，經過這一次的論爭，「相信古文學的漸漸增多數，連操有權威的帝王也漸漸傾向古文」（周予同《經今古文學》），出現了許多著名的古文學大師，如鄭興、鄭眾父子、賈徽、賈逵父子、陳欽、陳元父子、韓歆、孔奮、許淑、李封等人，其中不少人是《左氏》學大家。

東漢章帝時期，今古文經學仍然是圍繞著《左傳》進行了一次較量。以「扶微學，廣異義」自標榜的章帝劉炟，本身就傾向於經古文學。所以建初元年（76 年），詔賈逵入講《左氏傳》於北宮白虎觀、南宮雲台。賈逵，字景伯，扶風平陵人，是賈誼後裔，其父賈徽，「從劉歆受《左氏春秋》，兼習《國語》、《周官》，又受《古文尚書》於塗惲，學《毛詩》於謝曼卿，作《左氏條例》二十一篇」（《後漢書》本傳），可以說是以古文經學起家的。賈逵「悉傳父業，弱冠能誦《左氏傳》及《五經》本文，從《大夏侯尚書》教授，雖爲古學，兼通五家《穀梁》之說」，「尤明《左氏傳》、《國語》，爲之《解詁》五十一篇」。（同上本傳）賈逵曾爲章帝講論《左氏傳》之大義長於《公》、《穀》二傳，又具條奏自章帝細論《左氏》之深於君臣之正義、父子之紀綱，又論述《左氏》之合於圖讖，獨能明示劉氏爲堯後，當得天下。這篇條奏深得章帝賞識，賈逵因此受到章帝的嘉獎。

建初四年（79 年），章帝效法西漢宣帝石渠故事，大會群儒於白虎觀，詳論五經，考其異同，連月乃罷。今文家李育對《左氏》進行了激烈的攻擊。據《後漢書‧儒林傳》載：李育「少習《公羊春秋》」，「嘗讀《左氏傳》，雖樂文采，然謂不得聖人深意，以爲前世陳元、范升之徒更相非折，而多引圖讖，不據理體，於是作《難左氏義》四十一事」。在白虎觀的辯難中，李育「以《公羊》難賈逵，往返皆有理證，最爲通儒」。白虎觀的辯論，已顯示出古文學的力量，加速了今文學的衰頹。因此漢章帝特地詔令諸儒各選高材生，受《左氏》、《穀梁春秋》、《古文尚書》、《毛詩》，等於由官方頒令讓其公開傳授，「由是四經遂行於世」。

賈逵爲爭立《左氏》學，一方面儘量迎合統治者的政治需要，以《左傳》中最爲統治者喜歡的內容條陳具奏，甚至不惜以讖緯迷信附合《左傳》，取得了章帝的首肯。另一方面，是他已注意到融合今文學派的內容。賈逵年輕時「兼通五家《穀梁》之說」，無疑的受到今文學派的影響。據《後漢書》本傳記載：「逵數爲帝言《古文尚書》與經傳《爾雅》詁訓相應，詔令撰歐陽、大小夏侯《尚書》古文同異。并作《周官解故》。」「復令撰《齊》、《魯》、《韓詩》與《毛氏》異同。」歐陽、大小夏侯《尚書》與齊、魯、韓三家詩都屬今文經學，這樣，賈逵撰其異同，客觀上就把《尚書》與《詩經》今古文學融合（或說溝通）起來。賈逵還認爲《左傳》「同《公羊》者十有七八，或文簡小異，無害大體」，既如此，《左傳》與《公羊》也就可以融合了。所以，在東漢賈逵的手裏，已出現了今古文兩派融通的現象。

《左氏傳》雖未再立學官，但是古文學在東漢許愼、馬融的手裏已達到完全成熟的境地，古文學其勢大張，不斷有人力奏請朝廷應增立《左氏》。如少與鄭玄俱事馬融的盧植就曾上書奏曰：「古文科斗，近於爲實，而厭抑流俗，降在小學。中興以來，通儒達士班固、賈逵、鄭興父子，並敦悅之。今《毛詩》、《左氏》、《周禮》各有傳記，其與《春秋》共相表裏，宜置博士，爲立學官，以助後來，以廣聖意。」但是今文經學並沒有完全崩潰，這就是還有東漢末年何休的《春秋公羊解詁》和他對《左氏傳》的攻擊。

據《後漢書・儒林傳》：何休「善歷算，與其師博士羊弼，追述李育意以難二傳，作《公羊墨守》、《左氏膏肓》、《穀梁廢疾》」。何休攻擊古文學，既名爲《左氏膏肓》，可想見對《左氏》學的深惡痛絕、痛心疾首。可惜其書已大部散亡，無法窺見其詳細內容。不過從《儒林傳》所記來看，何休所用武器卻不見得有什麼新意，只不過撿起了李育「不得聖人深意」、「多引圖讖，不據理體」二根棍棒罷了。雖然如此，何休在鬥爭策略上還是懂得以子之矛，攻子之盾的。他花了十七年功夫，「覃思不闚門」而作成的《春秋公羊解詁》，即仿效古文經學的注解法來爲《公羊傳》解詁。其解詁簡明扼要，已完全不是今文家博士那種煩瑣的章句，所以影響卻不可低估。由此也可以看出古文經學「通訓詁」「舉大義」的治經方法，已無形中滲透到今文學中。

何休對《左氏》、《穀梁》的攻擊，遭到服虔、鄭玄的回擊。服虔曾作《春秋左氏傳解》。「又以《左傳》駁何休之所駁漢事六十條」（《後漢書・儒林傳》）。《隋書・經籍志》著錄服虔有《春秋左氏膏肓釋痾》與《春秋漢議駁》二書，恐怕就是針對何休而作的，只是其書不傳，未能窺其全豹。

對何休進行回擊的另一位大師就是鄭玄。據《後漢書》本傳載：

> 時任城何休好《公羊》學，遂著《公羊墨守》、《左氏膏肓》、《穀梁廢疾》；玄乃發《墨守》，鍼《膏肓》，起《廢疾》。休見而嘆曰：「康成入吾室，操吾矛，以伐我乎！」初，中興之後，范升、陳元、李育、賈逵之徒爭論古今學，後馬融答北地太守劉瓌及玄答何休，義據通深，由是古學遂明。

據此，可以說古文學派取得了徹底的勝利，自此，「古學遂明」，而且，「《左氏》大興」（陸德明《經典釋文敘錄》）。但如果說這個勝利反因鄭玄作「《發墨守》、《鍼膏肓》、《起廢疾》」便擊敗了何休的攻擊，則看法未免簡單。

鄭玄是東漢末期的儒學大師，年輕時「師事京兆第五元先，始通《京氏易》、《公羊春秋》、《三統歷》、《九章算術》。又從東郡張恭祖受《周官》、《禮記》、《左氏春秋》、《韓詩》、《古文尚書》。以山東無足問者，乃西入關，因涿郡盧植，事扶風馬融」（《後漢書》本傳），可見他年輕時則學貫「今」「古」，融合貫通了今、古文兩大學派。鄭玄遍注群經，史稱「凡玄所注《周易》、《尚書》、《毛詩》、《儀禮》、《禮記》、《論語》、《孝經》、《尚書大傳》、《中候》、《乾象歷》，又著《天文七政論》、《魯禮禘祫義》、《六藝論》、《毛詩譜》、《駁許慎五經異議》、《答臨孝存周禮難》，凡百餘萬言。」（《後漢書》本傳）鄭玄注經不但宏富，更重要的是他立足於古文學，而兼采今文經說，而且打破了漢以來經學家們歷來嚴守的師法、家法的嚴格界限，兼容並蓄各派經說。《後漢書・鄭玄傳論》說：「自秦焚《六經》，聖文埃滅。漢興，諸儒頗修藝文；及東京，學者亦各名家。而守文之徒，滯固所稟，異端紛紛，互相詭激，遂令經有數家，家有數說，章句多者或乃百餘萬言，學徒勞而少功，後生疑而莫正。」正是鄭玄「括囊大典，網羅眾家，刪裁繁誣，刊改漏失」，終於使今古文學派走向了綜合，產生了「鄭學」，這才是今文學被推倒，古文學得以大興的根本原因。鄭玄未爲《春秋》、《左傳》作注，但是鄭箋《毛詩》，而雜采三家《詩》說，由是《毛詩》行而三家廢；鄭注《尚書》而兼容古今，此後鄭注《尚書》行而歐陽、大小夏侯《尚書》廢；鄭注三《禮》博采諸家，所以鄭注《禮》行而大、小戴《禮》廢，則可以說明綜合之後古文學派產生的巨大影響了。

兩漢時期的今、古文經學之爭，既有學術之爭，又有利祿之爭，更是政治鬥爭，這已爲許多論者所論及。隨著漢代統治政權的建立、穩定、中衰，以及統治階級內部結構的變動，古文經學代替今文經學，又是歷史發展的必然。西漢期間發生的最主要的四次今、古文之爭，都是圍繞《左傳》進行，從表面上看，是爲著一爭正統地位的鬥爭，實際上也包含著深刻的政治原因，同時又與《左傳》本身的內容與價值有關。經學家認爲《左傳》傳事不傳義，《公》、《穀》傳義不傳事，正是這種區別使得《左傳》能戰勝二傳而得到興盛。

再從《左傳》本身的內容來看，有兩個方面特別值得注意。一是《左傳》不但釋經，而且以其豐富的史料解釋了《春秋》所記載的春秋二百多年的歷史事實，而且寓政治主張於歷史敘述之中，迎合統治階級的需要，增強了自身的生命力。前已論及，司馬遷就大量引用《左傳》中史事，劉向編《說苑》、《新序》大量的採用了《左傳》中的歷史故事，其目的即在於用作統治階級治政的參考，這已經顯示了《左傳》在政治上的作用，古文經學家要爭立《左傳》於學官，使其變成官學，其政治目的，還在於要以史爲鑒，借春秋二百多年的歷史經驗作爲統治者的「資治通鑑」。所以，漢代經師常徵引《春秋》、《左傳》中的內容來爲現實政治作說解。如東漢初，古文家鄭興歸於隗囂。隗囂與諸將議自立爲王，鄭興乃以《春秋傳》中「口不道忠信之言爲嚚，耳不聽五聲之和爲聾」勸之，使隗囂打消了自立爲王的念頭。這兩句話，就是

《左傳》僖公二十四年富辰諫周襄王之語。其後隗囂又欲廣設官職，鄭興又以「孔子曰：『唯器與名，不可以假人。』」相勸。這一句話也見於《左傳》成公二年。嗣後，鄭興爲光武帝太中大夫，曾引《左傳》昭公十七年「日過分而未至」一段話上疏論三月日食。如此等等，限於篇幅，不再臚舉。本來，經師們以《春秋》經文來論證和解釋故事時事，並作爲統治者行事的準則，是常有的事。如今《左傳》也可以用來資政並以爲勸諫的準則，足見它在政治上的作用。這裏，就更不用說《左傳》中那些宣揚反對天道迷信、重人事的進步思想對於當時讖緯迷信的批判以及「弒君三十六、亡國五十二」的歷史教訓對統治階級的借鑒意義了。

另一個方面，面對西漢時期的宗室諸王坐大以致謀亂、東漢時期的外戚宦官專權、內外交困，兩漢統治者無不希望經學在維護封建禮教君權至上方面發揮重大的作用，而寄寓著深刻的君臣父子之義的《左傳》，正可擔當這樣的重任。《左傳》強化了禮的思想，強調對禮教的尊崇，浸透了禮的精神。當年賈逵在條奏上就極敏銳地向章帝進言：《左氏》「皆君臣之正義，父子之紀綱」，「《左氏》義深於君父，《公羊》多任於權變，其相殊絕，固以甚遠」；「今《左氏》崇君父，卑臣子，彊幹弱枝，勸善戒惡，至明至切，至直至順」。所以《左傳》本身的價值，對於強化中央集權的作用是非常巨大的。東漢章帝自己「特好《古文尚書》、《左氏傳》」，（《賈逵傳》），恐怕原因也就在於此。鄭玄遍注群經，尤重禮學，突出禮教。東漢末社會混亂，禮法崩潰，君不君，臣不臣，犯上作亂者比比皆是，鄭玄認爲「爲政在人，政由禮也」（《禮記·中庸》鄭注），「重禮所以爲國本」（《儀禮·士冠禮》鄭注），所以他致力於經學，目的即在於通過注經和著述，「序尊卑之制，崇敬讓之節」（鄭玄《六藝論》），正「名分」，維護禮法制度，維護封建統治。他把《三禮》全部注釋了，又認爲「《左氏》善於禮」，因此始終強調強化禮教的《左傳》。他雖然沒有爲《左傳》作注，但據《世說新語·文學》記載，鄭玄欲注《春秋傳》，因知服虔之注多與己意同，遂「以所注與君（服虔）」。說明鄭玄是注過《春秋傳》的。而服虔注《左氏》，多以「三禮」解說之，這恐怕與鄭玄的崇重禮教有密切的關係。所以，《左傳》自身的內容與價值，決定了《左傳》必然成爲古文經學的中軍。兩漢今古文經學的幾次鬥爭，始終圍繞著《左傳》進行，也就不難理解了。

兩漢經學經歷過上述幾次的激烈鬥爭，古文經學終於取代了今文經學。東漢章帝以後，《左氏》雖未再立於學官，然經過賈、馬、服、鄭幾位大師的弘揚與維護，已占據了重要的地位，到曹魏之時，《左傳》大行於世。西晉初年，杜預作《春秋經傳集解》，《春秋》三傳之中，《左傳》的地位更是不可動搖了。

經 學 研 究 論 叢
第 五 輯　　頁193～206
臺灣學生書局　1998年8月

評松川健二編《論語の思想史》

加賀榮治著・金培懿*譯

書　名：《論語の思想史》
編　者：松川健二
出版者：東京　汲古書院
出版時：平成6年（1994）2月
頁　數：521頁

一

本書題爲《論語の思想史》，其目標究竟爲何？以致以此爲題。針對此問題之答案，編者首先於序言中開宗明義道「本書乃爲明究後世是如何對《論語》加以解讀，以及如何將其活用而編纂」。而論及《論語》的「解讀法」和「活用法」之歷史時，首要觸及的問題即是：如何處理縱切面的時間性及橫切面的地域性之範圍等問題。

所謂的「後世」，除了由漢魏六朝至明清之末以外，尚及朝鮮、日本學者之著述。時間上的推移和地域性範圍，除卻歐美以外，幾乎可稱得上網羅殆盡，無有遺漏。而爲達成此次目的，本書所立章節如下：

第一部，漢魏、六朝、唐之部，共六章。

第二部，宋元之部，共七章。

---

* 加賀榮治，日本北海道教育大學名譽教授；金培懿，日本九州大學大學院博士候選人。

第三部，明清之部，共九章。

第四部，朝鮮、日本之部，共四章。

加上序章「《論語》的成立及傳承」，合計共二十七章。

又本書採錄之人（乃至其著述），若韓愈、李翺合而爲一，程顥、程頤亦合併爲一處等，分開計算的話，總計有二十八人。甚至所收錄之人（或是應收錄之人）也作成詳盡的「《論語》之思想史年表（西川徹負責）置於卷末。而思及若言所欲則無有窮盡，是故即使僅見此表，首先就其對重要人物和著述所作之整理，能有此程度，已可稱的上充足。

如是，此書題以吾人所敬畏之學人，松川健二先生爲編者，A5 版，合目次、緒言、索引，總計頁數 535 頁的大著作，現已刊行。我首先抱以歡欣之情，祝福此書之刊行。

二

本書的編輯目的雖如前所述，是在「明究後世是如何對《論語》加以解讀，並如何將其活用而編纂成」。然而絕不是如此簡單地便將編者松川教授心底汩汩而動的眞意圖，概觀性的一次論定。松川教授在「緒言」的開頭即明言提示其眞正的意圖，而其實在我準備開始閱讀本書時，首先即被這點強烈吸引住。

編者說道：《論語》中的言詞仍長遠繞存於後世（今後也將長遠續存下去——編者）因此「其解釋及活用的歷史也會成爲思想史潮流之一部份」。至此爲止並無任何異論，問題在於後面的「有關《論語》言詞的掌握方法，是如何與思想史相重疊？而《論語》此種與歷史相重疊的事實又是如何的不爲人所知？在此且試舉一例」。說到這裡，松川教授乃舉出「季路問事鬼神章」（〈先進篇〉）和「朝聞夕死章」（〈里仁篇〉）爲例。

而在此處松川教授的措辭，顯然地比起所謂的「如何與思想史相重疊」之問題，其掌握方法本身的「是如何的不爲人所知」一問，讀來要比較讓人能感覺到其重量。做爲前例的「未知生，焉知死」中「知」的主辭，在長達二千年的時間以來，事實上始終是仲由（子路），而後又將後例「夕死可矣」

中的「死」是如何被諸儒所理解繼而予以解明的事實，至於歷史的變遷推移當中，精細地將其挖掘出並予以討論。此可說是憤慨之後所發出的感言。對我個人而言「如何的不爲人所知」一語，則給我一種當頭棒喝的感覺，至今記憶猶新。

原本松川教授就不是將憤怒等情緒公然暴露出來的人，而不僅如此，長年以來松川教授更以此種意圖持續其對《論語》解釋史之研究。若再說一遍即是以所謂的「有關於《論語》言詞的掌握方法，是如何與思想史相重疊，而《論語》此種與歷史相重疊的事實又是如何的不爲人所知」之觀點來研究，並將此種究明精心積累起來。至於其所研究成果是如何卓越，則眾所皆知，而我也是長久以來蒙受其恩。

現在松川教授將《論語》各章的解釋史之研究做爲「縱線」時，則「被要求織出幾條可與橫線做比較的縱線」（〈緒言〉），亦即以「橫跨後世各個思想家對《論語》各章語言所做的解釋之特徵，及活用之樣態的解明」爲目標，而編纂成此書。也就是說長時間以來，致力於所謂「縱線」——《論語》各章之解釋史——之究明的編者，在此則加上其對「橫線」的究明，就此點看來，編者如何將長年的研究成果做一完成。或許也是，因爲手邊所完成的稿件，已貯備到了該完成的時候也說不定。

不管怎樣，正因如此，本書以何晏之《論語集解》爲始，含宋的朱熹，日本的伊藤仁齋、荻生徂徠，以及歷唐、宋、元、明、清之十九種注解。並以楊雄的《法言》爲始，含王陽明、李贄，以至於日本的林羅山等，將七種著作予以採用，請各個有關的學者分擔執筆，據此織成所謂的「橫線」的型態。

針對這樣的意圖和構想，這從切合時宜這點，及分擔値筆者的適切性看來，我想無疑地勢必受到眾多的讚賞。此外，我認爲本書以「論語の思想史」爲題，上有向世人詢問之意味。若如是，則本書能否獲得好評，可能只能仰仗於分擔執筆此十九種注解，以及此七種著作之考察的各位關係人士之文章能否獲得好評而決定之。

三

理所當然之事，基於上述之意圖、構想而成的此書，各學者針對其中的十九種注解、七種著作所作的考察，我將之全盤予以熟讀後，尚留手中的工作便是將之加以介紹。對我而言，我只是隨性所至檢取其中數篇來介紹，充其量也不過是在自曝無知的感想罷了。

根據本書的〈緒言〉，由截至目前為止問世的「貫穿整個時代，網羅性地集錄《論語》解釋史乃中國思想史上的人物名之前人的編纂書物」中所舉出的人物、著作，將之與本書所舉出的人物、著作相對比較，則可發現本書與向來的編纂書籍有著顯著不同，即是提出其中六家來加以批評。此六家至目前，不是極少被舉出，就是甚少被提及。

此六家乃所謂的：「宋代《論語》的老莊式解釋的一種類型，陳祥道之《論語全解》」（芝木邦夫擔任）。「宋代《論語》的禪學式活用例子，張九成之《論語百篇詩》」（松川健二擔任）。「元代經營修正《論語集注》的一個結果，陳天祥之《論語辨疑》」（石本祐所擔任）。「明代三教融合論者林兆恩活用《論語》之跡象《四書標摘正義》」（佐藤鍊太郎擔任）。「清朝公羊學者的論語解釋，宋翔鳳之《論語說義》」（松川健二擔任）。「補遺古注、新注及富創建的黃式三之《論語後案》」（小幡敏行擔任）等六家。這些著作，對我而言，皆是未曾拜讀之作。而且，令我食指大為所動的著作，亦存在六家之中。

我首先由第二部第五章，〈張九成《論語百篇詩》——禪味洋溢的思想詩——〉著手來談談。擔任者松川教授著有業已稱得上是名著的《宋明的思想詩》（北海道大學圖書刊行會，1982），其獨自特異的思想史研究，令我深感敬服，現在又以張九成的「思想詩」，令人不得忽視其存在。

在此，松川教授舉出張九成《論語百篇詩》中，堪稱得上精要的詩十二首，以此與九成之甥，張于恕手錄而成的《心傳錄》相合，以平明適確的筆觸，道出心學系統重視心傳、心得的《論語》解釋之實態。於〈一、心之鍛鍊〉當中，首先就保證人類之可能性，和自我陶冶此兩點，舉出宜應注意之詩後，於〈朝聞道〉一詩中我們可以看出，爲求得以安心迎死，張九成遂認同「端看心之開悟與否來視其能否處死」的思想。在〈二、心傳〉的部分，就「可得見張九成極輕視見聞之知，而傾向於大大重視心之知的主張」的詩，松川教授乃舉出題爲「夫子之文章」的詩。而引人注目的，甚或宜應注目的，則是〈三、心得〉當中，所謂「據心之所得以窮究應當有所覺醒之人間性的價値」，達至此境界則可名之爲仁，當「眞正的內在心理覺醒的瞬間，人遂由所謂仁的框架中超脫出來」，松川教授以此點來爲張九成的心得說下一定論。

無論如何，張九成此種心傳、心得說，雖曾一度遭受到朱熹激烈的批判，然而我們也可以看見其終究伴隨著陽明學的盛行，其評價亦日益高昇，故在明末之際《論語百篇詩》也相當流行。此現象究竟意味著什麼呢？我本人對宋代的心學是如何發展出其系譜，明代的心學又是怎麼推衍開展出來等問題，全無所知。儘管如此，現在，我還是將張九成的「思想詩」首先拿來處理，試圖加以考究。原因無他，只因無論是張九成或是誰，在吾人爲探求心學派何以持續地追求心的覺醒這個問題點時，則必須去思考到，觸發了心學派學者的佛教（主要是禪宗），對心學派的學者究竟有著什麼意義？究竟起了什麼樣的功能？

在此我做了個跳躍，直接來看明末林兆恩的《四書標摘正義》（第三部第二章）。我即是被標題爲「三教合論一者的『心即仁』」（旁點爲筆者所加）的副標題所吸引。執筆者爲佐藤錬太郎，佐藤先生的筆調穩重厚實，意旨在求正確，同時又相當謹愼仔細。就像是爲了引導無知如我者一般，令人倍感其親切之處。

明末時，何以爲數甚多的三教合一論者輩出？佐藤先生認爲「與當時的時代思潮不無緣故」。在這之上，佐藤先生更說到「林兆恩三教合一論的企圖……在求儒教與其他二教無有相爭，彼此相互能補正，能完善地對社會治安給以有所助益的指導。若如是，則在此點上便蘊含著政治性的意味。在對林兆恩的「心即仁」說進行敘述和解讀時，即可由其中看見林兆恩以深刻的心得來窮究「仁」的心學派學者之姿態。針對此點，佐藤先生接著在下一節的「一貫章」的解釋中，再次對「心即仁」說予以評價之後，說到「林兆恩的『心即仁』說，與同時代的陽明學派所唱的致良知說，和提倡實踐救濟他人的淑世精神，就這點看來，我們則承認其具有同時代性之時代意義」。在此，我爲佐藤先生所誘發而思考的，仍是作爲觸發劑的佛教，在心學派的發展流變中究竟起了何種作用，具有什麼意義的問題點來進行思考。

確實，林兆恩的政治姿態是保守的，因爲「對當時的社會體制而言，林兆恩的思想內容，可說得上是一穩當的思想」。以是，林兆恩未受到來自明朝政府的任何彈壓，得以全享天壽（八十二歲歿）。如是，恰與其成爲對比的則非李贄莫屬。李贄（卓吾）與林兆恩爲同時代的人，即便不稱李贄爲三教合一論者，通常李贄也被認爲是三教全通，尤其對佛教格外有深入之研究。然則何以李贄不得不被視爲是一種思想過激的思想家而遭致彈壓。本人於是遊走於先前揭舉的六家之範圍外，對第三部第三章，〈李贄《李溫陵集》與《論語》——王學左派之道學批判——〉（佐藤鍊太郎擔任）進行閱讀。

提起李卓吾，誠如眾所皆知的，其形象到了清初雖被定位在「妖魅」、「異端」上，但明朝末年時，其書卻廣爲人所閱讀。在這點上，雖然不得不將其置於當時的時代風潮之背景中來看，但比任何一點還重要的恐怕是李贄重視心性的想法，在當時得到多人的共鳴。特別是被認爲多數得自佛教的「童心論」和「眞空論」，究竟具有什麼意味？至少這些論點在李卓吾的《論語》解釋中，是以何種型態呈現出來？就這問題，本人則欲由王學左派的《論語》解釋來加以解讀推斷。

擔任者佐藤鍊太郎先生的考察和筆觸，在此仍呈現出一種穩重厚實力求正確的筆風。佐藤先生分爲：⑴《焚書》中得見之《論語》解釋，⑵《道古錄》中得見之《論語》解釋，⑶《藏書》中得見之《論語》解釋三部份來進行論述，這些全對我有了新的啓發。本人在此不得不自我剖白的，便是《焚書》也好，《藏書》也好，就是《續藏書》，我都將之藏諸高閣，呈現積存待讀的狀態。只是，在此本人最想論及的則是甚少被觸及的，針對李贄的王學左派之性格，和其心學上的特性這一點。批判李贄的學者，似乎多就「經由經書的學習與科舉考試所形成之官僚社會，及其僞善性之實態，和官僚的獨善性教條主義」來進行批判。

而在〈結語〉當中，佐藤先生所說的「對朱子學式的道德至上加以批判」、「吾人得承認李贄的主張理，有和清朝戴震一樣，對官僚僵化了的朱子學之理念來規制人所產生的弊害予以糾彈之共通性」這些問題點上，我亦深表同感。因此對於本書基於不得已之實情，而將戴震加以割愛一事，實感遺憾。因爲既然難得地，在第三部第四章中，舉出了〈王夫之《讀四書大全》——支持《集注》與批判《集注大全》〉（佐藤錬太郎擔任），則與支持《集注》成爲對比的大人物實非戴莫屬。

討論至此，遂淪入不得不對自己恣意介紹的作法加以反省的窘境。自己似乎過於任意地解讀作品。我終究還得像一般的介紹者一樣，得再次返回本書的開頭，至少不得不對全書做一略觀。

四

對我們老一輩的人來說，在以前，閱讀了《論語》之後，試圖略作考量之時，作爲其思考路線上之指南者，乃武內義雄的《論語之研究》（岩波書店，昭和 14 年），和藤塚鄰的《論語總說》（弘文堂，昭和 24 年）。雖然這兩書的成書意圖及內容之構成，遑論有所差異，但對於《論語》注釋書的舉例，即就此所列舉之注釋書所言及的，兩者確是有其共同之處。如今仍從其中兩者對代表著古注，首尾齊整完全，且唯一流傳至今的何晏之《論語集解》是如何談及，在此將兩者之見解予以揭示。

武內博士認爲《論語集解》乃是何晏等在其先前問世的八家之注上，加進自己的見解。正因如此，武內博士遂說到「王肅注與鄭玄注並不相合，此乃因孔注與王肅注淵源頗深之故，以是與鄭玄注不相合。而揉合了相互不相合的八家注解所成的何晏之《集解》，遂成駁雜之作，可說是亂了家法」。相對於武內的此種說法，藤塚博士就《論語集解》的著作態度這點，再說到「概傳兩漢之風，簡潔而未見義疏、講述之風」，之上更舉出「如何費心於簡擇剪裁」之例，一邊說明《集解》即《論語》之言表，一邊對《集解》是如何貫通《論語》全書之條理這點加以說明。對《集解》的著作態度，武內、藤塚兩博士之見解、評價，可說是完全相反。

這點由《集解》的表面來看，就其「某氏曰」之名，決定其注解本身之性格而所言者，與不受限於「某氏曰」之名，而就《集解》所注解者，是如何與《論語》之言表相對應而予以注解？這和由實質內容來看，是有相違之處。我本人原本就較袒護藤塚博士的見解。根據「某氏曰」之名，來區分《論語集解》之注解形式中，這是今文家，那是古文家等，就宛如在其注解形式中，視爲基於西漢以來的師法、家法而有所區別一樣。此不得不稱爲是對魏晉乃至六朝的經書解釋有所誤解。以下對魏晉的經書解釋乃至六朝的義疏之實態則略而不談。

本書在列舉《論語》之注解時，開頭即舉出何晏等之《論語集解》，給予一定的地位評價，此本自不待言。此即本書的第一部第三章〈何晏《論語集解》——魏晉的時代精神〉（室谷邦行擔任）。那麼，在此對諸如前述就《集解》的注解態度之問題點上，擔任者室谷邦行先生，又是做了何種理解？其在序文的最初即說到「翻開《論語集解》首章來看，漢、魏時代的學者乃漸次登場，宛如全員齊聚羅列於舞臺上與觀眾相照面一般。既非有一特定的著者自始至終一貫地展開其自身的見解，亦非就某一章句來擇取相違之注釋，並列比較檢討之外更予以綜合，以求導向一個正確的解釋，而是除卻若干的例外，一個地方就僅舉出一人之說。然而，學者們各個學派相異，思想傾向亦相違，何況原本一開始所使用的《論語》本子便不相同。以此種作法是否果眞就能成就一部條理貫通且標準的注釋書？這是任誰都有的疑問。」

誠如所見一般，本文一開頭時我揭示的便與我個人之意見相異。但是，我在此並不打算再次重複如前言之說明，而且對於其後擔任者（室谷邦行）所展開的考察內容，亦停止對其一一討論。只是關於〈結語〉中擔任者說到「可見何晏的注解似乎欠缺徹底性」這點，其何以會如此？《集解》是以什麼爲其最主要之意圖而成的書？今天應再一次熟讀《集解》並予以檢討，我就僅止於如此希望。

另外要談到的，則是第一部第五章，〈皇侃《論語集解義疏》——六朝義疏學的展開——〉也同樣由室谷邦行先生擔任執筆。文中所舉的皇侃，則如眾人所言，是以禮之專門家而聞名於世。以是室谷邦行先生說到「我們難道不是可以由作爲皇侃學問本質的禮的世界，與其思想性中的道家立場之間的關係，來看出《義疏》一書性格的明顯之處嗎？」室谷邦行先生所說的這點，最令我注意。因爲對寡聞如我者而言，從此種觀點出發來究明《義疏》的成果，至今尙未接觸到。至於〈結語〉中述及「關於禮的地方，只想舉出一例」，此例當然是「先進篇第一章」這章節。擔任者業已論述的〈一、當是誤也〉和〈五、原壞者方外之聖人也〉，莫不是從與禮之關係切入而所得到的結論。如果是這樣，何時若能將皇侃《義疏》的性格，凝聚在與禮的關係這點上，而來明白追究其道家思想的立場，則不就可以揭示出從來未見的，有關皇侃《義疏》研究的顯著成果！此乃微不足道之愚見。

回過頭來，再來看看本書開頭的〈緒言〉。在〈緒言〉裏，可稱得上是編者對本書各部各章所做的要求目標的話語，於各章皆有將之列舉爲題。其中，就前述的《論語集解》和《論語集解義疏》，編者又是以何種話語，也可說是其所要求之目標者爲題的呢？編者對前者題爲「魏晉清談之祖，何晏所編漢魏論語之集大成《論語集解》」（旁加點者乃筆者），對後者則題爲「據《論語集解》的再解釋，雜老莊而展開的梁朝皇侃《論語集解義疏》（旁加點者乃筆者）。要我來說的話，這無非正是相當妥當且適切的標題。「清談」正是《集解》主要訴求的第一目標，並以此爲追求《論語》全書之條理爲第一要義。《義疏》則「雜老莊」對《論語》全書之條理愈發追求，此乃因其爲《集解》之再解釋之故。如此看來，或許本書編者的要求目標與各章的擔任執筆者之間，亦有若干的出入也說不定。遂不得不有了些許疑問！我們就接著往下看吧！

譬如，在陳祥道的《論語全解》（第二部第四章芝木邦夫擔任），則可看出此種出入。編者將其要求的目標題爲「在宋代《論語》的老莊式解釋的一種類型，陳祥道之《論語全解》」（旁加點者乃筆者）。然而，在這篇文章中，〈一、關於陳祥道「禮」之解釋——八佾篇諸例〉有五節，〈二、關於陳祥道「樂」之解釋〉則有六節敘述，其後，〈三、道家關於文獻之援引〉才僅有三節來敘述。此僅限於在當時，被稱爲禮學大家的陳祥道之《論語》

解釋，故文章中禮（或者樂）佔有極重的比重，也是理所當然的事。執筆者的處理手法，不得不承認其具有客觀性與妥當性。然即便如此，雖說《論語全解》中有引用自《老子》、《莊子》者，但是否以此便可呈現所謂「老莊式解釋的一種類型」呢？本人一直存疑著。

但是，比起前面所說的，雖然只限於在閱讀本章的敘述，但最令我感到佩服的，則是擔任執筆的芝木邦夫先生是何等辛苦的將漢文的訓讀上所下的苦心。這點由我自己在閱讀《論語全解》時，對原文的讀法曾一再抱有疑問一事，亦可獲得證明。這都是因爲《論語全解》本子本身的問題。《論語全解》或因本子不同而有各式各樣的差異，校訂者似乎也頗感困惑，總之，這是因爲沒有可以信賴的本子所致。若如是，則其存在即使有多麼重要，不提出來不是比較好？

以上，漸次讀來，似乎成了專門找碴的介紹文了，但這些都是些微小的瑕疵。顯然地，本書在解明《論語》解釋史的問題上，揭示出爲數不少的歷來未見的嶄新之考究，此點應予高度評價。

譬如，第一部第一章，〈揚雄的《法言》與《論語》——模倣的意圖〉（弥和順擔任），則是就模倣之雄的揚雄之《法言》與《論語》之間的關係來加以論述。而且還問到了雖然截至目前爲止，《法言》被說成只是模倣《論語》而已，然其實際情況又是否眞是如此的問題。弥和順先生將問題點切入了向來無人問津的領域之外，而且還將之精細準確適當地加以敘述，成爲一貴重的研究成果。又，第四部第二章，〈林羅山的《春鑑抄》與《論語》——統治論的陳述——〉（大野出擔任），將在日本的《論語》解釋史上，向來被視爲不過是非主流、不重要的林羅山舉出。在林羅山對《論語》中禮的解釋的問題點上，並不直接考究，而是從林羅山對「孔老問答」的解釋中，來反映出其對《論語》中禮的看法，還有，對林羅山而言，《論語》乃成爲其統治論上的支柱。大野出先生就此兩點來究明林羅山的《春鑑抄》與《論語》的關係。此種解釋必對日本思想史之研究有所裨益。

針對置於本書首尾，相互輝映的此兩章來論述考究時，就其新進之氣銳不可當而成此成果，我在賦予其高度評價的同時，甚至還感受到了其也象徵著，北海道大學中國哲學出身者的光明前途。

五

談到這裏，都在前述所謂的十九種注解，和七種著作的範圍之內。然而，本書在此二十六章之範圍外，我以爲有一章更有著重要的位置。那即是序章，〈《論語》的成立與傳承〉（伊東倫厚擔任）。

擔任者伊東教授，在其文章的〈序言〉中便說到「《論語》一書是如何成書的？是如何流傳而來？該書在歷代的書目中，又是被如何對待的？在諸多版本與抄寫本中，文字又有何種異同？針對此諸多問題的考察，本來就在本書所欲處理的問題範圍之外」。如是寫出，乃令人感受到伊東教授的謙遜與深思熟慮。雖然伊東教授自己這麼說，但〈序章〉裏所觸及的問題，在以下各章的擔任者進行考察時，莫不成爲他們最初的問題出發點。即便僅止於此，亦未曾分毫減輕〈序章〉的份量。而且，以下所欲舉出來進行考察的〈序章〉中的問題點，對我等而言，正都是一些不得不注意的問題。不僅如此，其行文論述的筆調，實充滿著企圖心。只是已無有餘裕來加以詳細介紹其內容，在此恐怕也只能概略一瞥罷了。

譬如在〈一、《論語》的成立〉當中，在接近尾聲時，說到《論語》二十篇各章的來源，則以爲是「必有多種多樣的來源」，又其文辭也是「非千篇一律」，此乃是因爲「整理《論語》的人物，當然並非限在某一時期，某一學派的特定幾個人的原故」，伊東教授如是說道。此外，更建議道「反過來說，要傳述孔子的言行、風貌，或進一步傳述孔門之風氣，則要將來歷不同的各種資料予以匯集、整理，更著手加以增補改定。此種複雜的編集作業，歷經數十年，甚或更長時間，長年累月幾度嘗試下來，其後所結成的果實，《論語》便是這樣產生出來的一本書」。伊東教授謙稱此中看法乃「急欲求一結論所下的臆說」，我則以爲不必看做如此。本來，這種成書過程的設定，現在，對考察中國古代典籍之成立的學者而言，應是一種一般性的論述步驟。

又，在〈二、《論語》的傳承〉這部份，就自古以來被視爲《論語》的三種本子的「古論」、「齊論」、「魯論」，在論述其來歷與性格時，實在非常精細且適確。然而討論到「《古論》所以被稱之爲古論，亦即有關於《古論》之發現的話題」時，伊東教授乃持續以一種激烈的筆調來論述。其結果，伊東教授說道「所謂《古論》的來歷，不得不說頗爲怪異」，「不論是孔安國作《古論》訓說，或是馬融基於《古論》而作注解，在上引《漢書・藝文志》或何晏《集解・序》等等的資料，所得見的有關《古論》的說法，即使全部將之視爲不可信之資料亦無不可」。這話頗具衝擊性。因此，在〈序章〉不僅是從其位置，就是從內容來說，實在不得不說是本書份量相當重的一篇文章。

而本書在前述所謂「二十六章」的末尾，置有「構築日本古學的礎石，伊藤仁齋之《論語古義》」與「專視《論語》爲古文辭，滿是批判先學言語的荻生徂徠之《論語徵》」（以上乃「緒言」中所下的標題）兩章。兩者皆爲日本《論語》解釋史不可欠缺的巨擘。若說舉出伊藤仁齋與荻生徂徠乃理所當然之事的話，在此同時，則也應認同本書在編集構成上，果然分配適當，而且剎費苦心。即使這麼說，再逼近這兩位巨人的《論語》解釋之本質，或想整然有序，適當確切地陳述其考究之成果，則絕非一件簡單容易的事。何況還有非人人皆可爲之的困難。如是，擔任此兩章的執筆者，也實在又是非伊東倫厚教授莫屬。

現在要將此兩章的內容一貫地加以介紹的話，幾乎已無此餘裕，而在我而言，我本來也就沒有資格來爲之介紹。若只是要我陳述己見，關於仁齋，作者是將焦點鎖定在「古學派的道德說」，至於徂徠，則是將問題凝聚在「古學派的人性論」這點上。又讀過這一考察之後，說它是相當接近二巨人各自《論語》解釋之本質的整然適確地敘述，任誰也都會同意。而且最吸引我的，則是作者敢於向此二位巨人挑戰的自信與意圖。因書首的〈序章〉與書尾的這兩章，使本書有了結結實實的份量。若如是，又何以具有此實質型態的本書得以刊行？有關於此，我們在此不得不對伊東倫厚教授特有的雄心壯志深表贊同。

據提有「伊東倫厚謹識」的〈跋文〉中所說，本書原本乃是爲了紀念松川健二教授的六十大壽，並爲之祝賀而進行的企畫。然而如同上述一般，其成書後所呈現出來的成果，已不單單僅是只貼上一個「祝賀論文集」的標籤而已。原因就在本稿開頭所揭示出來的松川教授的〈緒言〉，在此並無需再次引用，擔任者朝向一個目標，一致地進行考察，所集結而成的成果。更進一步來說，就如同〈跋文〉中可見的，還有爲了本書之刊行得以順利完成，佐藤錬太郎副教授如獅子奮迅般，三頭六臂的竭盡其活動力。本書乃是集結了北海道大學中國哲學研究室總動員，而使之問世的吧！

「濟濟多士，在北」，不，現在北海道大學中國哲學出身的俊秀，已不只是停留在北方，大鵬之展翅「摶扶搖而上者九萬里」，俊秀之飛翔，超大海以至彼方，衷心懇切地祈願北海道大學中國哲學研究室的發展更上層樓。

（1994 年 11 月 30 日）

原載《斯文》第 103 號（平成 7 年 3 月），頁 102-114。

譯者按：《論語思想史》，經編者松川健二教授和出版者汲古書院授權，已由中央研究院中國文哲研究所林慶彰教授、九州大學碩士陳靜慧小姐和本人合譯爲中文，將於 1999 年出版。

經學研究論叢
第五輯　頁207～240
臺灣學生書局　1998年8月

日本儒學史（五）
——室町・安桃時代之儒學

張文朝*

一、時代概述

㈠時代區分

室町・安桃時代是指足利義滿掌權，於京都之室町開幕府後，南北朝講和，後龜山天皇傳神器給後小松天皇之 1392 年起至正親町天皇在位，第十五代將軍足利義昭爲織田信長所逐之 1573 年止的室町時代及自織田信長（1534－1582）掌權以安土城爲根據地之安土時代和豐臣秀吉（1536－1598）握權，統一天下，入伏見城，持政之桃山時代❶至德川家康（1542－1616）被後陽成任命爲征夷大將軍在江戶開幕府之 1603 年止的安桃時代，共兩百一十年間而言。

㈡時代背景

南北朝統一，官制承前代。中央任斯波、細川、畠山三家爲三管（管領）。地方握有兵權之守護及地頭多不聽幕府之命，將軍義滿加以討伐。然因功高

* 張文朝，東吳大學日文系，臺北市立師範學院兼任講師

❶ 桃山位於京都市伏見區，因桃山城之廢址多植桃樹而得名。豐臣秀吉掌權的廿年間史稱桃山時代。

而專橫驕漫，死後由義持繼之，義持對其弟義嗣極其冷酷，致令義嗣串通鎌倉之上杉禪秀於應永二十三年（1416）起兵陷鎌倉，後爲關東諸氏所平，禪秀自殺，鎌倉收復。義持死後由其弟義教繼之，但平禪秀之亂有功的持氏不悅，於永享十年（1438）作亂，被平自殺。而下總結城氏奉持氏之子欲圖恢復，而爲上杉氏所滅，關東納入其勢力範圍。義教陸續誅滅不順從的地方守護，但在嘉吉元年（1441）爲赤松滿祐所弒，將軍由年僅八歲之弟義政所嗣。而豪族乘機擴張勢力，將軍威信盡失。南朝殘黨亦乘勢蜂起，奪取神器擁圓滿院圓胤及尊秀王之皇子據大和，義政及長而驕奢，再加上「三管」家的家臣大老都對自家的繼承有意見而造成三家間複雜的抗爭關係，將軍爲防止亂起宣布先開戰者爲逆臣，但無效，結果演出「應仁之亂」，時爲應仁元年（1467），此亂直至文明九年（1477）才告平息。而十一年間的戰亂，京都爲之荒廢，社會形成以下剋上的現象，武士中最下級的足輕，因此亂而更加跋扈，且造成土民的暴動，社會大亂，將軍形同虛位，遂形成群雄割據的百年（1467－1568）戰國時代。最後織田信長控制大局，放逐將軍足利義昭於河內，室町幕府滅亡，時爲天正元年（1573）。信長築城於安土，任右大臣，而後東征西討終在本能寺爲叛將明智光秀所襲，自殺而死，是爲本能寺之變，時爲天正十年（1582），安土時代亦隨之結束。信長死後，其部下豐臣秀吉滅光秀，平定四國、北國、九州、關東、奧羽而統一天下，入伏見城，於慶長三年（1598）死去，是爲桃山時代之終焉。

這個時期在對外的發展是多彩多姿的。先是與明朝的關係：朱元璋雖然統一了中國但是海上倭寇依然横行，所以屢屢致書日本，希望能鎮壓倭寇，義滿時代以海上貿易之暢通爲念故頗能與明合作，但是到了其子義持時因不喜義滿對明稱臣而與明斷交，至義教之時才再度恢復國交，到了義政持政時因極其奢侈所以國庫時常空虛而使使者向明告窮，而明皇帝也立即慷慨解囊特賜銅錢五萬文。義政善用中國皇帝好人盛頌帝德，遠邇同仁之心理，大賺其錢，而遣明船去明一趟可得所費之四、五倍，何樂不爲。義政時代如此，義滿時代又何嘗不是如此。而這種一個願打，一個願挨的外交政策，卻也古今中外通行不已，實無可怪之處。義滿時代朝鮮半島李成桂奪高麗受明冊封改國號爲朝鮮。朝日一水之隔，貿易、移居頻繁，然而海上倭寇之威脅頗大，故朝鮮屢屢致書日本共同殲滅倭寇，而日本亦每有回應，但每次日本都要向朝鮮索取《大藏經》，朝鮮方面一時不敷所需，日本一度中止與之交往，至義教時才再互通修好，而除了幕府與朝鮮政府交通之外，本州西端的大內氏、九州的澁川氏、對馬的宗氏亦與朝鮮交通，大內氏亦向朝鮮索《藏經》，獨宗氏以貿易來營利。至義政時甚至向朝鮮請求補助修築佛寺之費用，自義澄以後國內不安定無暇與之交通而中絕。幕府雖然與朝鮮中絕交通但地方的大內氏、宗氏卻交通不已，且越加密切頻繁。至豐臣秀吉時曾有二度征韓之舉，其事跡國史可見，不在此贅敘。而終因秀吉之衰老厭戰及死去而草草收場。與琉球之交往是在後花園天皇永享八年（1436）時幕府致書，始與之交易。而後五年幕府把琉球配屬九州島津氏統治其交通。至豐臣秀吉時琉球來京始獻方物。及秀吉征韓需兵源糧食，向琉球大加搾取致使琉球反秀吉而與日本中絕關係而親近明朝。秀吉甚至致書菲律賓、台灣示威，促其朝貢。義晴時葡萄牙商船漂流到鹿兒島灣和豐後水道神宮寺浦而與島津氏、大友氏約定通商而去，至 1543 年葡萄牙人前來通商，登陸種子島，而把槍砲傳入日本。

經濟因戰亂而癱瘓，田地亦隨之荒廢，飢饉連年，加上幕府奢侈無度，巧立名目增稅，大行「德政」，甚至在後土御門天皇寬正、應元年間三度向明乞求銅錢以維持幕府經濟。至秀吉時勵行檢地，大行田制改革，造土地帳冊，以利徵稅。1600 年在佐渡、伊豆等地發掘大量金礦而有大、小判金之鑄造。而人民稅賦以四公六民爲主，但到了戰國時代有五公五民，甚至有六公四民的苛稅，民生可想而知。與外國貿易也是幕府收入之一大支柱，除了與明、朝鮮通商外，在 1530 年起葡萄牙商船至豐後與大友氏貿易以來通商漸活絡起來。至 1550 年始與諸國通商，而稱外國貿易船爲「黑船」，至 1601 年始准內地與海外各國通商。

宗教上仍以佛教爲盛，而且新舊佛教間因爭政治地位所產生的鬥爭不斷。足利氏歷代將軍對佛教頗爲尊信，但也因而造成僧侶們更加跋扈，而三管之家也利用宗教勢力來打壓消除異己，造成幕府行政上之困擾。應仁之亂，京都各寺皆成戰場，五山學僧紛紛避走地方，不僅保存了當時的學術命脈，也把儒學推展到地方去，這實爲江戶儒學大興之原因。至織田信長時因政治常受佛教左右，而決心整頓，故保護剛傳入的耶穌教，借其力以制佛，佛教勢力爲之大挫。

神道方面自古即是混合儒佛以立其說，此時期亦然。應仁前後一條兼良以佛教之說來發展神道，在後土御門天皇時卜部兼俱唱唯一神道，謂其祖先所傳之神道才是眞正的唯一神道（唯一是兩部之對）。但其實這個唯一神道的說法也是受佛教天台宗所影響下的產物，謂「神道是根本，儒教是枝葉，佛教是華實。故以佛爲本地，以神爲垂跡，不是本來之義；以神爲本地，以佛爲垂跡才是正確的」。兼俱之後家分爲二，一爲吉田神道，一爲荻原神道。此唯一神道至德川時代時因國學興盛而受到很大的攻擊。

天文十八年（1549）西班牙人 Xavier, Francisco de（1506－1552）與其他二名傳教士到鹿兒島傳教，日人稱爲耶穌教，初得鹿兒島領主之許可得以傳教，但爲僧侶們所反對，故至肥前之平戶、山口傳教，而後也上京都，但適値細川、三好之爭亂，無功而退回山口、豐後。後來傳教士與西葡商人結合，不讓傳教的地方就不與通商，所以地方豪族紛紛同意傳教之事且多方保護，因爲當時鐵砲（槍）的引進對這些豪族而言眞是太重要了。所以像長崎之類的港口耶穌教寺院特別多。到了信長時，信長也以保護耶穌教來與佛教對抗，耶穌教大盛寺院遍及日本，傳教士五十九人，寺院二百座，信者約十五萬人。1582 年一月大村、有馬、大友諸氏因篤信耶穌教派使者前往羅馬，費時九年而回。至秀長時以此教與日本難以調和之處頗多，甚有破壞神社佛閣之徒，其信徒又曾對他無禮過，所以下令禁教，只准通商，但此時的耶穌教徒已有三十多萬，寺院二百五十座，傳教士三百人，勢力頗大，且信者不願改宗，故有天正十八年（1590）屠殺二萬多名教徒之事件。德川家康時更是嚴禁耶穌教。

文學上承鎌倉時代，漢詩文仍以五山爲主。和歌有《續古今和歌集》（爲最後的勅撰集）。連歌則廣爲流行，集此大成者爲飯尾宗祇。書有《竹林抄》、《新撰菟玖波集》、《水無瀨三吟百韻》，俳諧連歌有《犬筑波集》。歌謠有小歌集《閑吟集》、《室町時代小歌集》，多寫庶民生活、男女愛情之事，連歌實爲此時代之代表文學。假名草子（物語）有《一寸法師》、《文正草子》、《鉢かづき》、《酒顚童子》，軍記物語有《曾我物語》、《義經記》。謠曲以《世阿彌十六部集》爲有名。舞樂劇則有《幸若舞》。在安土桃山時代有《淨瑠璃物語》及天主教信徒和傳教師以羅馬字表記的文學，如《平家物語》、《伊曾保物語》、《金句集》（此集即《論語》譯成當時的口語文後，再以羅馬字表記的書）。

二、室町・安桃時代之儒學

鎌倉、吉野時代之儒學中博士家學以古註爲主，五山僧侶以新注爲主。但是到了室町時代博士家學已漸漸採用新注。而且足利學校的再興更成爲關東地區的儒學研究中心。這裡就以朝廷儒學、五山儒學及地方儒學和足利學校等四方面來敘述這時代的儒學情形。

㈠朝廷儒學

平安朝末期以來由於皇室不振的關係，連帶博士家的家學也爲之失色，但在朝廷上的教學仍有其權威的存在。歷代天皇的侍讀，都是以明經記傳等博士家爲主。如後小松天皇時明經有清原良賢，記傳有菅原長嗣、長綱、秀長；稱光天皇時明經有清原賴秀；後花園天皇時明經有清原宗業、業忠，記傳有菅原益長；後土御門時明經有清原宗賢、東坊城益長；後柏原天皇時有東坊城和長、高辻章長；後奈良天皇時有五條爲學；正親町天皇時有高辻長雅。

這個時代中博士家學仍以菅原、清原、中原三家爲主。菅原家有長教、爲興、爲嗣、長遠在永；由菅原家所分出的唐橋在直、在豐、在數、在治；由菅原家所分出的東坊城秀長、益長、長清、和長、長淳、盛長（安桃時代）；由菅原家所分出的五條爲守、爲賴、爲清、爲賢、爲學、爲康、爲經（安桃時代）；由菅原家所分出的高辻久長、長廣、長卿、繼長、長直、章長、長雅等是。清原家族有宗季、良賢、賴季、宗業、業忠、宗賢、宣賢、業賢，安桃時代的枝賢等是。清原氏自季賢後改稱舟橋。中原家有康富、康顯、師富、師象等明經博士。藤原家有元範、爲賢、勝光、季光，安桃時代的惺窩。

其餘如廣橋定光、柳原量光，安桃時代的舟橋秀賢等都是文章博士。

這些學者中以清原業忠、中原康富、清原宗賢、清原宣賢、高辻章長爲有名。

1.清原業忠（1409－1467）：室町前期儒者，歷任大外記，少納言，爲後花園天皇之侍讀，天下學者皆以業忠爲師，中興了清原家學。講《大學》、《中庸》常用朱子的章句；講《論語》、《孟子》則用何、趙之古註。業忠自 1429 年代父宗業爲後花園天皇講《孝經序》至 1466 年在宮中講《論語》的三十八年講學中，除《四書》外，還有講過《禮記》、《春秋左氏傳》、《毛詩》、《尙書》，且曾校過《左傳》加跋，以此授其子。1458 年五月改眞人賜朝臣之姓，十月薙髮爲僧，法名常忠。著有《本朝書籍目錄》。

2.中原康富（1400－1457）：室町前期之明法家，以清原良賢爲師，學《論語》、《尙書》、《大學》、《禮記》、《毛詩》，而且常爲公卿、學者講漢學，如在伏見宮講《孝經》、《論語》、《孟子》，爲後花園天皇講《大學》、《中庸》，爲貞成親王、邦高親王講《論語》，爲貞常親王講《尙書》、《毛詩》、《左傳》、《孟子》、《禮記》，且於 1455 年進《孟子》新注一冊，在花山院講《大學》、《中庸》、《孟子》、《孝經》、《尙書》，在仁和寺宮、藥院使保家邸講《孟子》，在勸修寺教秀邸、三福寺講《論語》，爲三條公躬、丹波顯長、坊城俊明、大炊御門信置講《孝經》，爲三條西實連講《孟子》、《尙書》、《左傳》，爲稱光天皇講《左傳》。康富之學以清原良賢爲宗，而良賢實爲博士家學中最先引入宋學新義的學者，而且康富亦曾向良賢借閱新注《論語》，而後又獻新注《孟子》一冊給貞常親王，足見其對宋學新注頗感興趣，而其講學當亦以新注爲主吧！有日記《康富記》詳細描寫了當時貴族社會的實情。

3.清原宗賢（1430－1503）：室町中期之明經家。清原家學到宗賢適值應仁之亂（1467－1477），博士家學的活動也大多受到影響，在朝廷的講學自然不如往前頻繁。宗賢爲勝仁親王講完《孝經》、《論語》、《中庸》，爲後土御門天皇進講《論語》之外別無記錄。應仁之亂後，在朝廷的講學已不是清原家之專屬了，如卜部（吉田）兼俱爲足利義尙講《日本神代紀》，小槻雅久講《論語》，一條兼良在隨心院講《孟子》，三條西實隆爲勝仁親王複習《孟子》、《論語》、《大學》，甚至僧侶一勤也在勝仁親王御所講《毛詩》，在宮中講《蒙求》、《中庸》、《尚書》、《左傳》、《大學》，在姉小路邸講《孟子》、《孝經》，在近衛邸講《論語》、《大學》。而宗賢繼其家學以新古二注支撐明經道亦誠屬不易，亂後儒學之復興，實非一家所能完成，所以這些人物對當時經學的恢復頗有助益。

4.清原宣賢（1475－1550）：室町末期的學者。爲神道家吉田兼俱之三子，幼時爲清原宗賢之養子。二十七歲爲少納言，養父宗賢死後繼其家學。爲三條西公條之師，授其《毛詩》、《尚書》、《左傳》、《禮記》，爲知仁親王講《孝經》、《大學》、《論語》、《孟子》、《古文尚書》、《左傳》，爲方仁親王講《論語》、《古文孝經》，爲貞敦親王講《中臣祓》，爲足利義晴講《論語》，在甘露寺元長邸講《毛詩鄭箋》，在萬里小路邸講《論語》，在兩足院講《毛詩抄》，在一乘谷講《孝經》、《中庸》、《孟子》，在三條西邸講《曲禮》。而且自 1503 年起抄寫、加點《大學章句》、《孟子趙注》、《中庸章句》、《論語集解》、《毛詩鄭箋》、《尚書孔傳》、《尚書》、《春秋經傳集解》、《禮記鄭注》。他也是承襲祖先的學風，《學》、《庸》依新注，《五經》、《論》、《孟》依古注來講學，而成爲清原家之定本，明經家四書的點訓到了宣賢才告完備。他爲講《大學章句》而自寫《大學聽塵》一書，爲講《論語集解》而編《論語聽塵》，爲知仁親王講《孟子趙注》時寫成《孟子抄》14 卷 7 冊。《大學聽塵》卷首先述二程子自《禮記》中取《大學》、《中庸》二編，加《論語》、《孟子》而成四書之事，謂：「本注之《大學》、《中庸》在《禮記》中，鄭玄之注也。漢儒闇於心、理之學而義理亦淺見，不能辨別本文之顛倒而置之，二程子辨之爲之注，且重置文之前後。」「正傳孟子之道者程子也，經二千歲而知性學者奇特也。」「世不出程子、朱子者則聖人之道，實至孟子而斷焉。」足見其對程、朱之推崇。其點訓雖承自先人，但在《孟子抄》中卻四處可見其引《集注》以爲說的例子。如對〈滕文公篇章句上〉的「孟子道性善，言必稱堯、舜」一句解釋道：「所謂性者人之受之於天而生之理也云云，在人謂性，在天謂理，此謂理即性，性即理。人之性本體善也，世間有本性惡者，皆爲氣質之性所爲，非性之所爲也。……故性全無賢愚之異，由氣質所發之情，賢愚始分也。故性者在聖不增，在愚不減，唯同性也。如此人之性根本爲善也者孟子之言也。」「程子曰：『性善之二字，孟子擴前聖之所未發，有功於聖門』。愚亦敢曰：『性即理也之一句，程子擴前賢之所未發，有功於孟子』」。他不僅引《集注》來講解《孟子趙注》，而且以其本家（吉田）神道及禪學來解釋，如對〈盡心篇章句上〉的「盡其心者知其性也，知其性則知天矣」，解釋道「知性知天者只在盡心，故此章言與其欲知性知天勿寧回歸於心，自可知性知天也。如內典言直指人心，見性成佛，古人謂：直指人心者謂之盡其心，見性者謂之知其性，成佛者謂之知天」。試圖將儒學與禪學合爲一談。又在「存其心，養其性，所以事天也」中，《集注》謂「心爲人之神明，所以具眾理、應萬事也」。而他解釋道：「言心爲神明之舍也。具眾理者心之體也，應萬事者心之用也」。這其實是根據其父吉田兼俱的《神道大意》「更應知，心即神明之舍，形與天地同根」一句而來的。而其在《論語聽塵》中解〈爲政篇〉的「攻乎異端，斯害也已」爲「道教之虛，虛而無也；儒教之虛，虛而有也。周茂叔謂無極即太極也。無極者所謂虛也，太極者所謂有也。佛教之寂，寂而感；《易》謂寂然而不動者即所謂之寂也，謂感而通道天下之故者即所謂感也。以此二教可謂異端」。這種論調在《大學聽塵》章句序的注中也可看見，而這也是祖述一條兼良的《大學童子訓》而來。但也可看出宣賢正如和島氏所言「宣賢能如此明確地區別三教的大概，是因爲他很了解攝取包容道佛二教的宋學，而且具備了能適切地批判各教所說的見識吧。」❷宣賢在1529年時出家，法號宗尤，而後數度到越前（福井縣），能登（石川縣）等各地方去講學，對地方儒學的發展助益良多，以七十六歲之高齡死於越前一乘谷（足羽郡）。著有四書五經諺解及《日本紀神代紀》、《貞永式目》、《職原抄》等各諺解。

5.高辻章長（1469－1525）：室町末期的儒者。後柏原天皇的侍讀。自

❷ 和島芳男：《中世の儒學》（東京：吉川弘文館，1965年），頁191。

古以來天皇始讀之書爲《孝經》，但到了章長爲侍讀改變成《史記・五帝本紀》，這是紀傳家首開之例。章長爲後柏原天皇進講《漢書》、《東坡集》，爲三條西公條講《蒙求》、《文選》，在伏見宮講《孝經》、《東坡詩》、《毛詩》、《貞觀政要》，在近衛政家邸講《毛詩》。

博士家學在宋學盛行的影響下也如此地逐漸吸取新注，使之成爲家學中的一部分，以新古混用來進行講學，勉強保住在朝廷上的講學地位。當然除了博士家如此之外，還有一些官員公卿也受此影響，而紛紛以新注講學或研究，如：

6.一條兼良（1402－1481）：室町中期的公卿、學者。關白藤原經嗣之二子，歷任大納言、左近衛大將、內大臣、右大臣、左大臣，而至攝政。1473年出家，法名覺惠。他學識淵博，熟悉朝典，又善和歌，通神道，廣涉儒學，爲當時之碩儒。曾在其所著《尺素往來》中說明宋學之發展謂：「前後漢唐朝所釋，古來雖用之，近代獨清健玄惠法印，宋朝濂洛之義爲正，開講席於朝廷以來，程朱二公之新釋，可爲肝心候也」。且在其儒學啓蒙書《四書童子訓》中謂「程子以前無四書之名，故四書應以新注爲本」，對孟子的性善說推崇不已。但他認爲儒佛之教義相通，而其教化及悟道的方法不同。這種思想在《樵談治要》中也可發現。甚至他以其神學的觀點來統合儒佛二教，如在他的《日本書紀纂疏》中就可看到他引用儒佛之經典、教義來注解該書的神代史。著有和歌《南都百首》、《歌林良材集》（2 卷）、《古今集童蒙抄》（2 卷），神樂、催馬樂之註釋《梁塵愚案抄》（2 卷），古典評釋《花鳥余情》（30 卷）、《伊勢物語愚見抄》（2 卷），有職故實《公事根源》、《江家次第抄》，神道研究《日本書紀纂疏》（2 卷 8 冊），儒學啓蒙書《四書童子訓》，紀行《富士川之記》，政道論《文明一統記》、《樵談治要》，隨筆《小夜寢覺》、《東齋隨筆》，其他如《尺素往來》、《源語秘訣》等。

7.三條西實隆（1455－1537）：室町末期公卿、歌人。六歲繼家業，應仁之亂時避難於鞍馬寺，1469 年敘爵，補藏人頭（長官名，天皇之近侍，掌宮中大小雜事），歷任參議、權中納言、權大納言、內大臣之職，於 1506

年出家，法名堯空。他歷經後花園、後土御門、後柏原、後奈良四朝，受恩於後土御門、將軍足利義政、義尚。長於和歌、與飛鳥井榮雅學歌學，與飯尾宗祇學連歌，受古今傳授。又致力於抄書、購書、校合、加點之工作，這或許是因爲應仁之亂，文化中心的京都殘破不堪，而他爲了保存文化資財而做的吧！這方面的功績也是他受世人所敬仰的原因之一。經他所抄寫之書有《孟子疏》（後獻給勝仁親王）、《長恨歌》、《琵琶行》、《東坡詩》、《蒙求》、《孝經》、《漢書》、《周易》、《後漢書》、《毛詩聞書》、《貞觀政要》、《史記·本紀》、《史記源流》、《史記正義》、《莊子》、《三略》。加點《千字文》、《和漢朗詠集》、《論語》3 冊、《杜子美集》11 冊（以上兩種爲 1489 年勝仁親王送給他的書，經他加點）、《孝經》、《周易·革卦》、《文選》、《十八史略》、《杜詩》、《初心要記》、《論語集解》，自 1504 至 1509 年共購買了《帝範》、《千字文》、《左傳》、《山谷詩》、《資治通鑑》、《白氏文集》、《白氏六帖》、《廣韻》、《文選》、《毛晃》、《楊子法言》、《世說新語》等書。爲勝仁親王復讀《論語》、《孟子》、《大學》。應都鄙公家、武士各層之需要傳授有職故實，對文化的地方傳播頗有貢獻。著有《多多良問答》、《高野參詣記》、《詠歌大概抄》、《裝束抄》等，歌集有《再昌草》，家集有《雪玉集》，日記有《實隆公記》（細述 1474－1536 年間戰國時期京都貴族的零落和精神生活、市井的生活和戰亂的實相）。

㈡五山之儒學

不同於博士家新古注混用學風的五山僧侶，雖然一開始只是借此宋學新注來補助其參禪之用，但到了室町時代五山僧侶中也遂漸對宋學做深入的研究，而且在應仁之亂時，僧侶們也紛紛避難於各地方的寺院，在該寺院講授儒學，對儒學往地方發展的過程中，占有很重要的地位。這時期研究儒學的代表僧侶有：

1.岐陽方秀（1361－1424）：姓佐伯氏，名方秀，字岐陽，別號不二道人，讚岐人。剛出生就逢州亂，父奔北越，與母入京投外祖父源某，源某爲一儒者，見孺子可教，乃授以《詩》、《書》，岐陽諳誦不倦。源某死後，岐陽事師夢巖，後又事師靈源性浚，親炙八年而辭往相州，明年回京講學，1386 年義堂入南禪寺，頗信程朱之書，岐陽初學《詩》、《書》，後崇宋學，實亦受義堂之影響，於是大小經論無不涉獵。1402 年明惠帝遣僧天倫和一菴來日，岐陽欲見之，但不爲官方所許可，乃通書信，二師咸稱其博才，於是足利義持常召見他問法，倍加崇敬，1403 年自明歸來的使船載回《四書》及《詩經集注》，岐陽得之，開始講新注，雖然當時新注尚未流行，但其師夢巖早就以新注《孟子》授徒。所以岐陽常常感嘆當時世人不知新注，而於講授新注時常謂：「夫志乎儒者，必學之也，勿徒讚彼所棄之書」。所謂的「彼」應指宋而言，所謂的「所棄之書」應指古注而言。這說明了當時一般從事儒學研究的學者仍然以古注爲主，所以岐陽爲這些書加了和注，以此授其徒，宋學新注在岐陽的傳授間頗有進展。岐陽之崇尚新注，可從他的〈明仲字說〉中明白的表現出來，謂：「易象曰：『明兩作離』，離南方之卦，心譬也。何則，明也者心之體，而明之之者乃心之用也。其體虛靈不昧，雖聖人亦不可加乎一毫，雖眾人亦不可損乎一毫。但忽迷之則四方易位，昏昕莫辨，於是乎有時而蔽，是以強謂之無明，然其素有之明，則有未嘗息者，而學者或聞之於師，或獲之於友，一信已萌于心，則因其所信，以端汝視履，嗇汝精神，孜孜爾，矻矻爾，而遂明之，以復其素有之地，所謂繼明照于四方是謂也。」❸從這段論述看來，眞可說是朱子在《大學》章句中解釋「明德」的翻版。但是岐陽又在其〈明之說〉中引《周易》離卦來解《大學》之明德謂：「《周易・離卦》曰：『離，明也』，明也者明德也，明德也者乃吾聖人之徒，所謂一心也，人人之所具，素有之大本，寂而常照，照而常寂，若止水焉，若明鏡焉，若帝網之珠焉，然則明德一心之用，一心明德之體，惟人不明之，作狂唯狂，克明之則作聖，聖之與狂，其在一心之明與不明也歟」❹。可知岐陽以「心」爲「明德」之本體，而以「明德」爲「心」之作用，本體之「心」若能明，則能起「明德」之作用，所以岐陽的重點應該是

❸ 《五山文學全集》三，頁 24－25。

❹ 《不二遺稿》卷之下〈明之説〉，頁 12。

放在「心」上。久保天隨認爲這與朱子解明德謂：「明德者，人之所得乎天而虛靈不昧，以具眾理而應萬事者也。但爲氣稟所拘，人欲所蔽，則有時而昏，然其本體之明，則有未嘗息者，故學者當因其所發而遂明之，以復其初也」，似有不同。蓋朱子乃以「明德」本身爲本體。而岐陽以心爲體、以明德爲用，論理較明❺。而且岐陽也認爲「明德」與「心」是一樣的，他在〈明之說〉中說：「昔堯以此明德傳之舜，舜傳之禹（中略），吾佛大聖人亦傳之大龜氏，（中略）以至於慧日，而光明盛大，皆傳一心於萬世者也，其所傳者異乎其名，而其實一也」❻。岐陽把儒家的「明德」與佛家的「一心」一體化了。在這同時又利用了「體用」說把兩者分配成「明德一心之用，一心明德之體」，而置重點於「心」上。由此亦不難看出岐陽雖然崇尚宋儒新學，但終究是不同於程朱。蓋程朱排佛而岐陽合佛。岐陽著有《琴川錄》（或作《岐陽禪師語錄》）、《不二遺稿》。

2.雲章一慶（1386－1463）：姓藤氏，名一慶，字雲章，別號流芳，左丞相經嗣之子。六歲入山崎成恩寺，十六歲往東福寺，明年適値明僧天倫與一菴使日，得其接見，天倫見其不凡乃賦與之曰：

> 十二年前蚤出家，因緣傳得祖袈裟，
> 黄梅夜半曾分付，把住無容失左車。

不久，雲章又往城北聖壽寺從岐陽受程朱學，綜覽內外典籍。至岐陽主持東福寺，雲章掌管輪藏，常與岐陽評論《碧巖集》，頗受岐陽讚賞。1435 年應後小松上皇之詔，入禁闕進講《元亨釋書》。1441 年主東福寺，1449 年主持南禪寺三個月，隱居慧山寶渚菴。常與眾講《百丈清規》以警學徒，因會諸家之說，撰《清規要綱》，又作《五燈一覽圖》以備後學之檢尋。又每喜誦程朱之說，乃作〈理氣性情圖〉及〈一性五性例儒圖〉。

---

❺ 《日本儒學史》，頁 154－155。

❻ 同註❹，頁 12－13。

3.惟肖得巖（1360－1437）：名得巖，字惟肖，別號蕉雪、歇即道人，山陽備人，世稱雙桂和尚。年十六從草堂芳學，參夢巖祖應於東福寺而與岐陽等同門，但程朱之學卻受之於岐陽，惟肖對於經史子集無不涉獵，又好《莊子》，曾講《莊子口義》作抄十卷，書中多用禪語，世人能解者不多。所著除語錄、疏稿外，另有《東海瓊華集》、《東海璚華集》。

4.翺之慧鳳：（？－1465？）名慧鳳，字翺之，別號竹居、木裰道人。1419 年入東福寺岐陽之門，後 1432 年隨遣明使入明，長於詩文，深通經學。歸日後於 1441 年因將軍足利義政行德政，故作〈德政論〉一篇，以布天下。論「天下之爲天下，以勢焉耳。今夫庶民之從於士卒，士卒之從於將相，將相之從於一人，皆以勢耳，今且苟一失其勢，舉止不得其所，奸猾之流乘之，而百桀紂暴於下矣。」所以人君須以德重於上，則天下定於安矣。而這個德正是儒學仁義之政，所以他說：「僕切以爲，凡治天下，仁以成經，義以成權，雖寬不可忘於義，雖察不可忘於仁。（中略）內以仁與義守之，外以寬與察資之，四海可坐而觀於掌上也。」❼而翺之對朱子的崇拜由所著〈晦菴序〉中的讚詞可得而知之。謂：「建安朱夫子，出於趙宋南遷之後，有泰山巖巖之氣象，截戰國秦漢以來上下數千歲間，諸儒舌頭，躬出新意，聖賢心胸，如披霧而見太清，數百年後，儒門偉人名流，是其所見（是？），非其所非，置之於鄒魯聖賢之地位，仰之如泰山北斗，異矣哉，三光五嶽之氣，鐘乎是人，不然奚以致有此乎。」❽翺之著有《竹居清事》、《投贈和答等諸詩小序》及詩文集《竹居西遊集》。

5.桂菴玄樹（1427－1508）：名玄樹，字桂菴，別號島陰、海東野釋。九歲入南禪寺師事惟肖❾，當時建仁寺有惟正明貞，東福寺有景召端棠二人

❼ 同註❸，頁 2814－2817。

❽ 同註❸，頁 2814。

❾ 《五山文學新集》二，頁 1289，謂此爲誤，應是師事建仁寺惟正明貞。

⑩，皆岐陽之徒弟而講《四書》，以博識稱，所以桂菴亦就二老受內外之學。年十六削髮爲僧，與景徐周麟、了菴桂悟、蘭坡景茝等皆爲一時之名僧。返鄉後，領永福寺，愈信宋學，專學程朱性理。於 1467 年奉後土御天皇之勅隨使入明，游於蘇杭之間，訪諸儒，學程朱新義，讀倪士毅的《四書輯釋》，曹端的《四書詳說》，及各註解之書，潛心玩理有所不得，輒就鉅儒審詢研究，在明七年而歸日。時應仁之亂未已，京都殘破，南禪寺已毀，縉紳僧侶皆走往四方。故桂菴亦避亂於石見（今島根縣西），潛心鑽研。不久，入鎮西游歷豐筑肥諸州。時周防之大內政弘，肥後之菊池重朝，薩州之島津忠昌等皆好儒學，故桂菴所到之處，宿儒名族皆推崇其學，招延講學，所講宋學新義，時人耳目一新。在鹿兒島時爲島津氏講《尚書》，又與國老伊地知重貞共刊《大學章句》，這是日本第一次刊行新注之書，時爲 1479 年（而後又在 1492 年再刊）。桂菴以此入侍讀公側，出聚第日講新注，以弘斯道務爲己任，自來九州凡卅餘年，奠薩南文教之基，其功爲最。著有《島陰漁唱》3 卷、《島陰漁唱文集》1 卷、《島陰雜著》1 卷、《桂菴和尚家法和點》1 卷（此爲四書朱註之日文和點注解書），另有在明時之詩文《南游集》（今已不傳）。其門人中較有名者爲舜田耕翁、郁芳、月渚永乘等人，且各有傳承，餘者詳見下節九州之儒學。

6.了菴桂悟（1425－1514）：桂悟字了菴，受朱子學於惟肖，嗣法眞如寺大疑信，泛通宗說。文明期間入伊勢安養寺，後主東福寺。後土御門天皇聞其名特招來問法，親書「了菴」二字賜之，世以爲榮，1506 年後柏原天皇賜號「佛日禪師」，1509 年以八十三之高齡出使大明，遇颶風而折回，1512 年再度出使入明⑪。時明武宗帝詔住育王山慶利寺，又賜金襴袈裟，浙江司

---

⑩ 《漢學紀源》卷二，以爲此惟正明貞爲惟肖之誤，景召端棠爲景徐周麟之誤。然而筆者遍尋《本朝高僧傳》及《五山詩僧傳》皆不見惟正及景召二僧之資料，若二僧與惟肖、景徐同時代則其名應有錄於上述書之中才是，何以未錄，不得而知，且景徐周麟亦無住過東福寺之記錄。

⑪ 了菴入明之年代，諸說不一，故致使在明期間有長有短，如《漢學紀源》謂於永正三年（1506）入明，至永正十年（1513）歸日，故前後有八年之久，而《五山詩僧傳》則謂於永正三年入明未成，遲至永正九年（1512）始入大明，本稿依此說，蓋由桂悟所著《了菴和尚壬申入明記》推之，則壬申年即永正九年，故以此爲憑。若是則桂悟在明期間，前後僅兩年而已。

舶司事黃相具一疏以祝其榮。桂悟在明期間與諸儒交者多矣，1513 年歸日時，諸儒大官來送行寄言者不少，其中有王陽明之送序，姚江楊端夫、廣平知府盧希玉等都有送行之作。桂悟歸日住入南禪寺，後解印隱居堆雲軒，1514年入寂，享年九十一歲。所著《語錄》1 卷，《了菴和尚壬申入明記》1 冊。《語錄》有四川按察副使黃隆之序，這是桂悟法嗣東歸西堂入明時攜此錄請黃隆作序之故。

五山僧侶與儒學有關的除了上述之外，另有蘭坡景茝(？－1501)，著有《雪樵獨唱集》，景徐周麟(1440－1518)著有《翰林葫蘆集》、《宜竹殘稿》、《日涉記》。橫川景三(1429－1493)著有《補菴京華集》、《小補東遊集》、《閨門集》、《百人一首》。桃源瑞仙（1433－1489）著有《史記抄》、《易抄》。

㈢地方之儒學

儒學自傳入日本後一直以京畿一地爲中心，並無向地方推廣的跡象，且只有皇室貴族有機會接觸，直到鎌倉時代政治結構改變，使儒學得以透過僧侶的講授而流傳到地方，但在當時也僅於東日本的鎌倉一地設置五山十剎與西日本的京畿、五山十剎遙遙相對而已，並不是普及到各地方。到了室町時代，一場應仁之亂，打破了千年來儒學在日本的發展形勢。應仁之亂持續了十一年才告平息，這期間，京都的達官貴人、文人學士，五山十剎的僧侶們無不紛紛走避他鄉，特別是博士家的學者及儒僧們在所居的地方傳授學問，促使儒學在地方生根。儘管儒學已流傳到地方，但這並不就意味著儒學已經是平民化了。因爲由京城來的學者、儒僧仍然以地方的豪族、寺院僧侶爲傳授之對象，所以這時期的儒學發展階段只能說是地方化，還談不上平民化，眞正的平民化要等到江戶時代藤原惺窩、林羅山等人的推展下，儒學走入民間才可算是平民化。但這地方化的形成在日本的儒學發展史上已值得大書特書。因爲這正是江戶時代儒學發展成平民化的先決環境。所謂的地方是指畿內五畿以外的地方七道而言。⓬以京都爲中心來說，京都以東的本州有近江、

⓬ 五畿即畿內：山城、河內、攝津、大和、和泉。七道即東山道、北陸道、東海道、山陰道、山陽道、南海道、西海道。

美濃、尾張、甲斐、相模、上野、武藏、下野等地，京都以北的本州有若狹、越前、能登等地，京都以西的本州有播磨、周防、長門等地。四國有土佐。九州有筑前、筑後、肥前、肥後、日向、大隅、薩摩等地。以下就這些地方的儒學情況加以說明。

1.近江（今滋賀縣）：近江名將小倉實澄派兵保護因應仁之亂而返鄉的當時儒佛碩學桃源瑞仙和橫川景三，而後景徐周麟也來避亂。實澄與此三僧遊永源寺，觀楓賦詩。

2.美濃（今岐阜縣南）、尾張（今愛知縣西）之間：萬里集九因應仁之亂而放浪於濃、尾、江之間。此間之文學盛行，武將東常緣（1401－1494）與歌人宗祇學《古今集》，著書頗多，且有歌集傳世。齋藤妙椿（1410－1480）武將，好和歌，曾與東常緣贈答，又與萬里學習，和一條兼良深交。

3.甲斐（今山梨縣）：希菴玄密爲月谷岫之弟子，曾參雪嶺瑾、明叔和尚，住濃州明覺山，又住妙心寺，受武田信玄之請住入甲斐慧林寺。快川紹喜濃州土岐氏，曾住妙心寺，又住濃州崇福寺，受武田信玄之歸依而上慧林寺。正親町天皇特賜大通智勝國師之號。武田信玄雖爲一介武將，但其「信玄家法」則多處引用儒書及兵書，如《論語》曰、《孟子》曰、《尚書》曰、《禮記》曰、《左傳》曰、《史記》曰、《後漢書》曰、《吳子》曰、《三略》曰、《司馬法》曰等⓭，教誨族人，論正人倫及應學六藝之事。

4.相模（今神奈川縣）：北條早雲（1432－1519）亦爲一武將，曾定「早雲二十一箇條」，其中一條論及交友之事，引《論語》「三人行必有我師焉，擇其善者而從之，其不善者而改之」⓮之句以爲訓。應仁之亂時有僧機雪（？）者來投靠。

5.上野（今群馬縣）：上杉憲實（1410－1466）武將，十歲爲關東管領，任上野、伊豆之守護。爲一好學之士，再興了金澤文庫及再建了足利學校（此事容後再述），成爲關東文教中心，特別是對儒學的推展實功不可沒。其子

⓭ 《新校群書類從》，卷 17，頁 436－444。

⓮ 同註⓭，頁 434。

憲忠（1433－1454）亦爲一好學武將，曾送學校宋刊本《周易注疏》，同族的憲房也送了明版《後漢書》、《十八史略》給學校。憲房之時，相模小田原的北條早雲曾集《太平記》諸本請學校之學徒研究。而上杉氏之家臣長尾景仲（1388－1463）爲上野國白井城主，在城內建聖堂，造講堂，從京都聘請儒者每月逢六開講，教授聖人之道。

6.武藏（今東京都、埼玉縣、神奈川縣之一部）：上杉定正（1443－1494）與五山僧侶橫川、景徐、萬里等有所交往。其家臣曾我豐後守宛曾作〈上杉定正狀〉，其中第一條爲「《論語》、《孝經》固不可不讀，然不孝則有如著錦夜行」。又另一家臣太田道灌，優待禪侶、碩學，僧萬里、正宗等曾爲其客。道灌通和漢，尤善和歌，家藏兵書、史傳、小說、二十一代集等數千餘函，有家集十一卷。其〈太田道灌狀〉中有論及「以德爲治國之本」的思想，僧萬里的《靜勝軒記》中謂道灌爲「守忠孝之至道」「爲天下國家而不爲私」。

7.下野（今栃木縣）：此乃足利學校所在地，請參見足利學校之項。

8.北國即若狹（今福井縣西）、越前（今福井縣東）、能登（石川縣北）等地：高辻章長曾下越前，亂後回京，退隱後終身於越前一乘谷。東坊城長淳亦曾到此，但不知有無在當地從事講學。清原宣賢下越前，曾三度在能登講《蒙求》和《中庸章句》、《孟子趙注》，在越前若峽小濱的栖雲寺講《孟子》。後以七十一歲高齡再度回到越前在一乘谷的慶隆院講《蒙求》，在遊樂寺講《古文孝經》。而終其一生都在一乘谷講學，計所講書目有《中庸章句》、《大學章句》、《古文孝經》、《孟子》等。朝倉敏景（1428－1481）於 1471 年爲越前守護，自幼有才智，好學能和歌，又善弓馬軍法，曾制〈朝倉敏景十七箇條〉以誡子孫，其中最後一條中有「縱令學賢人聖人之學、學諸文，心亦不可乖僻，見《論語》有『君子不重時則不威』則應明白僅重於一者不善。而該重時亦應因時宜時刻而行動，此爲緊要也。」⓯可知其對儒學的實踐。至其曾孫孝景（1493－1548）時朝倉氏之文運益盛，而官拜左京

⓯ 同註⓭，頁 453。

大夫。1518 年孝景更招月舟壽桂到越前。月舟別號幻雲或中孚道人，夙有博學宏才之名，常庵龍崇祭其文中曰：「佛經儒書諸部之不審，至此翁盡曉析，恰如湯雪，可謂獨步于古今矣」。與高辻章長有深交。著有《幻雲文集》、《北征集》、《語錄》三卷，詩集《幻雲稿》等書。朝倉氏歷代皆爲武將而好學，故北國文運在其一族的提倡下大爲盛行。

9.播磨（今兵庫縣西南）：天隱龍澤（1422－1500），播磨人，1431 年入建仁寺大昌院出家，後爲南禪寺住持，經常講學門人眾多。雖爲人師但亦常不恥下問，集諸家之善說，又好和歌，與明經家清原常忠、三條西實隆有深交。應仁之亂回播磨，受守護赤松氏之招，亂後再回京都，著有《默雲藁》、《天隱錄》、《點鐵集》、《錦繡段》。

10.周防（今山口縣東）、長門（今山口縣西北）：周防、長門在守護大內義弘（1356－1399）時已是對外通交之重地，特別是與明的貿易頻繁，早已成爲經濟中心。其弟盛見（1377－1431）師事南禪寺惟肖及東福寺岐陽，又致力於與朝鮮的交流，求取《大藏經》加以印行，留下卓著的文化業績。盛見之子教弘(1420－1465)招惟肖之弟子竹居正猷到長門大寧寺與之參禪。教弘之子政弘（1446－1495）應仁之亂時爲西軍之大將，禮待來自京都避亂的公卿、僧侶。曾與三條西實隆、宗祇學和歌、連歌，篤信佛教，又刊行虎關師鍊所著《聚分韻略》。政弘之子義興（1477－1528）幼時，右大臣三條公敦來山口曾送其家本《御注孝經》，成人後爲管領代在京十一年，與景徐周麟學儒佛二道，又利用職務之便輸入朝鮮古刊本。1499 年時其家臣杉左衛門尉武道重刊了正平版《論語集解》五冊，卷末記有「今此一書爲夫子之遺書，漢朝諸儒之所注解也，實爲五經之輨轄，六藝之喉衿也，天下之民生者豈不仰其德乎。」義興之長子義隆（1507－1551）爲周防、長門、安藝（今廣島縣西）、備後（今廣島縣東）、石見（今島根縣西）、豐前（今福岡縣大部、大分縣之一部）、筑前（今福岡縣西北）等七州守護，歷任左京大夫、大宰大貳、兵部卿，敘從二位，實爲大內氏之最盛時期。1534 年義隆遣使往朝鮮求四書五經之注釋書。又 1538 年再度遣僧正睍入朝鮮求朱註《五經》，1540 年使僧歸國帶回《詩》、《書》二經之新注。1539 年義隆重刊了虎關的《聚分韻略》謂之《三重韻》。1546 年，義隆聽說清原賴賢有四書五經之諺解，送了錢五萬匹向賴賢借來抄寫，而成爲一時之美談。義隆以此爲講師之助，檢所屬諸寺，選雛僧贈衣糧勸之以學。同年春義隆自講《大學序》，設會令柳原資定、持明院基規、竹田定慶、神光寺僧輪流講習《四書》、《五經》，又請清原賴賢及小槻伊治二師聽之，質其疑義。1547 年制定〈渡唐船法度條條〉，其中規定不得與唐人交談公務之事及停止私人的筆談，但只有醫學、儒學等的練習不在此限。義隆常謂：「以聖賢之道治國，故以文爲第一，以武爲次」，阿諛之徒爲承其意竟主文而怠武，老臣陶晴賢屢諫不聽，後終爲晴賢舉兵襲敗，在長門深川大寧寺自刃，年四十五。

11.土佐（今四國之高知縣）：1318 年夢窗疎石在五台山建吸江庵以來，研究儒學之風漸興。1478 年長宗我部文兼迎接左大臣一條教房來土佐，海南文運爲之興盛。此時南村梅軒（生卒年不詳）亦來土佐仕奉守護吉良宣經，南村梅軒之生平大多只見於《吉良物語》一書，別無他傳，所以梅軒的資料至今仍然所知有限。其學問思想或可從他與宣經的問答中得知一二。

> 宣經問儒者之學。梅軒對曰：「夫儒學者之總稱也而有小人儒、君子儒之分，或有達儒、腐儒、直儒、曲儒之目。務記誦之末，昏於義理之源，徒賣名買祿，牽於利習，惟私欲是計者小人儒也。拘泥於文章字句，不辨一般事務，不適當世之用者是爲腐儒。其心頑曲偏頗，專引古道謗今政，不責己而尤人，巧筆舌顚倒是非善惡者是爲曲儒。君子儒則不然，講習仁義之道，心得躬行，自綱常彝倫之大至起居飲食之細，幽鬼神之道，顯天地之理，周通無遺，其心活動左右自在，當事接物，臨機應變，無所澁滯，言行一致，心貌和同，事君父亦以此道，使臣妾亦以此道，推至治國平天下，皆無非此道。概謂是爲道義之學。今君所問之儒者何儒耶？」
>
> 宣經曰：「願聞道義之學。」梅軒曰：「備具於《四書》而無缺，君可就習，臣又何言。」
>
> 宣經曰：「每日切身之工夫如何。」梅軒曰：「在反身愼獨，尤人薄

而遠怨。」（中略）

宣經曰：「忝賜訓誨，感激之至。僕曾聞世人之言曰：『學問渾不足爲人心之助，又不成行事之便，且如讀書解字爲緇徒之事而非武夫之道』。僕亦竊謂是之，爲今而後，始得解惑，大幸何事過此。」梅軒曰：「然。雖然當世無眞儒，只小人之儒而已，而世人不知學問之眞有益而應尚，爾云亦非無理，昔吳之孫權謂呂蒙曰：『讀書勿欲爲博士，要唯涉獵大義弘知識，以計事變』。宋太宗亦曰：『開卷有益不覺心氣之勞』。古明主之所勤，大概如此，何爲緇徒之事而非武夫之事耶，且讀書原卻非緇徒之事。夫禪家之大旨，指示直心，不藉立文字，入定兀坐，拂塵離相，絕念忘情，氣醒心靈，萬事了了，風月灑灑，雖塵緣仍頓起，亦隨手即滅，大明依然昭曜無虧。予雖固陋不能跂及眞儒之域，叨自謂三綱五常之道眞足以維持天地，諸子百家不能更變之。但明曉此心，禪法若無，心爲身之主、萬事之根也，心若非定靜何以辨事。或千軍萬馬馳驟之間，彈丸矢石雨注之中，此心若不鎮定，則如何無怖且惑哉。」

梅軒曾對宣義曰：「進學有漸，勿欲速成，但當循循不已，不已則遂有得，既有得則自不能已，故學，三年若不間斷則必有所得。」

其教學者必以存心、謹言、篤行三事。曰：「此修爲之基也，道雖廣邈，其實已備。學若會得爲己則不爲貧富利害所移，此學問之効驗也。」

由此可知梅軒實以四書爲宗而由禪明心以應萬事。梅軒之學統不明，或謂學於桂菴。梅軒爲南村氏，故其學謂之南學，與其學者有吉良宣經、宣義。另屬此學派的有吸江庵的忍性，宗安寺的如淵，雲溪寺的天質等三僧，世稱三叟。此學派至江戶時代而有山崎闇齋。

(1)吉良宣經（1514－1551）：姓源，通稱伊豫守，土佐吾川郡弘岡城主。爲人溫和聰敏，屈義從諫，文而不委靡，質而不鄙野。事親以孝，撫下以慈，是以善治國郡，諸士咸心服。梅軒初來之時賓禮之，夙夜黽勉，通經義，撰軍律，議定法令。天文十八年（1549）集謀臣於老臣谷將監之家宅，議攻略四國之策，二十年攻長曾我元國，於陣中生病，歸不久而歿。

⑵吉良宣義（？－1562）：宣經之從弟，通稱右近。爲人方直公正，崇道好學，足爲士人之儀表。從梅軒學，講究經義而儼守君臣之儀，如良朋之切偲，如魚水之相資。宣經死後其子宣直嗣之，宣直好禪不留意於政治，終欲出家。宣義數諫不聽，返遭禁錮，絕食數日而亡。不久宣直爲本山茂辰所滅，而宣義之子在甕城力戰而死，吉良氏遂絕祀。

⑶吉良親實（？－1588）：長曾我部元親之姪，通稱左京進。吉良宣直亡後，元親命其弟親貞冒吉良氏之姓。親實嗣父親貞亦爲吉良氏，不久移入高岡郡蓮池城，故又以蓮池爲氏。爲人性直而不回，無所諂屈。時僧如淵精通儒學，親實及其同志之士比江山親興、波川玄蕃、一宮飛驒等都師事如淵，振興士風。元親亦尚儒教，設黌舍，聘如淵及僧忍性爲師，大興文武之道。天正十四年（1586）元親隨秀吉征伐島津氏，戰敗且喪長子，故不能定嗣，而諸老臣欲立季子，親實以爲不可，主張立三子，後遭讒言而賜死。後元親覺其冤，悔愧而爲其建廟以弔其靈，也稱蓮池明神。

⑷忍性（生卒年不詳）：始稱忍藏主，性敏悟，習梅軒之學，善講經書。爲五台山吸江庵之住持，曾爲長宗我部元親所招在城中爲其家族、士大夫講儒書。

⑸如淵（1556－1590）：吉良親實之異父兄。人謂初居京師妙心寺，後歸鄉，聞梅軒講經，遂學儒。但此處有疑：蓋梅軒於宣經死後（1551）不久即離開土佐回周防爲大內義長之陪侍，此時如淵尚未出生，如何聞梅軒講經？或由其舅吉良宣義之處學得梅軒之學。住家鄉的大平寺爲親實日日講經書，又與忍性深交，共講《孝經》、《論》、《孟》。好靜坐，致力內省之工夫，因教其徒曰：「靜本心之虛明，觀夜氣之湛清，以植應事接物之柢」。又曰：「古人有言『行爲立身之本也』，三思而言，九慮而行者，欲成其之忠信篤敬也」。由此可確實地看出如淵之學問不出梅軒之學。親實死後，如淵亦被殺。如淵死後不久忍性亦死。

⑹天質（？－1623）：一說天室（日語室、質同音），土佐人，幼時出家在京都妙心寺學習，又住攝津吹三寶寺（今大阪府吹田市），後歸鄉爲雪

溪寺之住持，久保天隨以爲天室曾聽梅軒講經大喜而執弟子之禮受其業通其意。此亦有可議之處，蓋以天質之歿年來看從梅軒學而持弟子之禮是頗爲牽強，不如和島芳男氏以爲或間接由梅軒之門人而受其遺風來的合理。⑯慶長、元和之間，唱程朱之學，教授生徒，門人有谷時中特爲傑出。其事蹟學問留待江戶時代篇再敘。

12.九州之儒學興盛實繫乎桂菴之傳播。1473 年桂菴避亂於石見，又住長門永福寺，1476 年入九州，開啓了九州宋學史上的第一頁。桂菴先往豐後（今大分縣之大部）萬壽寺，隨後即經筑後（今福岡縣南）於 1477 年入肥後（今熊本縣）。時肥後領主菊池重朝（1449－1493）爲限府城主，好文學，於限府建聖廟，致力於教化，時人稱月松君。桂菴受領主厚遇，在釋奠後獻詩，始在此地提倡朱子學。1478 年受島津忠昌（1463－1508）之招聘下薩摩（今鹿兒島縣西），島津忠昌在鹿兒島爲其建桂樹院，桂菴在此院爲島津氏之家士講程朱新注之學，1479 年刊行《大學章句》。桂樹院在城之陰，故桂菴自取此院爲島陰寺，此寺於 1487 年移轉到城西，此時桂菴兼管日南飫肥（宮崎縣日南市）的安國寺，不久再回鹿兒島，1498 年回京都爲建仁寺之住持，1500 年入南禪寺，不到一年又回到鹿兒島，1508 年入寂於城外東歸庵。門人有京都的巢松、天用，近江的佐佐木永春，越後的長尾某，美濃的玄勤，上野的釣雪，長門的曄，筑前的書中、大年，筑後的源東谷，肥前的自擇，肥後的菊池武貞、源基德、源生德、源重清、限部忠直、藤原爲秀、藤原重貞、秋月種朝、白石兵部、珠林、珠光、嘯月、太極、自笑、專岳、周泉、汝南月舟、玄叢、雪溪，薩摩的島津勝久、島津國久、島津忠廉、島津忠朝、島津忠親、新納忠親、伊地知季貞、鳥取政秀、玉洞、宗壽、湖月、愚丘、舜田、說溪、郁芳、安琮、文傍、玄章、鄂諸玄棣，日向的月渚、野邊克盛，大隅（今鹿兒島縣東）的雲夢、耕月、悅翁等人。其中舜田傳舜有及島津日新齋，舜有再傳舜芳。郁芳傳月溪，月溪傳問得，問得傳文之及藤原惺窩。月渚傳一翁，一翁傳文之。故薩南儒學的流行在桂菴入寂後，

---

⑯ 同註❷，頁 225。

由文之繼承此重任。文之傳泰岳和如竹，如竹傳愛甲喜春，愛甲喜春傳愛甲季經。

⑴舜田：字耕翁，薩州人，俗姓村田氏，自幼爲僧，受學桂菴，綜研內外，無不洞徹，爲桂菴所器許。大永年間主龍盛院，天文二年（1533）後奈良天皇勅賜耕翁，號智燈惠照禪師。

⑵島津日新齋（1492－1568）：幼名菊三郎，稱相模守，名爲忠良，號日新齋，又曰愚谷軒，後參禪曰梅岳常潤，摘稱潤公。生三歲失父，七歲遊海藏院，受學賴增凡九年。而後其長子貴久繼任島津氏第十五代守護職，潤公以監護人掌三州之政、軍、財政及其他一切事務。後三州大亂，潤公統一之，而後立貴久告老隱退。招延舜田、舜有講學越盛，後爲二師立梅岳寺。潤公平素深入禪道，修朱子學，究神道，終於融合儒神佛三教，樹立新流，世稱「日學」（即日新齋之學），俊安頌之曰：

富潤屋蓮經壽年，文經武緯愜天眞，
心頭性火發明後，三教功名屬一人。

又代賢贊之曰：

儒門君子翁，釋部竅空空，
明達玄玄理，三教成一同。

⑶月渚永乘（？－1541）：齋號宿蘆，薩州人，自幼投肥後清源寺，就栖碧和尚學句讀。時一枝和尚善詩書，名滿遠近，月渚乃從學焉，業未成而一枝先歿，月渚猶留居其軒六年。桂菴與一枝友善，聞之嘆曰：昔仲尼沒，子貢六廬於冢上，月渚亦豈減其盡心喪乎。1497 年初菊府僧雪溪負笈於薩州，受學桂菴，文藻宏識，馳譽遐邇，九月菊府使月渚來迎雪溪回董清源寺，時月渚因雪溪得見桂菴。而後幾月，月渚辭肥後歸薩州，師事桂菴，嗜學研精，胸襟高潔，雅好吟詠，桂門雖眾，咸推月渚爲巨擘。日向諸港自古爲對

外要港，時月渚主持龍源寺，後轉安國寺（日向飫肥），聚徒講學。根據一枝、桂菴二師之說講授朱子學新注，門人日眾。1523 年管領細川高國派鸞岡瑞佐、宋素卿等前往明國，船至山川港。大內義興亦派月渚及宗設同船使明，至明，宗設因不滿宋等後到，但卻因收買明國高官而得以先登陸，因而生氣爲亂，月渚等急發使船回日⑰，月渚主安國寺如故，凡廿年，後退隱西光寺（飫肥南鄉），於天文十年入寂。弟子中安國寺之一翁得其傳。

⑷一翁（1507－1592）：或號二州，薩州人。俗姓鹿屋氏，自幼爲僧，師事月渚，綜研內外，最精宋學，出遊京師掛錫眞如，後奉陞建仁寺席，未幾西歸安國寺。1560 年明朝福建連江縣人黃友賢爲賊所追而寓於薩州內，黃友賢精通程朱之學，一翁與之交往，道契日深，遂爲莫逆之交。1567 年目井延命寺（日向）天澤和尚之弟子中有一年僅十三歲的文之玄昌來學，賦歲旦詩，辭翰兩勝，天澤奇之，以爲英物，非吾之所能育，故使之受學於一翁之門。時一翁已退隱龍源寺，專心教授眾徒，隨材施教，或教學書，或習國字，以其理之易通，其事之易達，使皆成其德以爲世用。常誨其徒曰：「人之爲學，汝知其要乎。蓋不但爲通文辭而辨世用，所以切實學其爲人之道也矣。其學焉者，以事父之孝，移之於君，則爲之忠，以事兄之弟，移之於長者與朋友，則爲之順，爲之信矣，皆在省求之於吾心涵養德性而已。若其舍之，雖徒求外，豈復何有得哉」。故其居常教弟子進退周旋必中禮，動輒引聖語曰：「行不履閾，其必愼之」。1573 年至大隅，居神護三、四年，文之從京都遊學歸來，一翁推薦文之監龍源寺，歿於文祿元年。

⑸文之（1555－1620）：名時習，字文之，號南浦，別號懶雲、狂雲，俗姓湯佐氏，薩州人。六歲時其父將之託於目井延命寺天澤和尚，天澤授之《法華》，過目成誦，頗通其意，人稱文珠童。十三歲而能詩，天澤驚之，以爲神童，乃使之就學一翁於市來（日向）龍源寺，受戒名曰玄昌，所爲之詩，往往競傳詞林，膾炙人口，京都相國寺仁如大賞其材，授與文之號，於是一翁字之曰文之。一翁授之《四書》、三體詩等，朝習論說之文，暮撿廣

---

⑰ 上村觀光編：《五山詩僧傳》（東京：民友社，明治 45 年），頁 385。

玉之字。時明人黃友賢與一翁善，故文之亦得其教，學必孔孟濂洛之道。年十五，負笈遊京，謁僧㵾春於慧山龍吟庵。㵾春見其器宇俊爽，留其在旁，文之服勤凡十餘年，博綜內外，深究蘊奧，不久西歸。1573 年，從一翁移錫大隅，1581 經一翁推薦，文之領龍源寺，後轉錫高山少林寺、日向正壽寺等。文之曾改桂菴之《四書》和點，而以此授徒。時正龍寺問得亦精儒學，授徒《四書》，皆用文之之改定本。又 1593 年妙壽院藤原惺窩讀性理書而嘆《四書》新注無和訓，欲入明習之，船遭大風，泊入山川港，於正龍寺偶遇問得以文之和訓授徒，假而誦玩，皆稱其義，乃斷入明之念，而請問得悉寫而歸。1599 年，文之從齡公上伏見邸，購得征人取自朝鮮之《周易大全》二冊，又往他地得一兩冊，猶未完備，乃雇人抄寫，再親施和點且有自跋（1627 年由其門人如竹錄梓此書）。文之在京都講《大學章句》於東福寺，來聽者眾。後水尾天皇（行狀做慶長天皇）聞其博識，乃詔至禁廷講新注。不久，回大隅住正興寺。1603 年，往筑前禪光寺，次月再回正興寺爲㵾春嗣。後轉相模（今神奈川縣之大部）建長寺，1604 年公家久召之侍講凡七年。1606 年回京都，1611 年創大龍寺，1620 年入寂。文之在〈與恭畏闍梨書〉[18]中駁斥恭畏誹詆集注和訓多乖字義時指出：

> 夫《論語》之爲書也，昔者有《齊論》、《魯論》、《古論》之三，漢張禹合魯與齊之論爲一。至鄭康成以魯論考之《齊論》、《古論》爲之註，三論合以爲一。至於後漢曹魏氣象萎薾之時，南陽有何晏者爲之集解。原夫聖道之行於世，尋有晦有明。蓋自周衰孟子沒，斯道晦盲，若夫濂溪周先生生乎千五百歲之後，繼之不傳之正統，再興斯文已墜，誠天之所畀也，斯道之晦盲，至於斯時，煥然復明於世矣。周子傳之河南二程，二程傳至於朱子，而斯文益明，朱子爲《四書集註》，出後，何晏《集解》靡一不泯矣。

[18] 《續續群書類從》卷 10；《漢學紀源》卷 3，頁 167。

「《集註》出而《集解》泯」可知其宗朱子矣。其又謂恭畏云：

> 《集註》者五百年來天下書生所從而學也，名儒碩德無間然矣。

可知其對《集註》之信賴有加。著有《南浦文集》六卷，《聖績圖和鈔》、《日州平治記》、《決勝記》、《鐵砲記》、《砭愚論》。門人有如竹、學之、平田純正、河野通宣、泰岳等人。皆入江戶時代。

㈣足利學校

日本的學校自天智天皇（627－671）時始創學制、天武天皇元年（673）稱大學寮，置國學以供貴族子孫求學之地，大學寮成了官方培養官吏的地方。至 782 年而有私立學校弘文院的設立，以供一氏族子弟之學。至平安末期學校幾廢，大學寮終因 1177 年的一場大火而完全燒毀，不再重建，而國學亦逐一廢絕，故學問之傳承只有靠各家私相傳授的家學及寺社僧侶們的講授來維持。

直至鎌倉時代文永年間（1264－1274）北條實時在金澤創立了金澤文庫⑲，此文庫藏有《尚書正義》、《左傳集解》、《論語注疏》、《集韵》、《初學記》、《一切經》（以上皆爲宋版）、《群書治要》、《世說新語》、《太平御覽》、《外台秘要》、《續易簡方》、《揚氏家藏方》、《太平聖惠方》、《景文公集》、《文選》、《後漢書》、《論語正義》、《東坡集》、《白氏文集》、《春秋正義》等等的漢籍及日本國學之書和佛書。而且時常開辦講學之活動，研鑽學問，而於 1270 年燒毀，1439 年前後由上杉憲實再興。

足利學校之創立者說法不一，或謂小野篁（802－850）爲下野（今栃木縣）之國司時所建，或謂爲國學之遺制，或謂足利義兼（？－1199）爲子弟之修學而設，然而這三種說法都因論據不夠明確，不足爲信，而且該校亦因戰亂而荒廢。

---

⑲ 一說爲北條貞顯所創。

至 1394 年上杉憲定修復足利學校，至 1439 年上杉憲實再興足利學校，歷經其子憲忠，同族別系的憲房等致力於學校的保護及文教的推廣，頗有聲名。但室町時代末期戰亂頻頻，上杉氏族的內亂及與後北條氏的對抗，學校終無寧日，至令庠主九華無心從教而辭去，後得北條氏康、氏政之招而講《周易》、《三略》，且保證支持學校，所以九華再度回到學校任職，至此足利學校在北條氏的保護下，繼續成爲儒學教學的重地。江戶時代雖得德川家康之保護，但終因私塾及藩校的發達而沒落，至明治五年（1872）廢校務改成藏書之地。明治三十六年（1903）在該地成立足利學校遺蹟圖書館，直至今日。

足利學校之教學內容以儒學爲主。在上杉憲實再興之前的足利學校，從建仁寺雲龍庵所藏的《論語集注》書後所寫岐陽和尚的講筵曰：「大唐一府一州之外，及至郡縣皆有學校，日本纔足利一處之學校而已，學徒負笈之地也，然而彼有稱儒學教授之師者亦至今不知有好書，徒就大唐之所破棄之注釋教誨諸人，惜哉。後來若有志於本書之學者應速求新注書讀之」中，可知岐陽之世（1361－1424），足利學校仍以舊注爲教學內容，而不知有新注。至 1439 年上杉憲實再興時，曾贈學校宋刊本《尚書正義》8 冊，《毛詩註疏》30 冊，《禮記正義》35 冊，《春秋左傳註疏》25 冊，同時規定了五條管理書籍的事項，可謂圖書管理法：

(1)收蓄時固其扃鐍（緘）滕，勿浪借與，人若有志披閱者，就于舍內看一冊，可輙送還，不許將歸出閫外。
(2)主事者臨進退時，預先將交割與新舊人，相對僉，定每部卷數而後可交代。
(3)借讀者，勿以丹墨妄句投雜揉，勿令紙背生毛，勿觸寒具手。
(4)至夏月梅潤，則令糊櫃不蒸，至風涼則不令曝不瓦，至漏時則令不濕腐，至冬月則嚴火禁，早設其備。
(5)或質于庫，或鬻于市，或爲穿窬所獲，罪莫大焉，罪莫大焉。

在另一條中謂：「凡漢土自國學至鄉校及家塾，非儒先而司業者難矣，惟綿竹以僧為之主。本朝州學存者僅有數焉，率亦以僧為之主，野之學為最，而經學之盛斯時也。言者曰：畛服而為縫腋之行，乖戾甚。若宗門家一大藏教，是箇切腳，況世俗文字乎哉，雖然至所謂不即不離之妙，有庶幾焉，余故以五經疏本若干卷安置于學舍，從今講習莫怠，則文化之行，自家達于鄉，達于州，達于國家天下也，可指日而竢矣，嗟夫寶惜珍藏，壽有金石是祈，主者思之」。這條雖然是在提醒主事者「講習莫怠」，實亦可看出上杉憲實贈書的用意無非欲將儒學推廣於天下。再從文安三年（1446）的文書中，這種意圖更加明白地顯現出來。

(1)三註（胡曾的《詠史詩注》、李暹的《千字文注》、李澣的《蒙求注》），《四書》、《六經》、《列（子）》、《莊》、《老》、《史記》、《文選》外，於學校不可講之段，為舊規之上者，今更不及禁之，自今以後於腋談義等停止之訖，但於叢林有名大尊宿在庄（學校）者除之訖。禪錄詩註文集以下之學，幸有都鄙之叢林，又教乘者有教院，於庄內自儒學外偏禁之者也。猶先段所載書籍之外，縱雖為三四輩相招，於開講席，在前者自學校，堅可有禁制，猶以不能承引者可被訴公方。

(2)在庄不律之僧侶事，至于令許容族者，於土民者永可令追，於諸士者許容在所可被闕所者也，但至改禪衣者不及制之。

(3)平生跡行而無處置身僧侶，號為文學，雖庄內令下向，自元依無其志，動不勤學業，徒遊山翫水輩每每有之歟，以彼素飡僧侶至令許容者，罪過與前段同。

由這三條「校規」可看出上杉憲實之意圖，確實是要以儒學為主導，但同時也有其彈性的一面，即學校以講儒為主，但若有「叢林有名大尊」來校時則不在此禁之內，可以自由講學。禪錄、詩注、文集等之學有京都及鎌倉等禪寺，而各宗之教法則有教院，所以足利學校不必以這些為教學之內容，而以樹立儒學專門學校爲目標，故「庄內自儒學外偏禁之者也」，而且不遵守者將受處罰。

上杉憲實爲推動此一儒學專門學校，召圓覺寺僧快元（？－1469）爲第一任庠主，快元不知何許人，博究典籍，深討宗乘，而以儒釋同一之學，匡學徒。住校之年代不詳，但其在職期間有卅餘年，死於任，故可推知應在上杉憲實再興足利學校之同一年的 1439 年或比這更早些。而快元通儒釋，特別對《易經》有研究，常講《周易》，依川瀨一馬氏的《足利學校の研究》以爲學校之主要教學內容在於易筮，而學者業成後多返鄉或以此授徒，或爲武家行易筮，見軍配，講兵書，其有兼才者亦施醫療，實有軍事顧問之機能，故學校的存在意義就更爲重要。如果這個研究屬實，則可知學校的教學方針一開始就偏離了上杉憲實的理想，而以庠主快元的《易》學爲導向，而且不是就《易》的思想方面研究，而是往卜筮的實用方面發展，自此而後學校之教學內容皆遵此方針一路往實用的易筮、兵學方面進行。何以有此結果呢？蓋或因時勢所然。當是時正逢戰國時代，而且學校一直都在武家的保護之下才得以延續下來，而武家每次的出征就是立於生死的關頭，既有能知未來的易筮豈有不用之理。自古上有所好下必甚焉，歷代庠主雖知學校創始之理想，但亦不得不從上所好而致力於易筮的教學，但其從上所好的程度則因人而異，如第九代庠主三要（法號閑室）以易筮而得德川家康的殊遇，但是他本身卻無全力研究《易》學的跡象，卻對《古文尚書》、《尚書正義》、《毛詩鄭箋》、《論語集解》、《孟子趙注》、宋版《毛詩注疏》大感興趣而加以抄寫，且加點北條氏所送之宋版《文選》，自著《春秋經傳抄》十八卷。

由上杉憲實所贈之書來看，則可知上杉憲實對宋學新注頗爲重視，希望透過贈新注宋刊本「五經疏本」給學校而達於天下，足利學校之教學遂由舊注進入新舊並用的時代。上杉憲實之子憲忠亦贈學校宋刊本《周易注疏》，族人憲房送明版《後漢書》、《十八史略》，以後的北條氏政亦送學校金澤文庫舊藏宋版《文選》21 冊，《古文尚書》、《毛詩鄭箋》、《論語集解》，而其他到學校一遊之徒亦有贈書者，所贈之書有《周易》、《周易傳》、《易學啓蒙通釋》、《書經集注》、《詩集傳》、《周禮》、《禮記集說》、《孟子注疏解經》等，從這些藏書中確實可知足利學校之教學以新舊注並重。但是這裡需注意的是雖說新舊並重，但事實上與京都之學有所差異。因爲學校雖然以清家點爲依據；但也加了關東方言而成爲特別的訓法，這種現象引起了在京都的清原宣賢至爲「關切」，他曾在《中庸章句》書後提起此事謂：「僧俗學徒、關東學士，十三經訓點清濁，盡背先儒之說，且失師家之傳，悲哉，予憐子孫赴邪路，一字不闕點之，又以清濁字聲指之，使之易讀，不依假名此亦一術也。可深秘而已」。這種「關切」實亦說明了關東足利學校之學在新舊注之說之外，另加佐料，致使清原宣賢認爲「盡背先儒之說，且失師家之傳」，而悲子孫之將赴邪路。

足利學校自上杉憲實之再興，本欲振興宋學新注於天下，而結果卻依然不出新舊注折衷之域，而且學校教學亦因時勢所趨，由經學之研究而偏向以實用之易筮爲主。

足利學校有一特色，那就是「畛服而爲縫腋之行」，自庠主以至於學徒一律著僧衣而其舉止則爲儒者之行，而其所學則爲儒家之學，無怪乎當時之人以爲怪異。何以日本儒學史中有此一現象呢？從下列幾則史料不難看出其原委。

(1)《世儒剃髮辨》：我國（日本）自古王公未嘗剃髮，中葉以降，士民之俗，圓剃頂髮，束其餘髮於後，而非天下之俗也。

由這則史料可看出日本中古以後士民始有剃髮之舉，而且並非剃個精光而是只剃頭頂之髮而束餘髮於後，頗像中國滿族之薙髮般。而日本中古之世何以令士民剃髮呢？其解在下。

(2)《常憲院殿御實記：附錄中》：本邦自中古以來，騷亂打續，干戈無止之時，故學校之設廢絕，菅江儒家等亦徒奉其祀而已，況自室町殿之頃，文學之事皆歸五山緇流之手，以儒爲業者亦悉剃髮與釋徒同姿，弊風經數百年而不改。當代甚尊崇聖道，於元祿四年正月之頃，命林弘文院信篤束髮，敘從五位下，令改稱大學頭，其餘之儒官等亦皆令束髮，自此，積年之弊風一變，官儒勿論至於諸侯之門抱經，閭巷挾冊皆變汙俗，故天下之人講聖賢之道者得以與彼道釋之徒涇渭之別矣，此可謂非常之盛舉也。

這則史料說明了平安末大亂後學校荒廢，儒學不行。至鎌倉時代致使文學之事皆歸五山緇流之手，而欲從事儒業者亦不得不入此流派之中而隨之剃髮。何以致此呢？再看下例：

(3)《鹽尻》四十七：吾邦之儒者多剃髮，敘僧綱，非上古之風。昔國運盛時，自帝都至諸州，皆有學校，人人勉學修業，撰舉出身，任重職知政。世衰皇化弛，學校廢，朝臣流散，雖偶有儒官之帝門，亦不與政教，惟草詔書宣命，然無剃髮者。天下彌亂，書亡學息，無看儒經者，惟禪僧或使異邦，且書詩銘贊之作，皆成僧家之職。故世人謂：學文者乃僧家之業，非吾人之業也。終捨是而不學事。

原來鎌倉之世儒學不振，佛學頹廢，僧侶們渡洋中國吸收禪學新知，加上戰亂，世人無心學文，致使學文之事皆成僧侶之職，而武家當政亦無多閑暇習文，只得仰賴僧侶之手，僧侶乃握有政、教大權，欲學宋儒新注、禪學新知，非向僧侶就教不可，其受世人之敬仰可想而知，加上戰亂，若有一襲袈裟在身，既可來去自如，又可免遭殺身之禍，誰人不樂而剃髮著僧衣？

整個日本中世的儒學現象爲如此，那麼偏處於地方的足利學校又何能免俗？故僧快元「爲庠序中興之第一世，自爾已來，僧侶住持相續焉」⑳，也就無可怪矣。這種儒者剃髮爲僧的現象一直到了元祿四年（1691）林鳳岡（信篤）受江戶幕府之命束髮，敘從五位之下，任大學頭而後才漸漸消失。

⑳《下毛野州學校由來記》，《古事類苑·文學部二》，頁1095。

三、室町、安桃時代儒學之發展與特色

宋儒學自鎌倉以來僅為禪學之助道而已，而博士家一本過去堅守傳統的漢唐儒學。但是到了鎌倉末、室町初博士家學中的清原良賢首先引入宋學新義，經業忠承祖業，講《論》、《孟》以古注，講《大》、《中》以新注，至宣賢時完成明經家的《四書》點訓，其他博士家學亦隨時勢部分採用新注。所以整體來說，博士家學是屬新舊注混用的學風。另一方面五山僧侶自引進宋學以來一直保持使用新注的學說，只是儒佛的關係隨時代的前進而改變。鎌倉初虎關以來受來日宋僧之學而與宋學界一樣主張儒佛不二，但因虎關的儒學觀為直指孔孟，所以猶有駁程朱之論。直至鎌倉末五山僧侶之儒學皆不離儒佛不二之說，而義堂更以為儒為佛之助道之一而已，兼不得佛教，但卻頗信程朱之說，更大力向當政者推薦《四書》。到了室町初岐陽為新注宋籍加和注，致力於宋學的推廣，而雲章、翺之、了菴、蘭坡、景徐、横川、桃源等皆為五山有名的儒僧，而到了桂菴的「釋服儒心」，儒佛關係一變而成為以儒學為主流的局面。

應仁之亂起，京都殘破不堪，朝廷大臣、文人學士及京都五山之僧侶皆紛紛逃往地方避亂，而地方武將亦加以禮待召攬，為其家族或部屬講授儒學，因而帶動儒學的地方化。儒學地方化的過程中以桂菴的傳播最為重要，桂菴除了到九州各地講學外，也刊行了宋學新注之書《大學章句》，更為《四書》朱註加上和點注解以利教學，其門人眾多而形成薩南學派。桂菴之後薩南學派由文之領導，文之再改桂菴之《四書》和點，以此教學。再有南村梅軒者在土佐掀起南學之風潮，吉良氏族、忍性、如淵、天質等皆為南學之大儒。九州、四國之儒學皆以新注為主流。而周防的儒學則因受京都公卿博士儒學的影響，頗有京都之風，但到了義興以後已成新舊注並用的學風。而下野的足利學校也在上杉憲實的再興下成為關東地區的儒學專門學校，學校在此之前以舊注為教學之材料，自此而後上杉氏族多贈新注宋籍給學校，所以足利學校亦以新舊並用為主。而且在歷代庠主的主導及時勢所驅之下，教學內容以符合時代需求的易筮為重點。但此一方針也因江戶時代不再有此需求，致

使學校不復有存在的必要而日漸沒落。

如此，室町之儒學在應仁之亂後傳播到日本各地方，形成日本儒學史上空前的大流行。與前代比較起來此一時段之儒學有下列幾點特色：

1.儒學地位的逐漸提升：儒學除了自傳入日本之後佛教尚未傳入之前的三世紀（共二百六十七年）獨占鼇頭以外，可說都是屈居佛學之下，自室町時代才有逐漸起色的氣象。雖然儒學的研究絕大部分落在僧侶的身上，但是這些僧侶們在研究儒佛學問的比重，顯然是偏向於儒學這一方面。宋儒學本是因對抗佛學而興起的，日本僧侶在宋僧儒佛不二論的影響下也以此爲宗，而鎌倉時代之所以兼學宋儒學其目的亦不外以此「禦外侮」或「姑爲助道之一」，但到了室町時代演變成以「釋服儒心」或「畛服而爲縫腋之行」，但終究未能脫離佛教而獨立出來。這要等到江戶時代初期藤原惺窩著儒服進謁德川家康時表明脫離禪宗才算是正式獨立出來，即進入儒學在日本的全盛時期。

2.儒學的地方化與武將的參與：應仁之亂猶如一桿強勁的撞球重重地衝散了凝聚於京畿五山的儒學色球，離京畿五山或近或遠，而每一色球所到之處便是儒學所到之地，而色球仍舊是色球，不曾變色，不同的是有某些地方是純一的單色，而有些地方則是複數顏色的再度小聚集，顏色分明。從京都出去的是新舊注的色球，所以北國的若狹、越前、能登，山口縣的周防、長門都是京都新舊注的移植地，是同一色的球。而出自五山的是新注的色球，所以近江、甲斐、播磨、土佐、九州等都是五山新注的移殖地。而關東足利學校亦以新舊注爲主，但是卻不同於京都博士家學派，所以清原宣賢才會有「憐子孫赴邪路」的悲嘆。而且自庠主以至學徒皆爲僧型，但卻也不同於五山僧儒之系統，所以是一較爲特殊的儒學專門學校。

在儒僧、博士公卿紛紛避亂地方時，接納、招攬他們的是各地的地方官，這些地方官都是武將，室町時代的武將除了武士道之外，亦大多兼修文學，好學之程度不亞於文人學士，而且其中有不少以文學著稱的，如今川了俊、佐佐木道譽、斯波義將、細川氏族等。而致力於地方文教的發展，招攬來自京都、五山等地的儒僧、博士公卿，有名武將則有小倉實澄、東常緣、武田信玄、北條早雲、上杉定正、太田道灌、朝倉敏景、赤松氏、大內氏族、吉良氏族、菊池氏、島津氏族等。由於有這些地方長官的支持，儒學才得以在地方生根、發展，其對日本儒學之發展實有不可沒之功。

而儒學自中央、五山「移殖」到地方並不意味著儒學的平民化，而是研究者的層次較爲下移，研究者的層面擴大，而這種研究者層次的下移及研究者層面的擴大，正是日後日本儒學平民化的必要條件。

3.宋學儒書的和點：宋書傳入後至岐陽時始因嘆世人不知有新注之學，故致力於宋書的和點，且以此授徒。有了和點之新注宋書則便於日人閱讀，所以在儒學的推廣上助益很大。至桂菴時在九州刊《大學章句》辯新舊兩注之異，以日文注解《四書》而成《桂菴和尚家法和點》一卷，定音、訓讀之訓法，統一古來的點法。至文之時再度訂補桂菴的《四書集注》和點，又爲得自朝鮮的《周易大全》施和點，以此講課，名聲遠播，故「公及士大夫遊其門者，問禪者少，皆受朱注，因此三州（薩摩、大隅、日向）靡然嚮風」。時藤原惺窩在九州見文之《四書》初訓而去入明之念，又有恭畏者亦欲入明，而滯留大隅時，見文之和點不似明經家點，於 1609 年訪文之呈疑，終因不得要領而有日後非難文之點之舉。然桂菴、文之等和點至近世江戶時代猶爲人所重，文之之學生如竹日章於 1624 年刊行了桂菴的《家法倭點》，1625 年刊行了文之的《四書集注文之點》，1627 年再刊行了《周易程傳本義》，力圖推廣和點新注宋書。

而博士家點在清原宣賢時完成《四書》點訓，而在亂世中致力保存文獻的三條西實隆亦和點了大量的書籍。雖然足利學校之十三經訓點中多方加入關東方言而引起清原宣賢個人的悲嘆，但在整個日本儒學的發展史上這未嘗不是一項新嚐試，爲求配合地方的需求而做適度的改變，也無可厚非。

透過這些和點的解釋，加上出版業的興盛，學習者可以更迅速、大量地研究經書，實有助於儒學的推廣與流行。也正因爲如此，學者越來越多，而終於造就了江戶時代儒學全盛時期。

經 學 研 究 論 叢
第 五 輯　　頁241～256
臺灣學生書局　1998 年 8 月

評町田三郎著《江戸の漢學者たち》

金培懿*

一

在正式討論本書的結構和內容之前，筆者首先想說明的，是著者在書中所說的：「本書……乃其時發表諸雜誌之論文所集結而成，自始就不是打算在透視江戶儒學發展演變的觀點上來寫成此書的。而且也免不了有依我個人喜好以採擇所要論述的人物之感。」（頁 240）這段頗耐人尋味的表白。若將這話視爲著者的自謙之辭，看過也就算了，哪還能有什麼文章可作。然而就如同著者自己後來接著又說的，「就這點而言，使得本書既有偏頗，且也顯得不盡完善」，《江戸の漢學者たち》一書，既然書名如此，所處理的無非就是江戶儒者的諸問題，但是爲何本書第二部分所討論的，全是安井息軒一人？第一部分所收的七篇論文，乍看之下，性質似乎相差頗懸殊。針對這些可能產生的疑問，筆者以爲當從著者町田先生向來的學術研究風格談起。

筆者以爲町田先生爲學特色有以下數點。(1)歷史觀點的思想史研究。(2)關懷鄉土、褒光鴻儒。(3)繼承學統、承先啓後。(4)彰潛德之幽光。而這些特點，在《江戸の漢學者たち》書中也可充分看出。

著者從一九五九年開始，陸續問世的一系列有關《管子》的研究，及《韓非子・孫子》（1966 年），《孫子》（1974 年），《秦漢思想史の研究》

---

* 金培懿，日本九州大學大學院博士候選人。

（1985 年），《韓非子》（上、下）（1990－1992 年）等研究專著或譯著的前後相繼出版，這是著者持續對中國古代思想，透過對子書的研究而加以剖析。著者經由對歷史資料的解釋及研究問題點產生的原因，結合思想與歷史兩項因素，來從事先秦思想研究的爲學特質，在研究江戶幕末的漢學時，也呈現出同樣的風格。蓋有關安井息軒《管子纂詁》的研究，乃是著者延續三十多年前開始，便以「黃老の道」爲中心的先秦兩漢道家思想史研究的主題下，以《管子》一書爲研究重點之一的一種自身學術研究領域的伸展。在研究中國典籍注釋時，日本邦儒精詳的注本，也不予放過。因此，在研究幕末的儒學時，之所以特別重視《管子》、《孫子》、《韓非子》的研究，除了說明著者自身學問所長本來就在於此之外，還因爲日本向來是一個以武士爲主的社會，對武士來說，儒家知識分子所追求的聖人志向，或是對倫理道德的崇尚，都不是武士們直接關心的重點。他們所在意的，是如何能對其所隸屬的政治權力中心直接產生助益。然而江戶太平之世持續了兩百多年，武士們退下第一戰線，沈寂多時，終於盼到幕末這一亂世，武士們終於又有了伸展身手的舞台。在動盪不安的時局裡，儒學者也不能只沈緬於經文中，他們也致力從儒家經典中，尋找出能迅速對現實生活中產生具體助益效用的典範，於是《管子》、《孫子》、《韓非子》等講求實際戰略、改善政治經濟制度的書籍，可以說最切合日本武士社會、幕末不安時局中的需求。安井息軒之所以研究《管子》，不就是在飫肥藩想增長殖產，提高俸祿的現實要求下，藩主執《管子》以問息軒而開始的嗎？

所以對江戶邦儒子學的研究成果進行研究，既是在江戶漢學發展史的流變中，針對幕末子學研究盛行的學術實況提出一種回應之外，同時著者也將自己中國先秦子學的研究路數，作了一種延伸。故按照江戶儒學史中，子學研究發展的先後順序，而有了〈兵は詭道〉、〈邦人の《韓非子》注〉和本書第II部分安井息軒研究中的〈力作の《管子纂詁》〉三篇文章的問世。

而說到關懷鄉土，褒光鴻儒這點，在今年（1998）一月三十日，同樣由研文社出版的《明治の漢學者たち》一書的「あとがき」中，町田先生曾自述到「遠藤隆吉是我故鄉的前輩，所以我自孩提開始，便耳聞其名，然而我所了解的程度，也不過就止於他在東京創立了學校而已。昭和九年（1934）遠藤在故鄉前橋的舊居前，立了刻有《古文孝經》全文的「孝經碑」，意在安鎮遠藤父母之亡魂，碑高丈餘。時值二次大戰後，尚屬年幼的我，常往家住此碑附近的友人家遊玩，在等待玩伴到來的時間裡，偶爾騎上此碑眺望過往行人，此孝經碑是一恰好的玩具。後我高中畢業考進大學，歲月流逝，碑文一事，忘得一乾二淨，而碑亦不復見於舊地。一日返鄉之際，無意中問起友人此碑之去向，過了不久，友人便將其調查到有關碑現在的所在地、建碑的緣由、甚或是遠藤隆吉親族的消息，寫成信件寄來給我，紙長情深。我的遠藤隆吉研究於焉開始。」

雖然町田先生自稱其曾一度忘卻碑文之事，然筆者以爲先生始終有著一分承繼學統的學術責任感及關懷鄉土，發揚前賢的用心。遠藤隆吉的研究便是屬於後者。而其實除了遠藤隆吉之外，同書（《明治の漢學者たち》）中所收的有關岡鹿門的研究，也是屬於町田先生的出身學校——東北大學的所在地仙台地方的名儒。至於先生自十五年前（1983）開始，最早有關日本漢學研究的〈天囚西村時彥覺書〉，則是兼具學統繼承、褒揚鄉儒的雙重作用在內。

蓋先生出身自東北大學，是東北大學第一任中國學教授武內義雄的再傳弟子。武內先生雖說是受業於內藤湖南、狩野直喜，但是影響其人生最大的人師，卻是西村天囚。所以筆者以爲這應該有學統承繼的因緣在內。町田先生此種爲學態度，在《江戸の漢學者たち》書中，也可明顯看出。因爲龜井南冥、昭陽父子，安井息軒，或是楠本端山、碩水兄弟，都是九州地區的漢學家。若將《江戸の漢學者たち》和《明治の漢學者たち》兩書中所處理的漢學者加以整理，則可以發現：龜井父子爲福岡出身；岡松甕谷、十市石谷爲大分出身；楠本兄弟爲長崎出身；竹添光鴻爲熊本出身；安井息軒爲宮崎出身；西村天囚、重野成齋則是鹿兒島出身。也就是說九州出身的漢學者，是先生研究的重心所在。當然，這或許是因爲先生自東北大學轉任九州大學之故，而以九州爲基點所進行的地域性研究。但筆者以爲先生一系列的九州漢學者研究的根本動力，乃在其蘊含一顆關懷鄉里，發揚先哲功績的溫厚用意在其中。所以除漢學者個人的學術思想、生平之研究以外，也對鄉土文化財產進行整理。一九七八－一九八〇年，《龜井南冥・昭陽全集》的上梓，一九八〇年，《楠本端山・碩水全集》的整理出版，平成二年開始，對大分縣杵築市市立圖書館所藏古文書、漢籍的分類調查，都是最好的說明。

然而不可忽略的是：這些文化財產的整理研究，和對九州儒者的關心，實際上可說是繼承西村天囚於明治四十年六月二十六日到同年八月六日爲止，刊載於《大阪朝日新聞》上，有關天囚個人遊歷九州，探訪九州儒學系譜而寫成的《九州巡禮》一書以來，深具學統傳承意義所作的有系統性的九州漢學者研究工作。

至於褒光鴻儒這點，更是町田先生與眾不同之處。先生爲學從不錦上添花，大家自然倍受注目；名不見經傳者，並非表示其未立下任何學術成績，恐怕只是遭人遺忘，以致於被埋葬在歷史的角落。所以先生被依囑整理大分縣杵築市市立圖書館所藏的古文書和漢籍時，先生關心在意的，比起帆足萬里、三浦梅園兩位大儒的資料，先生更注意到了自江戶以來，便代代皆任當地家老職的地方武士十市石谷的藏書目錄《溫知堂藏書》，藉由此書目而得知十九世紀初中期，武士們的文化教養與心情。這種敏銳的學問觸角，在研究安井息軒時，先生並非像其他一般的研究者，多是透過一些如雷貫耳大名鼎鼎的安井息軒之門生，比如谷干城的記載，而來瞭解息軒，而是挖掘出了向來不爲人知的倉田幽谷，藉由倉田的著作看到了另一風貌的息軒。而先生對海保漁村的研究，更是因爲他體認到一個學非出於正統且從事考證之學的學者，未得到其應得的肯定和評價，日後門人生徒又不彰顯老師的功績，以致漁村終於遭人所忘。蓋町田先生闡揚被遺忘鴻儒的用意，歷歷可見。

二

在對本書的內容進行介紹之前，首先將本書的目次揭示如下。

著者在本書「あとがき」的開頭，便將江戶近兩百八十年的儒學發展，區分爲I、慶長から享保へ。II、元文から天明へ。III、寛政から慶應へ三期（頁 237）。序文便針對第三期寬政到慶應年間的江戶儒學，進行概論性的說明。話題由寬政二年（1790）的「異學之禁」說起，約略提及遭受迫害的古學者龜井南冥，以及當時的儒學者多沒有操守堅持的現象。接著著者便介紹了武士社會中，一般平民和武士受教育的過程。在這裡著者特別提醒我們：武士階級雖然自十歲左右便開始接觸儒學經典，但多不關心經書的思想內容，落得一個「論語讀みの論語知らず」的下場。至於庶民和武士階級所學習的經典雖然多少有出入，但是《四書》、《五經》則是其共通必學的基礎素養。在序文中，著者同時還說明了江戶寬政以降儒學的幾個特色。一是隨著享保年間以降，各地大肆興建藩校、學塾，從事儒學研究的學者們也不再墨守所謂爲學→仕官→藩儒的傳統進昇路數，自由講學於民間的儒者漸次增多。二是拜儒學教育漸次普及之賜，庶民從事學問者也越來越多，而且從事儒學研究不再只是附庸風雅之舉，而是庶民們擠進上流階層的不二法門。這種現象在下級武士而言，也是如此。三是因爲儒學教育被廣泛推行，加上民眾對教育的關心與日俱增，寬政以後庶民出身的儒學者大量湧現。四是官學昌平黌每下愈況，既乏大師以問學，復加結黨傾軋之風甚盛，實在不是一個能專心治學之地。即便如此，昌平黌仍是一個天下秀才心儀之地，仍舊是江戶儒學的正統。五是「異學之禁」發布以來，起初雖有古學之徒立即變節轉爲朱子學，也有地方藩主的打壓古學派學者，但亦不乏堅守古學立場如仁井田南陽者。結果便是諸學派皆不在固守本位，逐漸走上折衷調和各學的方向。六是弘化到嘉永年間，有鑑於西方勢力東漸，尊王倒幕，開國攘夷的時勢論戰，成爲儒者們的共通時代議題，同時也產生了講求實際有用的學問觀，子學研究也因此大興於幕末。七是相對於實學訴求的興起；講究技術性、純學問的考證學也於此時出現，江戶儒學中的經學研究，也因爲大田錦城、安井息軒等考證大家的出現，而達到前所未有的巔峰。著者在這篇序文中，便將本書接下來所要處理的主題，特別是第三期江戶儒學中所存在的問題點給明確表示出來，除了說對本書讀者而言是一篇極好的導讀文之外，同時對有心了解江戶寬政年間（1789－1800）以降儒學狀況的人士，本序文也是一極佳的敲門磚。

除卻序文和あとがき，本書首先乃是由六篇論文構成第 I 部分的〈江戶の漢學〉。第II部分的〈安井息軒研究〉，著者則是透過研究安井息軒的生平以及其所寫的漢文日記《北潛日抄》，來描繪出一介大儒的人生閱歷及面對動亂時的心情轉變。除此之外，著者又剖析了安井息軒經學的代表作《論語集說》，和子學的代表作《管子纂詁》，以究明安井息軒的學問方法及內容。最後還藉由「三計塾」最後一任學頭倉田幽谷的《抱樸園文存》一書，來挖掘出另一個鮮爲人知的安井息軒。著者藉由這五篇論文，傳達了一個多風貌、多面性的安井息軒給讀者知道。相較之下，第 I 部分的〈江戶の漢學〉中所收的六篇論文，顯然不如第II部分的〈安井息軒研究〉中所收的五篇論文，來得主題統一、內容完整。就這問題，筆者以爲讀者必須另具慧眼，才能洞察著者精心巧思的安排。

首先筆者想說明的是：著者將安井息軒研究的比重放得這麼重，其來有自。因爲著者自昭和六十年（1985）六月到十月留學英國倫敦大學時，有感於「他們所問我有關學術上的問題，當然不是我專業領域的中國哲學思想上的問題，而是與日本有關的事情」（《明治の漢學者たち》，頁 318），返國後乃開始了其嶄新的研究領域——日本漢學。而返日後所寫成的第一篇有關日本漢學的論文便是一九八六年七月刊載於《東方學》72 輯中的〈安井息軒覺書〉，亦即本書的〈安井息軒の生涯〉一文。之後，著者以安井息軒為軸心點，除了持續研究安井息軒以外，相關的日本漢學研究也同時進行。構成本書的十一篇論文，也是在以安井息軒為中心點，既而展開來的關連研究之結晶。正因為如此，所以筆者在介紹本書內容時並不循一篇篇介紹，而是就筆者揣摩著者用意所在，就各篇論文之間的共通性來加以說明。

所謂著者的精心巧思，指的就是本書第 I 和第 II 部分所收的十一篇論文，共可分為四類，各有其特性。一是說明幕末子學研究興盛的實況，如〈兵は詭道〉、〈邦人の《韓非子》注〉、〈力作の《管子纂詁》〉便是。二是呈現幕末亂世裡，儒者對自我的堅持或對西學、西方文明究竟是採取何種態度，如〈鹽谷宕隱と中村正直〉、〈安井息軒の生涯〉、〈漢文日記《北潛日抄》——江戶の落日——〉便是。三是新學問——考證學方法——的確立，如〈龜井南冥・昭陽の生涯と學問〉、〈海保漁村覺書〉、〈《論語集說》のこと—古今ノ長ヲ取リ短ヲ舍テ〉便是。四是反映下級武士及庶民階層儒學素養提昇的情形，如〈《溫知堂藏書》目錄のこと〉、〈息軒遺事——倉田幽谷《抱樸園文存》から〉便是。而這四類性質不同的論文，則又呼應了本書序文裡所提出的寬政年間以降的學術特色。在這四類性質不同的論文中，關於第四類反映幕末中下級武士和庶民階層儒學素養提昇的情形，由於本文在介紹本書序文時已作過說明，在此便不再贅言。以下便針對第一、二、三類論文來說明。

說到幕末子學研究大興的情況，根據前述第一類的三篇文章中，首先我們由息軒在對《管子》持續進行校訂補正、考據訓詁後，而有《管子纂詁》、《管子纂詁考譌》、《管子纂詁補正》一系列作品問世看來，息軒確實也由此過程中，完成其經術合一的為學觀。根據著者在本書所描述的主旨，其要義約略如下：在《管子纂詁》一書的自序中，息軒便說：「史遷亦稱，其論卑而易行，善因禍而爲福，轉敗而爲功，驗之其書，其所言，即其所行也。方今洋夷猖獗，海內多事，擇其法而施之，必有能因禍而爲福者矣」，而飫肥藩確實也因此而使其俸祿增達五萬石，擠進戰時可握有領兵權的大名之列，免於受向來就與之不睦的薩摩藩（今鹿兒島）領導，而這正是當初飫肥藩主要息軒研究《管子》的最主要目的。在此値得我們注意的是：由於社會結構不同，故對記載古代中國社會制度、禮制的經書，即便可以理解其重要性，但在本質上的理解是有限度的。加上日本長久以來，基本上是以武士爲其政治階層的主要成員，並沒有以經書爲中心的拔擢官吏之科舉制度，所以對經書不像中國那般執著。反而是在子書方面，意外地有優秀的研究成果。因爲在地方藩上，子書更具體地提供了重整財政、確立政治秩序的有效方案。前者的代表書便是《管子》和《鹽鐵論》；後者則是講究「信賞必罰」「刑名參同」的《韓非子》，或是講作戰謀略的《孫子》。所以在幕末到維新的亂世裡，爲從中國傳統經典中尋求足以治世的參考範本，息軒是將治國平天下的依據，由朱子的形而上《四書》學，轉進講究策術實用的先秦諸子典籍中，故有《管子纂詁》這樣傑出的子書考證作品問世。筆者以爲在此順便値得一提的是，同樣收錄在《漢文大系》第八卷，太田方的二十卷《韓非子翼毳》，也是對應時代變化、時代要求而產生的日本儒者之優秀子書研究作品。在寬政異學禁令下，未受到執政體制給予公平正當評價的韓非，彷彿就如同受到排擠的異學學者。所以津田鳳卿在《韓非子解詁》中要強調韓非「功不在不害之下」；蒲坂圓在《定本韓非子纂聞》裡要說：「公子之言，救時病之藥石哉」，還在《增讀韓非子》一書的題辭中說：「念諸子中，唯韓非書最切世用，能明事情」。太田方就乾脆一吐未見容於世的怨氣，說：「以爲妨於仁義而害於《詩》、《書》，故鮮有敢爲之注解焉者矣」。看來，在幕末動亂不已的時局裡，像《韓非子》這樣的子書，不但提供了具體的經世之術，恐怕還是不少異學者的精神支柱。

在瞭解幕末儒學者的生存態度及其學問觀時，特別是儒學與西學對峙或相融等問題時，町田先生由安井息軒的遁隱日記《北潛日抄》中，看到了江戶最末期儒者的安身立命之道。在所謂幕末的亂世裡，預知到自身所隸屬的社會即將滅亡，即便不滅亡，面對遽變的時局，儒者也逐漸被視爲無用之徒。而不論是何者，都使息軒身受其苦。因此在幕末如陽明學派、水戶學派儒者，或以佐幕或以勤王的具體行動，來展現其身爲儒者的愛國情操，甚或盲目崇洋之際，息軒則以一介老儒對學問有爲有守的學問道德操守，研究《聖經》著有《辨妄》一書，指出其偏狹之弊以外，還提醒世人其未必適用東方社會。此種力守儒者本分的姿態，尚可由其雖明知幕府之無能，但以其畢竟身爲昌平黌儒官，佐幕立場始終如一。而息軒此種情緒，在《北潛日抄》一書中顯露無遺。

與此同時，與息軒同門兼同儕的鹽谷宕陰，則採取了與息軒將子學納入儒家學問系統的實學化路線相異的作法，宕陰強調儒學是學人之道，是一種人倫普遍之學，以是所謂的學問，指的是禮、樂、射、御、書、數的六藝之道，而不是《易》、《詩》、《書》、《禮》、《樂》、《春秋》的六經。宕陰並且還主張文武兼學，政教需一致。這種原本就已存在儒家思想中的實學觀，還不像洋夷之學那樣，只是流於「隨形器而已，道則淺」（《六藝論》五），它還有一更崇高的理想，那就是道德的實踐。但這一切都需從實踐出發才是。也就是說：如果息軒是企圖從大範圍的中國學裡，找出足以調整或彌補儒家思想的助力，以使之適應時代需求的話；宕陰則是企圖瓦解舊儒家思想體系以及在此思想體系支配下所構築成的世界，視幕末社會的實際需要，重新詮釋儒學，並藉以架構起一個美麗新世界。在解決儒學遇上西學這個問題，與息軒、宕陰同列昌平黌博士之席次，可以說是宕陰之高徒的中村正直，則是對西歐文明之根源的基督教，寄予更多的關懷。這除了與其擁有留歐經驗有關之外，主要是因爲中村正直有一種不局限於儒家學說的博學式爲學觀，而在其廣泛的知識領域中，儒學始終是其一貫的中心思想。

透過息軒、宕陰、正直三人，我們可以說幕末儒者對西洋文明的態度，基本上有對決、迴避、受容三種。息軒始終堅信儒學經典所傳示的秩序整然之東方社會，適與基督教支配下萬人平等的西方社會相對比而未必足以相融。宕陰因爲終其一生未能親眼目睹明治維新的回天大事業，始終擔心歐美文明將吞噬亞洲，而對西方文明採取警戒、猜疑的迴避態度。正直因有留歐經驗，後加具有開放的爲學理念，故主張以儒學爲本來模仿接受西洋文明。宕陰、正直師生二人對西洋文明的態度，雖全然不同，卻都是基於實用性的儒學理論觀，將儒家思想降格爲一種教養主義的基礎性學問。這種作法從另一個角度來看，免不了有恣意詮釋儒家思想的感覺，但也有某種程度的因時制宜之效用。

接下來，在討論江戶第III期學術的主流——考證學——方法的形成時，著者首先在〈江戶の漢學——寬政以後のこと—〉一文中，點出大田錦城的考證學與吉田篁墩的校勘學是江戶考證學形成的一個轉捩點。繼而著者便在〈龜井南冥・昭陽の生涯と學問〉一文中，上溯到古學轉折到考證學的過渡點——龜井父子——身上，同時也就對《論語》一書的注釋，比較了徂徠、南冥、昭陽三人經典注釋方法的演變，以見日本式考證學形成的學術淵源。

蓋徂徠可說是江戶儒者中最早意識到漢文是一種外國語的儒者，而這種發現將徂徠推往努力成爲一個用漢文來詮釋儒家經典的路上發展。但他同時又領悟到經典經過長時間的傳承理解過程中，產生不正確的理解乃是理所當然。「世載言以遷，言載道以遷。道之不明，職是之由，處百世之下，傳百世之上，猶之越裳氏重九譯邪。重譯之差，不可辨語，萬里雖夐乎，猶當其世。孰若奘之身游身毒邪。故之又故，子孫雲仍，烏識其祖，千歲逝矣，俗移物亡，故之不可恃也。」（《學則》二）這就是吉川幸次郎所說的「意識到秦漢時代的原典，要按照其原樣來直接加以把握的這種認識，不光只是瞭解到宜不用後人的注釋，還體認到後人的注釋是一種反價值的存在，是對原典的破壞」（《仁齋・徂徠・宣長》東京：岩波書店，昭和 50 年 6 月，頁 124）的一種注釋否定概念。所以徂徠提出了要以屬於六經那個時代的「古文辭」來理解詮釋六經，而不是以荻生徂徠等日本儒者所隸屬的江戶時代的語言來解釋六經或其他儒學經典。

徂徠的這種作法，使經典的詮釋解讀者，等同於經典的作者一樣。而當一個讀者變成一個詮釋者時，除了說一個原本想要正確解讀經典的詮釋者，極有可能變成一個權威的經典代言人之外，而且詮釋者並不一定能在一個相同的經典依據上，來與質疑者取得完全的共識。也就是說：詮釋者其實是無法支配質疑者如何來解讀其自身所理解或創造出的經典注釋語言。這正是徂徠「古文辭」學的難題之所在。所以南冥主張讀者要從一家之言，或是已經僵化了的字義閱讀文字制度中解放出來，「讀者，その好む所に從ひて可なり」。重新賦予每個經典讀者完全的閱讀自由。南冥所追求的既非字義的考證，也非他注的批判，而是一種經典中諸場面還原的豐富想像力。「夫子之言似讔者。將使問者思而得之也。思而得之……思之思之，思而不已，神來助之，思之不可以已如是。」（《論語語由》卷5，〈公冶長・孟武伯問孝〉，頁76）

南冥是將自己投身於《論語》的諸場景中，依據個人經驗來想像情境會有何種可能。此種想像的個人發言，既是以《論語》爲依據，同時又不妨礙《論語》原意的續存，因爲運用這種想像力所理解出的語言意義，只能是在對照經典下而產生的，並不是一種恣意無限制的聯想。

但是對南冥這種頻頻見於《論語語由》書中，所謂「諸家之註，皆通」，但聽看官裁奪之注釋法，其子昭陽在《論語語由述志》中便說《語由》諸注皆通，可削。凡如此類，本係先考之備忘，及稿成可除。不除者多皆不肖參校不備之故也」。昭陽自有他自己一套經典考證方法。

昭陽曾批評徂徠的「古文辭」是「今之學者，當以識古文爲要。此物子格言。而物子之於古言。黯㫚支離，有甚於宋儒者焉。」（《讀弁道》第二十五則）「以古言徵古義，物氏得之。然其所徵，多鹵莽，多牽合固滯，多誣。因其才識堂堂，而少文理密察也」（《家學小言》第二十章）在昭陽而言：徂徠以「古文辭」所理解出的經典內容，既「鹵莽」、「牽合固滯」，而且胡說八道者也不少。這都是因爲徂徠「少文理密察」，多的是恣意注解所致。那所謂正確的解經方法，也就是「文理密察」的更具考證性的徵求字義、義理之法了。這就是町田先生在本書「あとがき」所說的「昭陽著有《周禮抄說》、《尚書考》、《左傳纘考》等書，其研究法乃以考證語句爲本，繼而考察一篇文章的構成，其論旨與文體的照應關係，以及內容上的關連性等等，藉以看出一篇文章中的脫誤或錯誤。亦即隨著對一字一句的理解，進一步對文章全體進行構造上的理解」。（頁238）本書〈龜井南冥・昭陽の生涯と學問〉一文中，乃就《尚書考》一書，仔細分析了昭陽式的經書考證法。

到昭陽時已自成一格的日本考證學特色，後來由安井息軒將之繼承並發揚光大。息軒在昭陽的考證方法上，還注意到經文與歷史背景是否相吻合，並且在廣泛參考先秦古典籍、歷代諸注解書籍之外，更利用了孔廣森等清朝考證學家的嶄新研究成果，同時也更多地引用了日本邦儒如仁齋、徂徠、春臺等的說法。在這種照顧到全面性，更趨完善的考證方法下所產生的作品，如《管子纂詁》和《論語集說》，都是足與清朝考證學家比美之代表性經典考證之作。本書〈《論語集說》のこと〉一文中，著者對息軒的考證方法，透過其對《論語》的注解，一一詳細地作了說明。

當然，息軒這種取古今之長而舍其短的為學觀，並非一朝一夕形成的。町田先生因此在昭陽到息軒之間，還安排進來〈海保漁村覺書〉一文，提醒我們在儒醫世家多紀家支持下所形成的另一龐大學術集團，亦即以大田錦城為中心的考證學者集團，在錦城之後，便漸次走上客觀為學，以更科學的方法來從事技術性的學術考證。著者除了藉海保漁村為學漢宋兼採、經史皆重、詩文皆不廢的態度，來告訴我們寬政以降諸學折衷，客觀從事學問研究的趨勢以外，還一併介紹了漁村的摯友涉江抽齋、森立之兩人優越的古書鑑別能力。使我們能明瞭在安井息軒之前，一個更講究科學技術性的考證學術環境，已經形成。

至於第四類反映幕末下級武士和庶民階層儒學素養提昇的情形，由於本文在介紹本書序文時已作過說明，在此便不再贅言。

三

誠如著者在「あとがき」所說的「本書……自始就不是打算在透視江戶儒學發展演變的觀點上來寫成」的一樣，本書就前面所介紹的內容看來，確實不是一以儒學發展之流變而寫成的書。就這點來說，筆者以為這便牽涉到探討整個江戶儒學發展演變的書籍，截至目前為止，已出版者究竟有多少？其反映出的研究成果究竟達到何種程度？其共同的特徵或是其不可避免的缺點到底何在？等問題。

敘說德川一朝儒學發展之流變的，成於江戶時代儒學者之手的，如寶永四年（1707）跡部良顯的《日本儒學傳》一卷，便是記述江戶時代各儒者學說之作；寬政十一年（1799）那波魯堂的《學問源流》一卷，則不局限在江戶一朝儒學的發展情形，還上溯到平安時代，來究明日本儒學盛衰的演變。時代進入明治，隨著儒學改革而有的著作上的豐碩成果，除了《漢文大系》、《漢籍國字解全書》等大部頭系統性整理中國典籍之叢書的出版發行，接著便是以「中國思想史」、「支那哲學史」、「支那文學史」、「支那文明史」等爲名的史書性研究書籍大量出現。有關日本儒學史的研究也不例外，最早的是明治十年（1877）田口卯吉的《日本開化小史》中第十二章〈德川氏治世の間に顯はれたる開化の現象〉，這是按照德川時代先後順序，論述各學派的發展演變。接著未以所謂「儒學史」或「漢學史」之名問世，卻是介紹江戶儒學流變，並兼論各學派、學者思想內容的，則有德富蘇峰主編的大部叢書《近世日本國民史》第五卷中〈德川幕府思想篇〉；以及明治二十七年（1894）吉田東伍的《德川政教史》；和明治三十年（1897）內藤湖南的《關西文運論》。堂皇以「儒學史」之名出現，描寫江戶儒學的整體性變遷的書籍，則首推明治四十年（1907）久保天隨的《近世儒學史》。而自大正以降以迄今日，以「日本哲學史」、「日本思想史」或「日本精神史」爲名，然實際則在論述日本儒學史之發展，或兼及論述到的書籍，大量出現以外，以「日本儒學史」、「日本漢學史」或「近世日本儒學史」的書籍亦陸續上梓。這些著作，或將江戶儒學置於整個日本儒學史的一環來加以討論，或是專論江戶一代儒學之遞嬗變遷。

這些以史書觀點寫成的儒學史書籍，其共通的特色，同時又是其最明顯的缺點便是：不論其是將江戶儒學分學派來討論儒學者思想的異同，或是按時間先後來論述江戶儒學發展的趨勢，姑且不論前者易流於見樹不見林，後者易流於見林不見樹的弊端，這兩者基本上都只將討論的重點置於朱子學、古學、陽明學三大學派。相對於此，折衷和考證學派顯然較少被提及，就是有所論及，也是輕描淡寫，比重不大。換句話說：儼然爲江戶寬政年間以降之學術主流的折衷、考證學派，可以說一直是歷來日本儒學史書籍中，未受青睞的一個死角。即便是晚近才出版的市川本太郎的《日本儒教史》（1－5）當中，㈣、㈤兩冊的「近世篇」中，上篇就只分論了朱子學派和陽明學派；下篇中有一半的篇幅全在說古學派，後半部的篇幅裡，扣除〈武士道〉和〈江戶時代の教育と儒教〉兩部分，剩下僅有的紙面，則又分別說明了折衷、考證、獨立、心學四個學派。可見前述的缺失，到今日仍未見改善。甚者如一九九七年六月才出版的岩崎允胤的《日本近世思想史序說》（東京：新日本出版社）上、下兩冊，則根本對折衷、考證等學派隻字不提，好像幕末的學界裡只見國學興，洋學侵，儒學一下聲消跡匿似的，有的話，也只有水戶學派的尊攘問題才值得一談似的。話又說回來，即便有所提及，也只囿於代表性大家。就這點來說，並不只限於幕末的折衷、考證兩派的學術研究而已，就是朱子學、古學、陽明學等學派的研究，後代學者也都犯了此種毛病。這點可說是當今日本學界研究江戶儒學的一個盲點。

町田先生這次在《江戶の漢學者たち》中，將研究的焦點鎖定在其所謂的「寬政から慶應へ」第三期的江戶儒學上。並且將話題從「文久三博士」中的異教之徒——安井息軒身上展開，以息軒爲核心展開研究的延長線，首先是與息軒屬同儕同門的鹽谷宕陰，然後是宕陰之徒中村正直，以及息軒的門生倉田幽谷，而且還照顧到非官學主流，但卻是支持日本江戶考證學發展開來的儒醫集團所培養出來，與息軒同屬幕末的考證大家海保漁村。繼而涉及同時代的子學研究大家，如依田利用、太田全齋、蒲坂圓、津田鳳卿等人，還兼及地方武士十市石谷的學問。上述諸儒，無一不是江戶儒學研究上的處女地。然後還說明了考證學形成前，由古學過渡到考證之間，龜井南冥、昭陽父子的學問，以見其在江戶儒學發展史上的位置和意義，這同時也彌補了歷來日本或江戶儒學史諸書在論述古學派時，多忽略或未重視龜井父子學問之重要的缺失。

最後，有關本書全體，筆者想針對幾個問題點來加以說明。例如：本書目次頁上「鹽谷宕陰」的「陰」字，錯打成「隱」字；18 頁「王鳴盛」的「盛」字，錯打成「聲」字；本書援引《抱樸園文存》一書之資料時，書名的「樸」字，全錯打成「樸」字等若干處固有名詞的誤植。在標記引文出處時，除了有書名標示不清者，如 23 頁《日本名家四書注釋全書》一書在標示書名時，漏了「名家」二字之外；未明記引用書目卷數者亦有。而在引用文方面，有的使用漢文原文，有的則用日文的漢文訓讀，導致全書引用文體例不一致。雖然本書不免有上述一些小缺失，然瑕不奄瑜，本書針對歷來鮮被垂顧的江戶漢學之研究領域，積極地刻意加以開拓，堪稱爲日本漢學研究專著中的佳作。

（《江户の漢學者たち》，東京，研文出版，1998 年 6 月 24 日，A5 版，242 頁，定價 4,500 円）

經學研究論叢
第五輯　頁257～284
臺灣學生書局　1998年8月

王熙元教授生平事略及著作目錄

奚敏芳*

壹、生平事略

國立臺灣師範大學國文系王熙元教授，祖籍湖南省湘鄉縣，民國二十一年農曆一月廿四日出生於南京，幼年正值國事艱難，隨父轉徙於南京、漢口、湘西之芷江各地。民國三十八年神州變色，舉家遷臺，居屏東之東港，就讀空軍至公中學。初中畢業考入師大附中，遂遷居臺北。中學時代即有志於文學，從事創作，先後發表作品十餘篇。附中畢業後，以第一志願考取臺灣師範大學國文系。

大學期間，沈潛經史佛道，浸潤辭章騷賦，寫作益進，並曾主持中道學社、人文學社等社團，擔任社長，主編刊物，廣涉國學領域。大學畢業投考研究所，進母校國文研究所深造，親炙林景伊、高仲華、潘石禪、程旨雲、李漁叔、巴壺天諸大師，得識學術堂奧，厚植學力，後撰成《歷代詞話敘錄》論文，獲頒碩士學位。旋考入同所博士班，勤謹潛研，修業六年，以五十萬字《穀梁范注發微》一書，獲國家文學博士學位。

學成獲聘母校國文系專任教席，講授「詩學研討」、「詞曲選」、「曲選及習作」、「讀書指導」、「群經大義」……等課程，春風化雨，循循善誘，誠謙謙溫厚儒者之師道風範，學生凡經教誨，莫不薰習沐染，獲益良多。

---

* 奚敏芳，國立僑生大學先修班講師。

任教十餘年，於七十五年擔任國文系主任、國文研究所所長，復於七十九年經全校教師普選，當選文學院院長。任職期間，長於擘畫，勇於負責，知人明而處事公，系所院務，煥然一新，聲譽日著。此外，爲發揚中華學術文化，乃與有識之士共組「中國古典文學會」，歷任秘書長、理事長；又組「中國文字學會」，曾任理事長；又兼任「演說藝術學會」理事長；並曾擔任《國文天地》董事長，皆定期舉辦學術活動、出版刊物，對促進學術交流，發揚人文精神，卓有貢獻。

王熙元教授身兼眾職，諸務繁忙，然仍勤謹於研究，著述不輟。著作範圍博涉經學、文學與佛學，學術研究、文學創作，兼而有之，又加熱心推動社會公益活動，參與編纂書籍、製作教學媒體、發表演說，可謂貢獻多方。畢生致力教育與學術，完成之專書著作，有：《穀梁著述考徵》、《穀梁范注發微》、《論語通釋》、《人文智慧——論語精髓》、《王守仁》、《歷代詞話敘錄》、《佛學因緣》、《印光大師傳》、《古典文學散論》、《優游詞曲天地》、《詩詞評析與教學》、《詩詞曲賞析》、《紅樓鐘聲》、《文學心路》等十餘部。編纂、審訂之書籍則有：《中文大辭典》、《大學字典》、《重編國語辭典》、《大辭典》、《新編漢字字典》、《讀書指導》、《詞林韻藻》、《曲海韻珠》、《詩府韻粹》、《詞曲選注》、《歷代散文選》、《中國名著大觀》……等近二十部。另有單篇學術研究論文及文學創作共三百八十多篇，又有指導博、碩士論文五十六篇，專題演講二百餘場，可謂兼具儒者、文人、師道之豐碩成就，大有功於學林。

王熙元教授之經學著作，最重要者爲《穀梁范注發微》，范甯發皇《穀梁傳》，其注解廣採群籍、先儒、時賢之說，博取而約注，以訓詁通大義爲主旨；論述不專主《穀梁》一家，兼取《公羊》、《左氏》之說；尤其以董理《穀梁傳》義例，闡發傳義，爲前所未有之功。《穀梁范注發微》一書，旨在藉由《穀梁傳》范甯《注》，以知漢魏以迄晉代《穀梁》學之風貌與要旨。此書是當代有關《穀梁》學少數傑出著作之一，亦研究《穀梁》學者必參之書籍。而《穀梁著述考徵》一書，係載錄歷代經籍注疏、筆記雜著有關《穀梁》師說之傳授、著作之存佚者，另兼採諸子各家、昔賢文集、晚近學者、域外學人有關《穀梁》之論述，包羅極廣，用力亦深。《論語通釋》一書，則參考古今名家注解及論著數十種，將《論語》全書作通盤之詮釋與剖析。《人文智慧——論語精髓》一書，則對《論語》的時代背景、語錄性質、研讀方法，先作深入的理解，然後依據原典，指出《論語》所記。至於《王守仁》一書則於陽明之學術思想及其對世人的影響，多所闡明。而經學儒術之單篇論文，有〈詩經的文學價值〉、〈范甯及其穀梁集解〉、〈穀梁傳傳授源流考〉、〈六十年來之穀梁學〉、〈春秋與春秋大義〉、〈范甯年譜初稿〉、〈三傳的文學價值〉、〈孔子與諸子學說〉、〈孔子的教育精神與教育理想〉、〈孔子的論學旨趣〉、〈孔子思想的價值〉、〈孔孟思想的精神價值〉、〈孟子的精神價值觀〉、〈孟子的仁政思想〉、〈儒家的王道思想〉等等。由以上足見王熙元教授於儒學經籍既精且博之研究。

王熙元教授雅好文學，文學著作之專書，有：《歷代詞話敘錄》、《古典文學散論》、《優游詞曲天地》、《詩詞評析與教學》、《詩詞曲賞析》、《紅樓鐘聲》、《文學心路》等，而佛學之專書則有《佛學因緣》、《印光大師傳》等，另有單篇文章數百篇。對於教育之貢獻，則畢生從事教職，栽培後學無數，復熱心社教，屢應各校社團、民間團體、機關演講， 又指導栽成學位論文數十篇。學藝、道術、德業，精進不已，洵爲志道、據德、依仁、游藝之踐履，最佳師道之典型。王熙元教授爲人溫柔敦厚，閑雅定靜，是乃誠中形外之學養所致耳！而優游於儒學、文學、佛學，融三者於一身，而又盡情回饋於母校、社會、國家，又係其一生發光發熱之寫照！

惟天不假年，於八十三年健康檢查結果，發現左肺葉有黑點，經診斷爲癌細胞，原以尚在初期，可由中藥治癒，經半年之醫治，似趨穩定，然八十五年初因罹重感冒，病情轉劇，幾經入院治療，而終回天乏術，與世長辭，時八十五年八月二十日，享年六十五歲。先生以英年辭世，良可浩歎，是亦學界莫大之損失。哲人已逝，典型猶在，其風義仍長存人間！先生德配唐夫人廣蘭，亦任教職，民國五十八年與先生結褵，恭儉持家，懿德惟馨，育二女，長琴心，次琴怡，均已大學畢業，孝友和樂，深慰親心。而先生之著作除已問世者，尚有部分遺稿有待整理，亦將陸續付梓。

貳、著作目錄（依出版時序）

一、專書部分

（一）自著

文學心路　臺北　仙人掌出版社（初版）　1970年11月25日
文學心路　臺北　大林書店（再版）　1973年5月30日
歷代詞話敘錄　臺北　臺灣中華書局　1973年7月
穀梁著述考徵　臺北　廣東出版社　1974年2月
穀梁范注發微　臺北　嘉新文化基金會　1975年5月
王守仁　臺北　臺灣商務印書館　1978年6月
論語通釋　臺北　臺灣學生書局　1981年2月
銀色世界（文學心路）　臺北　大林書店（三版）　1982年8月30日
古典文學散論　臺北　臺灣學生書局　1987年3月
詩詞曲賞析（合著）　臺北　國立空中大學　1990年4月
佛學因緣　臺北　慧炬出版社　1993年4月
人文智慧——論語精髓　臺北　黎明文化公司　1994年8月
紅樓鐘聲　臺北　三民書局　1995年9月
詩詞評析與教學　臺北　萬卷樓圖書公司　1995年9月
優游詞曲天地　臺北　東大圖書公司　1996年5月
印光大師傳　（應國史館之邀而寫）　（付印中）

（二）編撰、審訂

中文大辭典　臺北　中國文化研究所　1968年8月
大學字典　臺北　中華學術院　1973年10月
歷代散文選　臺北　南嶽出版社　1976年9月
讀書指導　臺北　南嶽出版社　1977年10月

詞林韻藻　臺北　臺灣學生書局　1978年4月
曲海韻珠　臺北　臺灣學生書局　1979年10月
重編國語辭典　臺北　臺灣商務印書館　1981年11月
詩府韻粹　臺北　臺灣學生書局　1983年12月
大辭典　臺北　三民書局　1985年8月
詞曲選注　臺北　臺灣學生書局　1985年9月
唐詩新賞　臺北　地球出版社　1989年4月
唐詩三百首　臺北　地球出版社　1989年9月
小牛頓國語辭典　臺北　牛頓出版社　1991年8月
唐詩精選百首　臺北　地球出版社　1992年2月
唐宋詞精選百首　臺北　地球出版社　1992年2月
古文觀止續編　臺北　百川書局　1994年3月
中國名著大觀　臺北　地球出版社　1994年　3月
聽訓齋語評註　臺北　中央日報　1994年　6月
新編漢字字典　臺北　旺文有限公司　1995年12月

二、文章部分

（一）中學生時代（17 篇）

海濱的黃昏　學生半月刊　37期　1952年2月10日
綠色的童年　中學生半月刊　第2期　1952年7月1日
愛河之憶　臺灣童子軍　第5期　1953年2月10日
難忘　臺灣童子軍　第7期　1953年4月20日
故鄉的春天　民聲日報　學生園地　1954年2月17日
觀音山遊記　中國青年　41期　1954年2月
友誼　這一代月刊　1卷5期　1954年5月15日
山河之戀　附中青年　1卷7期　1954年6月1日
靜　自由青年　12卷4期　1954年8月16日

新年的回憶　民聲日報　學生園地　1954年12月29日
夢的詮釋　自由青年　新年號　1954年12月
追求　自由青年　13卷6期　1955年3月16日
中學生談人生觀　現代青年文選　1955年3月29日
海戀　戰鬥文藝　第4期　1955年10月2日
面天山遊記　幼獅文藝　3卷6期　1956年1月
美與人生　香港學生周報　1956年2月17日
思想與人生　附中青年　校慶特刊　1956年4月10日

（二）大學生時代（19 篇）

漫談讀書　師大人文學報　1956年11月
詩的境界　海燕文藝　創刊號　1956年12月
理想與現實　學生文藝　第3期　1956年12月
義利之辨　師大青年　1957年5月
碧山遊記　中國一周　382期　1957年8月19日
談散文的風格　師大人文學報　1957年11月
談文藝欣賞　師大青年　1958年6月
文學上的移情作用　師大青年　1958年11月
李後主詞的境界　師大文苑　創刊號　1958年12月
日月潭心影錄　師大崑崙雜誌　1959年3月
白雲詞（一翦梅、卜算子、山花子）　師大人文學報　1959年5月4日
我對佛教的認識　菩提樹　89期　1960年4月
詩經的文學價值　師大人文學報　1960年5月
春蠶與鏡湖秋水——從戒定慧談人生的解脫與心靈的淨化　海潮音　41卷5月號　1960年5月
王摩詰的詩與佛學的關係　大專學生佛學論文集　第2輯　1960年7月
鏡花水月的人生——談無常無我與若空　海潮音　1960年111月
文學定義的比較研究　革命文藝　60期　1961年3月

談無常無我與若空　大專學生佛學論文集　第3輯　1961年7月
白雲詞（如夢令、長相思）　師大人文學報　1962年5月20日

（三）研究生時代（27 篇）

意識與靈感的關係　新文藝　72期　1962年3月
孔孟學說與佛家思想　獅子吼　1962年7月
禪機與天趣——讀虛雲和尚的詩　菩提樹　1962年8月
意識與想像的關係　新文藝　78期　1962年9月
菊硯銘　中華學苑　96號　1962年12月
準博士當兵記　青年俱樂部　1964年9月至1965年1月
合歡山上　中央副刊　1964年2月
柳營春暖　中央副刊　1964年2月
空投記　中央副刊　1964年4月
歷代詞話敘錄　師大國文研究所集刊　第8號　1964年6月
文學與道德的關係　新文藝　102期　1964年9月
葡萄成熟時　中央副刊　1964年9月
石門水庫行　中央副刊　1964年11月
銀色世界　中央副刊　1965年1月
鷺鷥潭去來　中央副刊　1965年4月
孔子的教育精神與教育理想　孔孟月刊　4卷1期　1965年9月
再遊鷺鷥潭　中央副刊　1965年10月
水上時光　中央副刊　1966年9月
山間一日　中央副刊　1966年9月
雅與俗　中央副刊　1966年10月
詩詞的含蓄美　中央副刊　1966年10月
雲水蒼茫翠湖遊　中央副刊　1968年6月
細雨濛濛烏來行　中央副刊　1968年7月
孔子的論學旨趣　孔孟月刊　7卷1期　1968年9月

敬仰與懷念—銳初師逝世周年紀念　章銳初先生逝世周年哀思錄　1969年3月

杜甫月夜詩評析　詩學集刊　1969年5月

穀梁古佚注考　慶祝瑞安林景伊先生六秩誕辰論文集　1969年12月

（四）大學教師時代

風簾客話跋　學粹　13卷2期　1971年2月

慧炬合訂本第七集序　慧炬合訂本　第7集　1971年8月

自覺覺他覺世　慧炬　101期　1972年4月

佛家思想與儒家學說的比較　慧炬　102期　1972年5月

六十年來之穀梁學　六十年來之國學　正中書局　第1冊　1972年5月

一項復興中華文化的創舉——寫在「論語講解」唱片發表之前　新生副刊　1972年5月

大學生的自我教育　文化一周　292期　1972年9月

《穀梁范注發微》提要　木鐸　第1期　1972年9月

關於「萬歲」一辭的來源　中央副刊　1972年11月9日

文學與宗教的關係　創新周刊　66期　1972年11月

文學與道德的關係　創新周刊　73期　1973年1月

兩宋詞論述評　國文學報　第2期　1973年6月

象形指事辨異舉隅　華風　第8期　1973年6月

慧炬合訂本第九集前言　慧炬合訂本　第9集　1973年8月

中國文學的特質　文風　24期　1974年1月

論聯考作文何以不可廢　學粹　16卷1期　1974年3月

兩宋的詞　學粹　16卷1期　1974年3月

孔子思想的價值　學粹　16卷2期　1974年6月

范甯及其穀梁集解　國文學報　第3期　1974年6月

慧炬合訂本第十集前言　慧炬合訂本　第10集　1974年8月

穀梁傳傳授源流考　孔孟學報　第28期　1974年9月

慧炬文獻分類索引序　慧炬文獻分類索引　1974年10月
從蘇東坡與佛印談起　慧炬　133期　1975年4月
談讀書的方法　學粹　17卷2期　1975年6月
談讀書的目的　絢兮　第2期　1975年6月
中國哲學思想總論　中國哲學思想　台灣仁愛教育實驗所教育叢書　1975年6月
慧炬合訂本第十一集前言　慧炬合訂本　第11集　1975年8月
儒家的哲學思想　學粹卷3、4期　1975年10月
修辭學領域的開拓　書評書目　28期　1975年8月
智慧的火炬　慧炬　129期　1975年11月
楚辭對後世文學的影響　創新周刊　169期　1975年12月
淺談「相見歡」與「雨霖鈴」的聲情　學粹17卷5、6期　1975年12月
陶淵明的世界　中央副刊　1976年2月
楚辭研究的方法與途徑　學粹　18卷1、2期　1976年4月
經師人師的典型　程故教授旨雲逝世周年哀思錄　1976年5月
佛學對中國文學的影響　慧炬　145至147期　1976年5－7月
論婉約與豪放詞風的形成　國文學報　第5期　1976年6月
談詩詞的欣賞教學　中等教育　27卷3、4期　1976年6月
陶淵明詩的和諧境界　中外文學　50期　1976年7月
孔孟思想的精神價值　孔孟月刊　15卷1期　1976年9月
詞學研究的途徑與參考書目舉要　學粹　18卷4、5期　1976年10月
杜甫與禪學的因緣　中國學術年刊　第1期　1976年12月
佛陀思想是救世的寶筏　第二屆亞洲學者會議彙刊　1977年2月
屈原評傳　潘重規教授七秩誕辰論文集　1977年3月2日
陶淵明的思想與人生觀　慶祝婺源潘石禪先生七秩華誕特刊　1977年3月2日
田園詩派的形成與陶淵明田園詩的風格　幼獅學誌　14卷2期　1977年5月
從中國文化的基本精神談孝的倫理價值　教育部文化講座專集　104期　1977年7月

弘識孤懷　中央副刊　1977年8月30日
國學工具書舉要　出版與研究半月刊　第5期　1977年9月1日
如何講授「中國文化基本教材」　學粹　19卷4、5期　1977年10月
溫飛卿詞賞析　文風　32期　頁18－20　1978年1月
儒家「君子」析義　木鐸　第7期　1978年3月
春秋與春秋大義　學粹　20卷1、2期　頁1－5　1978年4月
周易卦名釋義　孔孟學報　第35期　頁1－47　1978年4月
王陽明的學術思想及其對世界的影響　中華文化復興　頁66－74　11卷7期　1978年7月
文學工具書鳥瞰　幼獅月刊　48卷2期　頁63－71　1978年8月
手擎「慧炬」的人　中央副刊　1978年9月
淨廬佛學文叢序　慧炬　170、171期　頁75－82　1978年8、9月
詞學導讀　國學導讀叢編　下冊　頁903－943　1979年4月
西鄉詩稿序　西鄉詩稿（張夢機詩集）1979年6月
春秋穀梁傳述要　群經述要　臺北　黎明文化公司　頁143－153　1979年10月
「古典文學」第一集序　中央副刊　1979年12月5日
孟子的仁政思想　木鐸　第8期　頁125－130　1979年12月
佛陀的救世思想與佛教的度脫精神　慧炬　192期　頁26－32　1980年6月
詞的欣賞　華風　14期　頁34－36　1980年
二明軒近詩　華風　14期　1980年
韋應物及其詩的風格與特色　木鐸　第9期　頁191－198　1980年9月
古今如夢——東坡燕子樓詞評析　中華副刊　1980年10月13、14日
詞的對比技巧初探　古典文學　第2集　頁241－284　1980年12月
民族生命的根源——「論語通釋」自序　論語通釋　台灣學生書局　1980年
探尋文學傳統的根　古典文學通訊　第6期　1980年12月13日
素心樓近詩　1980年
談詞的主題表現　慶祝陽新成楚望先生七秩誕辰論文集　頁611－618　1981

年2月
航向文學的理想國　古典文學通訊　第7期　1981年6月7日
范甯年譜初稿　國文學報　第7期　1981年6月
「重編國語辭典」編輯報告　重編國語辭典　1981年8月16日
月亮與神話　台灣日報副刊　1981年9月12日
民族文學的時代使命　青年戰士報副刊　1981年11月18、19日
儒家的王道思想　儒學研究論文集　1981年12月
文學的教育功能　師大崑崙雜誌　29卷1期　1981年12月
「重編國語辭典」編後記　中華日報——文教與出版　1981年12月31日
開發傳統文學的寶藏—「中國古典文學會」的使命　漢學研究通訊　1卷1期　1982年1月
國中國文第二冊第五課「絕句選」賞析
中等教育　33卷1期　1982年2月
尋春　聯合副刊　1982年2月5日
西屋上的雀巢　聯合副刊　1982年2月11日
燈謎的妙趣　聯合副刊　1982年2月22日
有情天地　聯合副刊　1982年3月8日
「儒佛三字經」序　慧炬　212、213期　1982年3月15日
紅樓鐘聲　聯合副刊　1982年3月30日
踏出附中校門以後　新附中　1982年4月10　日
燭影·離情　聯合副刊　1982年4月12日
天涯若比鄰　聯合副刊　1982年4月27日
北國之春　聯合副刊　1982年5月20日
江陵行　聯合副刊　1982年6月7日
韓中文化的關係　韓國大田日報　1982年6月21日
漢城訪古　聯合副刊　1982年6月22日
遊民俗村　聯合副刊　1982年7月4日
關於「重編國語辭典」的編例　中央副刊　1982年7月3、4日

幾度月圓時　聯合副刊　1982年7月18日
旅韓百日　聯合副刊　1982年8月20日
海印寺與八萬大藏經　慧炬　218、219期　頁53－57　1982年9月15日
懷鄉曲　中央日報・晨鐘副刊　1982年9月20日
為「重編國語辭典」辯誣　中華雜誌　20卷231期　頁52－54　1982年10月
俗離山的法住寺　慧炬　220期　頁47－52　1982年10月15日
良知的呼聲・警世的洪鐘　臺灣日報・第2版　1982年10月25日
中國文學理論體系芻議　青年戰士報・新文藝副刊　1982年11月5日
韓國的儒學與佛教　慧炬　221期　頁45－51　1982年11月15日
韓國是個好榜樣　草根人　第3期　頁53－57　1982年12月15日
慶州的佛教遺物與佛國寺　慧炬　222期　1982年12月15日
陶淵明田園詩的風格　中國語文學　第5輯　頁323－328　1982年12月15日
文化交流的橋樑　古典文學通訊　第9期　1982年12月18日
三傳的文學價值　中國文學講話（一）概說　頁113－146　1982年12月
中國人的聖經——論語　幼獅　361期　頁55－57　1983年1月1日
「左傳論評選析新編」讀後　中華日報・文教與出版　1983年2月7日
詩心禪理與善行　慧炬　224、225期　1983年3月15日
雪嶽山的神興寺與洛山寺　慧炬　226期　1983年4月15日
中華文化在韓國　文風　43期　1983年6月5日
國文教學的三個層面　教學與研究　第5期　1983年6月5日
締造人間淨土　慧炬　229期　1983年7月15日
入佛的方便之門　傅著「入佛之門」序　1983年10月
王風析論　中國文學講話（二）周代文學　頁59－76　1983年10月
三頌析論　中國文學講話（二）周代文學　1983年10月
楚辭的時代背景及其形成因素　中國文學講話（二）周代文學　1983年10月
文化復興時代談文化復興方略　臺灣日報・第9版　1983年11月12日
人文師友三十年　新聞天地　1868號　1983年12月3日
中國詩話詞話平議　中語中文學　第4輯　頁103－108　1983年12月15日

李清照詞的抒情藝術　大學雜誌　173期　頁28－32　1984年2月25日
西堂詩稿序　西堂詩稿（尤信雄詩集）　1984年3月4日
陶淵明與松菊蘭　文風　44期　1984年5月
劉琨的生平及其作品　中華文化復興月刊　17卷6期　1984年6月
讀書與人生　甲子　1984年6月
中國的情詩　自由青年　659期　頁59－61　1984年7月1日
發揚孔子的教育精神　中國語文　55卷3期　頁2－3　1984年9月1日
花中的君子　國語日報　國中語文指導　1984年9月9日
永遠的老師——讓我們認識孔子　國語日報·少年版　1984年9月27日
「鬥茶、病酒、打馬、賞花——試析清照的生活情趣」講評　中外文學　13卷5期　頁100－105　1984年10月1日
盛唐的田園詩　國語日報　國中語文指導·第6版　1984年10月7日
古典文學研究更上層樓　古典文學通訊　14期　頁2－3　1984年12月1日
孟子中的小說雛型　中國文學講話（三）　頁219－233　臺北　巨流圖書公司　1984年11月
詞體興起的因素　文藝復興　159期　頁21－29　1985年1月1日
論語與中國文化　慧炬　247期　1985年1月15日
恢萬里而無閡——「中國古典文學第一屆國際會議」前言　中央副刊　1985年4月8日
古典文學與現代化　文訊　17期　1985年4月
肩負中國文學薪傳的使命——介紹「中國古典文學研究會」　文訊
論劍臺北——中國古典文學第一屆國際會議日誌　文訊增刊　第2號·第1版　1985年4月
詩經的憂患意識　中國學術年刊　第7期　頁7－15　1985年6月
通億載而爲津——「中國古典文學首屆國際會議論文集」序　中央副刊　1985年8月29日
大地之愛－唐詩中的田園情趣　幼獅少年　107期　頁47－51　1985年9月
中等學校詩詞教學答客問　國文天地　第4期　頁20－24　1985年9月1日

孟子的精神價值觀　孔孟月刊　24卷1期　頁22－26　1985年9月28日

從小令到長調　幼獅少年　頁42－44　108期　1985年10月

劉琨　中國文學講話（五）　頁187－196　1985年6月

唐五代詞　中國文學講話（六）　頁503－540　1985年11月

玉樓夢與中國文化　韓國學報　第５期　頁421－435　1985年12月

中學生如何欣賞古典詩詞　靜修　112期　1985年12月24日

歐陽修詞欣賞　文風　46期　頁59－64　1986年5月

談文學欣賞與創作　幼獅文藝　386期　頁12－14　1986年2月

荷花世界　痕與恆　創刊號　頁7－8　1986年3月21日

中文學者看科際整合　博聯會訊　15期　頁12－15　1986年5月

大小晏　中國文學講話（七）　頁299－315　1986年6月

歐陽修　中國文學講話（七）　頁317－329　1986年6月

演講成功的條件　慧炬　264期　頁32　1986年6月15日

進入唐詩世界的階梯——介紹「唐詩三百首」　中華副刊．第11版　1986年6月18日

談文學教育　幼獅文藝　391期　頁4－36　1986年7月

翡翠珊瑚　聯合副刊　1986年7月11日

詩詞教學經驗談　中等教育　37卷4期　頁5－13　1986年8月　現代詩的學術層面——「第二屆現代詩學研討會」觀察報告　文訊　36期　頁12－15　1986年10月

靈活進步的國文教學　高中國文動動腦　（國文天地出版）　第1集　頁4－5　1986年10月

王荊公詩的風貌與評價　紀念司馬光王安石逝世九百周年學術研討會論文集　頁389－438　1986年10月

逍遙自適的元散曲世界　中國文學講話（八）　頁141－158　1986年11月

散播詩的種子　第二屆大專青年聯吟大會特刊　1986年12月

和然後利　中央副刊　1987年3月20日

國破山河在　中央副刊．國際版　1987年3月20日

王維詩中的禪趣　唐代文學研討會論文集　頁29－56　1987年4月
學術人才與學術資訊　大華晚報　第3版　1987年10月11日
形相美與質性美的融合——從中國人的審美觀談選美　中華日報　第3版　1987年11月8日
周慎公宣德老居士伉儷八秩晉九華誕壽啓　慧炬　1987年11月9日
洋溢生命熱力的書生典型——起鈞師逝世周年紀念　張起鈞教授逝世周年紀念論文集　1987年12月
文學中的境界　中央日報・長河版　1988年1月4日
源源不絕的精神泉源　中央副刊　1988年1月14日
畫龍點睛——由鍊字技巧談「詩眼」與「詞眼」　中華副刊・古典的魅力　1988年1月14日
經國先生的文學意趣　聯合副刊　1988年1月15日
經國先生的文學風格　國文天地　3卷7期　1988年2月1日
經國先生的文學觀　青年副刊　1988年2月2－4日
陶謝異趣　中央日報・長河版　1988年2月3日
安之若素持淨行——敬悼周胡安素老居士　慧炬　284、285期　1988年3月15日
沈重的十字架——現今中學國文教學的難題　國文天地　3卷9期　1988年4月1日
古典文學的壓軸戲——「中國文學講話（十）清代文學」評介　文訊　35期　1988年4月
「國立臺灣師範大學國文研究所集刊」序言　國文研究所集刊　32號　1988年5月
「藝文習作集刊」序　藝文習作集刊　1988年5月
「國文學報」十七期序　國文學報　17期　1988年6月5日
「嚶鳴集」第四輯序　嚶鳴集　第4輯　1988年6月
校園活動的文學基礎　當前校園活動與教育・學術專題研究17輯　1988年6月

孔子與諸子學說　國際孔學會議論文集　頁683－693　1988年6月15日
革新國文教育　中央副刊　1988年7月14日
從苦難飄泊中來　中央副刊　1988年9月13日
中國文化與韓國　第一回韓中國際學術發表論文集　1988年9月13日
國文教學的顧問——「名家論高中國文」序　名家論高中國文　（國文天地出版）　1988年9月
穩健作風與感染力量　演說藝術　第3期　1988年9月25日
詩心與禪意的交融——巴壺天老師師逝世周年紀念　青年日報副刊　1988年10月5日
文學的繼承與創新　雛龍　29期　1988年10月8日
生命的清泉——談佛教文學的定位　福報　第0號　1988年12月15日
如何從事詩詞教學　中等教育　39卷6期　頁2－6　1988年12月
「中國學術年刊」第十期序　中國學術年刊　第10期　1989年2月
中西文化與社會變遷——兼談教育的因應之道　師大校友月刊　244期　頁5－9　1989年3月
開拓文化的遠景　「五四文學與文化變遷學術研討會」特刊·第一版　1989年4月29、30日
中國人的處世之道　學術演講專集　第5輯　頁282－294　1989年6月5日
「嚶鳴集」第五輯序　嚶鳴集　第5輯　1989年6月5日
「藝文習作選集刊」序　藝文習作選集刊　1989年6月5日
「國文學報」十八期序　國文學報　18期　1989年6月5日
「唐詩新賞」序　唐詩新賞（地球出版社出版）　1989年4月
豐腴繁茂的田園美景　文風　1989年6月5日
國文師資問題之探討　當前師範教育問題研究（五南出版）　頁309－318　1989年6月5日
慧炬長明光照大千　慧炬　300期　1989年6月15日
周故董事長子慎老居士行狀　慧炬　302、303期　1989年9月
江南風光與故國情懷——試析李珣「南鄉子」與朱敦儒「相見歡」　國文天

地　5卷4期　頁88－90　1989年9月1日
唐詩的美麗世界——革新版「唐詩三百首」序　革新版「唐詩三百首」上冊（地球出版社出版）　1989年
范仲淹詞析論　紀念范仲淹一千年誕辰學術研討會論文集　1989年9月
文化素養與現代生活　中華文化與現代生活國際學術研討會論文集　1989年12月
中國文化之精粹——寫在「五倫歌」出版之前　五倫歌（中央婦工會出版）1989年12月
中國詩的抒情傳統　台灣新聞報・西子灣副刊　1990年1月18日
養鳥記　「人間情分」散文集　1990年2月
六祖壇經在中國文化史上的價值　中國學術年刊　11期　1990年3月
「中國學術年刊」十一期序　中國學術年刊　11期　1990年3月
學生書局與我——為祝賀學生書局三十週年慶而作　學生書局三十年　1990年3月
元散曲中的陶淵明影像　國文學報　19期　1990年6月
國文教學方法的活用——以啓發教學法的「類化原則」為例　教學法研究（五南圖書公司出版）　1990年6月
「國立臺灣師範大學國文研究所集刊第三十四號」弁言　國文研究所集刊三十四號　1990年6月
「國文學報」第十九期弁言　國文學報　第 19 期　1990年6月
「嚶鳴集」序　嚶鳴集　1990年6月
「藝文習作集刊」序　藝文習作集刊　1990年6月
將軍與僕人　國文天地　61期　1990年6月
古典文學的現代解讀　古典文學通訊　20期　1990年6月16日
婉約之美與豪放之美——談詞的風格　詩詞曲教學輔導論文集　1990年6月
「枯木逢春」與「寒夜騰燄」　普門雜誌　134期　1990年11月10日
周老師的生命精神　周子愼伉儷居士進思錄（慧炬出版社出版）1990年11月
「唐宋詩詞選」序　唐宋詩詞選（巴師壺天著・東大圖書公司出版）　1990

年12月
如何編選理想的國文教材　國文天地　6卷11期　頁65－68　1991年4月
文藝鬥士張道藩先生　文訊　66期　頁24－28　1991年4月
人比黃花瘦幾分——李清照與趙明誠的生活情趣　國文天地　6卷12期　頁48－52　1991年5月
慶祝莆田黃天成先生七秩誕辰論文集序　1991年6月
「國立臺灣師範大學國文研究所集刊第三十五號」弁言　國文研究所集刊35號　1991年6月
國文影帶教學媒體的製作與應用　教學媒體研究（五南圖書公司出版）　頁387－395　1991年6月
小牛頓國語辭典總序　小牛頓國語辭典（牛頓出版社出版）　1991年6月
七十九學年度高中國文資優生輔導總報告前言　頁1－2　1991年9月
身通儒佛一典型——周慶光老居士往生紀念　慧炬　328期　頁28－29　1991年10月15日
詞林賞粹——「唐宋詞精選百首」序　唐宋詞精選百首（地球出版社出版）1991年10月10日
不忍故國衣冠沈淪的王熙元教授　慧炬　328期　頁30－38　1991年10月15日
王熙元著述目錄——當代中文學者著譯書目（2）　古典文學通訊　頁18－26　1991年8月20日
當代漢學界學人著作目錄——王熙元　中國書目季刊　25卷3期　頁151－161　1991年12月
精品中的精品——「唐詩精選百首」序　唐詩精選百首（地球出版社出版）1991年10月9日
社會變遷中的人文教育　社會變遷與教育發展論文集（台灣書店出版）　頁147－164　1991年12月
締造另一里程——慧炬三十年的回顧與展望　慧炬　329期　1991年11月15日

艱辛歲月與書生生涯　中央副刊　1992年1月23日

推動中文學術教育的搖籃——國內中研所的現狀與展望　國文天地　7卷10期　頁12－13　1992年3月1日

中國文學中的文化精神　中國文化的過去現在與未來——中華書局八十週年紀念論文集　頁95－112　1992年3月

風起雲湧的一代——兩岸青年交流座談會紀錄　交流　第2期　頁8－17　1992年3月

卻顧所來徑——我讀書與治學的歷程　國文天地　7卷11期　頁46－49 1992年4月1日

以學術爲核心論現代佛教發展的途徑　慧炬　336期　頁22－31　1992年6月15日

以活水注入文化內涵　國文天地　8卷2期　頁8－9　1992年7月1日

國語文教學的層次與國文教育的未來發展　第一屆台灣地區國語文教育學術研討會論文集　1992年8月

八十學年度高中國文資優生輔導總報告前言　1992年9月日

沈浸醲郁含英咀華　中央日報．長河版　1992年9月10日

中國情詩之美　國文天地　8卷5期　頁34－40　1992年10月1日

理性與感性的融合——談演說成功的條件　台中市立文化中心講座專輯　第八輯　頁74－97　1992年11月

國學園林的播種者——敬悼高仲華老師　慧炬　341期　頁28－30 1992年11月15日

中國文化的薪傳——追懷高師仲華先生　國文天地　8卷7期　1992年12月1日

《中國名著大觀》總序　中國名著大觀(地球出版社出版)　1992年12月22日

重振人文精神　中央日報．第七版．中山學術論壇　1993年1月7日

學術風氣興盛以後——國內學術會議面面觀　文訊　88期　1993年2月1日

兩岸文字統一的呼聲——陳著「替海峽兩岸中文字統一試擬方案」序　國文天地　8卷10期　頁36－39　1993年3月1日

水滴石穿 普門雜誌 162期 頁53 1993年3月5日

探尋兩岸文字統一之路——寫在「中國文字統一學術研討會」之前 中央日報．長河版 1993年3月13日

理想的大學校長 國文天地 8卷11期 頁4－5 1993年4月1日

芬芳高潔的期許——「離騷」中香草的隱喻意義 國文天地 8卷12期 1993年5月1日

古典中國的戲劇時空 台灣日報．副刊 1993年5月11日

沙灘上的民主 自立晚報．第三版．晚安台灣 1993年6月28日

八十一學年度高中國文資優生輔導總報告前言 1993年9月

撥雲霧而見青天——解惑篇序 國文天地 9卷5期 1993年10月1日

「佛學因緣」序 慧炬 349期 1993年7月15日

詩三百及楚辭中的小說藝術形態 中國古典小說賞析與研究 上編 頁15－30 1993年8月

清代的長篇小說 中國古典小說賞析與研究 上編 頁443－454 1993年8月

《紅樓夢》中的三個女性 中國古典小說賞析與研究 上編 頁487－502 1993年8月

令人著迷的隱語——說謎語的趣味與教學運用 國文天地 9卷3期 1993年8月1日

中研所研究生自行舉辦研討會的幾個方向 國文天地 9卷6期 頁19－22 1993年11月1日

兩岸語文教育的比較與評論 教師天地 67期 頁22－26 1993年12月5日

楚辭（導讀） 國學導讀．第四冊 頁329－399 1993年12月

瑞安林景伊教授八十冥誕紀念論文集序言 紀念論文集（文史哲出版社出版 ） 1994年12月

林老師對教育學術文化的貢獻 紀念論文集 1994年12月

關漢卿雜劇的成就 關漢卿國際學術研討會論文集（文建會出版） 頁207－232 1994年1月

根深則葉茂——蔡信發著《文史論衡》評介　中央日報．長河版　1994年1月17日

平心走過獨木橋　中央日報．長河版　1994年3月4日

「魚雁自得風雲自樂」演講摘要　中央日報．文心藝坊　1994年3月5日

文學交流在中國文學史上的意義　中國學術年刊　15期　頁133－149　1994年3月

「古文觀止續編」序　古文觀止續編　百川書局　1994年3月20日

紀念程旨雲先生百年誕辰學術研討會論文集序　論文集(臺灣書店出版)1994年5月21日

孕育未來的文學種子——關於《古文觀止續編》　中央日報．長河版　1994年5月30、31日

生活智慧與人生經驗的結晶——介紹《聰訓齋語》及其評注　聰訓齋語評注（中央日報出版）　1994年6月

學術論文的認知與寫作　國文天地　10卷3期　頁18－22　1994年8月1日

國文評量的命題技巧及轉型　81　學年高中國文教師教學研討會手冊　1994年8月1日

談李白的小詩〈靜夜思〉　國文天地　10卷6期　頁14－16　1994年11月1日

人生好比登山峰　我們就是這樣長大的（漢光文化事業公司出版）　1994年11月20日

馬鶴情緣　中央日報．長河版．學者觀點專欄　1994年12月30日

尤庵先生之儒學精神　宋子學論叢　創刊號　頁93－111　1994年8月8日

詞史研究的過去與未來　中國文哲研究通訊　4卷3期　頁48－52　1994年9月

歷代詞話的論詞特色　第一屆詞學國際研討會論文集（中研院文哲所出版）　1994年11月

魚雁自得風雲自樂　愛與美　台北市立美術館　頁27－52　1994年12月

《中國文學大辭典》(臺港文學)增修訂序　中國文學大辭典　第一冊　（天津人民出版社．臺北　百川書局）　1994年12月初版

詞中的移情作用　國文天地　10卷8期　頁13－20　1995年1月1日
心開福慧話因緣　慧炬　367期　1995年1月15日
從中國文化觀點談同鄉會春節團拜的意義　相鄉文獻・社論　1995年1月
人文心眼　中央日報・長河版・學者觀點　1995年　3月7日
從歷史淵源論元散曲中的漁樵鷗鷺　中國學術年刊　第16期　頁139－157　1995年3月
我正以生命做實驗　古典文學通訊　第24期　1995年5月20日
古典詩鍊字的構思方向　國文天地　11卷1期　頁9－14　1995年6月1日
論詩中的對句　王靜芝先生八秩壽慶論文集　頁689－713　1995年6月
《征程》中所反映的時代悲情　中央日報・副刊　1995年6月29－30日
經學的精神與價值　國文天地　11卷3期　1995年8月1日
施比受更有福——愛心與理性是平衡天秤兩端的籌碼，需要常常斟酌取捨　影響子女一生的一句話・21世紀中國家庭（黎明文化公司出版）　1995年5月
詞史研究的過去與未來　國文學報　第24期　1995年6月
從「以禪喻詩」論嚴羽的妙悟說　佛教與中國文化國際學術會議論文集　頁193－212　1995年7月
博士班入學筆試不宜廢除　國文天地　11卷5期　1995年10月1日
學術良知的試金石——談博士班入學考試的公平性　中央日報・副刊　1995年10月5日
和諧哲學　中央日報・長河版・學者觀點　1995年10月20日

參、歷年指導學生論文

兩宋詞研究　張筱萍　臺灣師範大學國文研究所碩士論文　1975年7月6日
曲話敘錄　顏秉直　臺灣師範大學國文研究所碩士論文　1976年6月
石湖詞研究及箋注　黃聲儀　臺灣師範大學國文研究所碩士論文　1977年7月6日
鄭思肖研究及其詩箋注　楊麗桂　文化大學中文研究所碩士論文　1977年7

月5日

「人物志」在人性學上的價值　顏承繁　臺灣師範大學國文研究所碩士論文　1978年6月29日

碧雞漫志研究　周曉蓮　文化大學中文研究所碩士論文　1978年7月1日

論屈子人格及騷歌的藝術境界　楊宿珍　臺灣師範大學國文研究所碩士論文　1979年6月18日

公羊傳的政治思想　簡松興　臺灣師範大學國文研究所碩士論文　1979年6月11日

溫庭筠詞研究及校注　王玉齡　文化大學中文研究所碩士論文　1980年7月18日

張岱生平及其小品文研究　陳清輝　高雄師範大學國文研究所碩士論文　1981年6月

高適詩研究　蔡振念　文化大學中文研究所碩士論文　1982年1月6日

明代詞論研究　朴永珠　文化大學中文研究所碩士論文　1982年7月21日

葉夢得之文學研究　高靜文　高雄師範大學國文研究所碩士論文　1982年7月22日

陸象山心學之研究　吳盛林　臺灣師範大學國文研究所碩士論文　1982年6月22日

蘇辛豪放詞的形成及其成就研究　李竣植　臺灣師範大學國文研究所碩士論文1983年6月16日

兩宋詠物詞研究　馬寶蓮　臺灣師範大學國文研究所碩士論文　1983年6月21日

晚明山人陳眉公研究　李鳳萍　東吳大學中文研究所碩士論文　1984年6月11日

常州詞派寄託說研究　張苾芳　文化大學中文研究所碩士論文　1984年6月25日

六朝小賦研究　譚澎蘭　文化大學中文研究所碩士論文　1984年6月26日

陶淵明詩對朝鮮詩歌影響之研究　金周淳　臺灣師範大學國文研究所博士論

文　1984年11月29日

清初學術與韓儒丁茶山實學思想之研究　南明鎮　文化大學三民主義研究所博士論文　1985年1月23日

唐朝復古詩學研究　紀偉文　臺灣師範大學國文研究所碩士論文　1985年5月22日

中國辭賦與韓國歌辭之比較研究　金星洙　文化大學中文研究所碩士論文　1985年5月31日

國語之文學價值析論　林永堅　文化大學中文研究所碩士論文　1985年6月28日

論杜甫入夔以後的七律　黃素娥　文化大學中文研究所碩士論文　1986年6月5日

詞話之批評與功用研究　王國昭　東吳大學中文研究所碩士論文　1986年6月13日

論語中之孔子思想　金基哲　臺灣師範大學國文研究所碩士論文　1986年6月19日

楚辭三九暨後世以九名篇擬作之研究　高秋鳳　臺灣師範大學國文研究所碩士論文　1986年6月20日

阮籍研究　余寶貝　文化大學中文研究所碩士論文　1986年6月26日

司空圖詩論研究　吳忠華　文化大學中文研究所碩士論文　1986年6月27日

水經注之文學成就論析　蘇麗峰　文化大學中文研究所碩士論文　1987年6月6日

春秋穀梁經傳補注研究　吳連堂　高雄師範大學國文研究所碩士論文　1987年6月12日

詩經雅頌中的德治思想研究　林佳蓉　臺灣師範大學國文研究所碩士論文　1988年6月11日

顧亭林的人格與詩歌風格　施又文　臺灣師範大學國文研究所碩士論文　1988年6月21日

先秦儒家詩教思想研究　康曉城　臺灣師範大學教育研究所博士論文　1988

年6月25日

王漁洋神韻說與李炯庵詩學之比較研究　宋永珠　臺灣師範大學國文研究所博士論文　1988年12月20日

唐代閨怨詩研究　許翠雲　臺灣師範大學國文研究所碩士論文　1989年6月15日

湯顯祖邯鄲夢記研究　姜姈妹　臺灣師範大學國文研究所碩士論文　1989年6月16日

水經注研究　方麗娜　臺灣師範大學國文研究所博士論文　1990年6月9日

世說新語之人物形象與描寫技巧　廖麗鳳　臺灣師範大學國文研究所碩士論文　1990年6月11日

馬瑞辰毛詩傳箋通釋研究　劉邦治　東吳大學中文研究所碩士論文　1990年6月12日

晚明張楊園先生之學術思想研究　何明穎　文化大學中文研究所博士論文　1990年6月23日

楊喚和他「詩的小城」初探　余翠如　臺灣師範大學國文研究所碩士論文　1991年1月18日

清代臺灣詩所反映的漢人社會　施懿琳　臺灣師範大學國文研究所博士論文　1991年6月13日

天問研究　高秋鳳　臺灣師範大學國文研究所博士論文　1991年6月15日

嵇康「聲無哀樂論」的音樂美學研究　徐麗眞　臺灣師範大學國文研究所碩士論文　1991年6月24日

漁洋論詩絕句證析　李建福　臺灣師範大學國文研究所碩士論文　1992年6月26日

晚明小品的文藝理論及藝術表現　李濟雨　臺灣師範大學國文研究所博士論文　1993年1月16日

從古代的生命禮儀透視其生死觀——以禮記爲主的現代詮釋　林素英　臺灣師範大學國文研究所碩士論文　1993年5月24日

曾國藩家書研究　陳如雄　臺灣師範大學國文研究所碩士論文　1993年7月

17日

寧獻王之曲學及其劇作研究　車美京　臺灣師範大學國文研究所碩士論文　1994年5月17日

漢代楚聲文化之研究　李維綺　臺灣師範大學國文研究所碩士論文　1994年6月　（考後改題：漢代的音樂發展——從楚聲談起）

白石道人詞之藝術探微　黃永姬　臺灣師範大學國文研究所博士論文　1994年12月18日

蘇軾題畫文學之研究　謝惠芳　臺灣師範大學國文研究所碩士論文　1995年1月18日

壺天縮影見石趣——宋代文人賞石生活研究　蔣錦繡　臺灣師範大學國文研究所碩士論文　1995年1月20日

孔尚任的歷史劇作研究　徐瑞嬪　臺灣師範大學國文研究所碩士論文　1995年6月28日

肆、附錄：王熙元教授詩作選刊

菊硯銘

幽徑生玉，疏籬耀金；霜凝秋色，露浥寒英。

楚臣夕餐，陶令詩情；捲簾人瘦，對月影清。

魏臺瓦冷，汾水泥冰；鑿通月窟，洗就雲津。

色如鳳羽，光似龍鱗；貞惟守墨，用乃虛心。

爰有奇石，自生異形；黃花盤錯，紫葉分明。

銀鱗出水，仙鶴穿雲；鍾王筆落，李杜詩成。

一九九二年遊大陸詩作

灕江山水

清江活水水長流，大小牛群水上伏，自在漁船隨水泛，奇峰起伏美無儔。

重遊西湖

蘇堤信步憶坡仙，遙望白堤想樂天，不見孤山林處士，詩心長照在遺篇。

西湖曲院風荷

小坐湖亭倚曲欄，團團碧葉靜心觀，舞衣輕舉如仙子，菡萏芳蹤影漸殘。

登八達嶺長城

迤邐長城臥翠峰，騰雲繞嶺若蟠龍，秦皇漢武今何在，惟見遊人歎神工。

謁黃陵

迢迢千里謁黃陵，上國衣冠百代興，世世綿延華夏種，千秋享祀永垂□。（□內之字草，不辨何字）

旅韓詩作選

旅韓即事　漢江楊柳

斜陽影裡過江城，料峭輕寒拂面迎，岸邊柔柳千尺碧，絲絲繫我故園情。

新新農場觀花

北國春遲花事曉，牡丹芍藥正含苞，繁櫻滿林山梅放，百草千花競尚嬌。

遊雞龍山

山泉亂石漱清流，傍路雜花綴滿丘，山寺名緣東鶴意，履痕到處可忘憂。（註：東鶴寺前有忘憂橋，橋畔有忘憂室，蓋山寺淨房也。）

經　學　研　究　論　叢
第　五　輯　　頁285～294
臺灣學生書局　1998年8月

經學博碩士論文目錄
（民國84、85年）

游均晶*

編輯說明

一、《本目錄》收錄民國84—85年間，臺灣地區博、碩士研究生完成之「經學類」論文條目。

二、《本目錄》所收論文條目，資料內容若涉及兩類者，則予以「互見」，以方便讀者檢索。

三、論文條目之目錄項，依作者、書名、出版者、出版年月、指導教授等順序排列。

經學總論

林登順　魏晉南北朝儒學流變之省察　私立中國文化大學中國文學研究所博士論文　84年6月　王仁鈞指導

江美華　西晉儒學研究　國立政治大學中國文學研究所博士論文　84年7月　呂凱指導

張育敏　唐代後期古文運動與經書關係之研究　私立東吳大學中國文學研究

* 游均晶，臺灣學生書局編輯，亞東工專兼任講師。

所碩士論文 83 年 6 月 林慶彰指導

劉醇鑫 唐代後期儒學的新發展 私立輔仁大學中國文學研究所博士論文 85 年 6 月 王靜芝、林慶彰指導

馮曉庭 宋初經學發展述論 私立東吳大學中國文學研究所碩士論文 83 年 6 月 林慶彰指導

蔡介裕 前期閩學之研究 私立東海大學哲學研究所博士論文 85 年 1 月 蔡仁厚指導

金起賢 朱子學在朝鮮朝的流衍及其影響之研究 私立東海大學哲學研究所博士論文 85 年 6 月 蔡仁厚指導

程誌華 學術與政治：南宋「慶元黨禁」之研究 國立清華大學歷史研究所碩士論文 85 年 6 月 黃寬重指導

張錫輝 清代「漢宋之爭」的主要問題及其檢討 私立東海大學中文研究所碩士論文 84 年 6 月 胡楚生指導

張麗珠 乾嘉時期的義理學趨向研究 國立高雄師範大學國文研究所博士論文 85 年 6 月 周虎林指導

曾聖益 四庫總目經部類敘疏證及相關問題之研究 國立政治大學中國文學研究所碩士論文 85 年 6 月 吳哲夫指導

江素卿 論常州學派之學術特質及其經世思想 國立高雄師範大學國文研究所碩士論文 85 年 6 月

朴英姬 清代中期經學家的文論 國立臺灣師範大學國文研究所博士論文 85 年 7 月 王更生指導

經學家研究

李昌德 孔子思想中「天人」問題研究 私立輔仁大學哲學研究所碩士論文 85 年 6 月 丁原植指導

車行健 禮儀、讖緯與經義—鄭玄經學思想及其解經方法 私立輔仁大學中國文學研究所博士論文 85 年 6 月 王靜芝指導

連小萍 王充生死觀之研究 私立輔仁大學中國文學研究所碩士論文 84

年 7 月　陳福濱指導

陳超群　王充《論衡》之人性論研究　私立華梵人文科技學院東方人文思想研究所碩士論文　85 年 6 月　張長祥指導

江政寬　皮日休的生平與思想—兼論其在唐宋之際思想變遷中的角色　國立中正大學歷史研究所碩士論文　84 年 5 月　陳弱水指導

徐紀芳　邵雍研究　私立中國文化大學中國文學研究所博士論文　83 年 12 月　黃永武指導

金琇昌　程明道「天人一本」說之研究　國立臺灣大學哲學研究所碩士論文　83 年 12 月　張永儁指導

王素琴　蘇轍古文研究　國立政治大學中國文學研究所碩士論文　85 年 6 月　何寄澎指導

王志銘　朱熹與康德哲學之比較研究　國立臺灣大學哲學研究所博士論文　83 年 11 月　鄔昆如、張永儁指導

周杏芬　朱熹與書院研究　國立政治大學中國文學研究所碩士論文　84 年 6 月　董金裕指導

朴龍模　朱熹「理氣」哲學思想之研究　私立輔仁大學中國文學研究所博士論文　85 年 1 月　羅光指導

尹元鉉　從朱子思想中之「天人」架構闡論其義理脈絡　私立中國文化大學中國哲學研究所碩士論文　85 年 6 月　蔡仁厚指導

孫蓮玲　薛瑄理學思想之研究　私立中國文化大學中國文學研究所碩士論文　85 年 6 月　王俊彥指導

王大德　王陽明哲學之研究　國立中央大學哲學研究所碩士論文　83 年 6 月　袁保新指導

張國一　王陽明爲學次第研究　國立臺灣大學哲學研究所碩士論文　83 年 12 月　張永儁指導

王玉華　王陽明致良知學說思想演化之研究　私立輔仁大學中國文學研究所碩士論文　84 年 6 月　陳福濱指導

唐經欽　陽明的入聖工夫　私立中國文化大學哲學研究所碩士論文　85 年 6

月 楊祖漢指導

謝仁真 方以智哲學方法學研究 國立臺灣大學哲學研究所博士論文 83 年 11 月 張永儁指導

林宣慧 論船山實踐進路的兩端一致論 國立中央大學哲學研究所碩士論文 83 年 6 月 曾昭旭、林安梧指導

趙世瑋 戴震倫理思想研究 國立中山大學中國文學研究所碩士論文 84 年 1 月 徐漢昌指導

唐素珍 紀昀的學術活動研究 私立輔仁大學中國文學研究所碩士論文 84 年 6 月 王金凌指導

林勝彩 章實齋對乾嘉學術的批評與修正 國立中山大學中國文學研究所碩士論文 84 年 6 月 鍾彩鈞指導

朱敬武 章學誠歷史・文化哲學研究 私立輔仁大學哲學研究所博士論文 85 年 1 月

謝金美 崔東壁學述 國立高雄師範大學國文研究所博士論文 84 年 6 月 何淑貞指導

吳德玲 洪亮吉《意言》研究 國立中興大學中國文學研究所碩士論文 85 年 6 月 胡楚生指導

王嘉龍 孫星衍及其孫氏祠堂書目之研究 私立中國文化大學史學研究所碩士論文 83 年 12 月 吳哲夫指導

黃慶雄 阮元輯書刻書考 私立東海大學中文研究所碩士論文 84 年 6 月 潘美月指導

張運宗 劉逢祿與常州學派（1780－1810） 私立東海大學歷史研究所碩士論文 85 年 6 月 丘爲君指導

方莊賁 漢宋調和與經世致用—論曾國藩的學術特色與經世之學 國立臺灣大學中國文學研究所碩士論文 85 年 6 月 夏長樸指導

張中雲 整理國故運動之研究：以章太炎、胡適、顧頡剛爲例 私立東吳大學中國文學研究所碩士論文 85 年 7 月 王汎森指導

易

歐惠文 易理哲學闡微 國立中興大學中國文學研究所碩士論文 85 年 6 月 徐芹庭指導

張銀樹 易傳哲學思想析論 私立輔仁大學中國文學研究所博士論文 84 年 1 月 王靜芝指導

李霖生 辭與物：《易傳》釋物的順序 國立臺灣大學哲學研究所博士論文 85 年 1 月 傅佩榮指導

許曉雯 文言傳思想研究 國立政治大學哲學研究所碩士論文 85 年 6 月 高懷民指導

朱俊麟 從《易經》致用的觀點看《後漢書》儒學教化的思想 私立輔仁大學中國文學研究所碩士論文 85 年 6 月 趙中偉指導

許維萍 歷代論辨太極圖之研究 私立東吳大學中國文學研究所碩士論文 84 年 6 月 黃慶萱指導

黃忠天 宋代史事易學研究 國立高雄師範大學國文研究所博士論文 84 年 6 月 應裕康指導

康雲天 南宋心學易的研究 國立高雄師範大學國文研究所博士論文 84 年 6 月 何淑貞指導

林麗雯 李光史事易研究 國立臺灣師範大學國文研究所碩士論文 84 年 1 月 黃慶萱指導

許朝陽 胡渭《易圖明辨》之研究 國立中央大學中國文學研究所碩士論文 85 年 6 月

高志成 皮錫瑞易學述論 逢甲大學中國文學研究所碩士論文 84 年 6 月 簡博賢指導

林志孟 俞琰易學思想研究 私立中國文化大學中國文學研究所博士論文 84 年 6 月 高懷民指導

書

劉振雄 論今文尚書中的天命觀與政治哲學 國立臺灣大學哲學研究所碩士論文 85年5月 張永儁指導

黃復山 漢代《尚書》的讖緯學述 私立輔仁大學中國文學研究所博士論文 85年6月 王靜芝指導

游均晶 蔡沈《書集傳》研究 私立東吳大學中國文學研究所碩士論文 85年7月 林慶彰指導

詩

朱孟庭 《詩經》重章藝術研究 國立臺灣師範大學國文研究所碩士論文 85年1月 余培林指導

周玉琴 《詩經》天文地理意象研究 國立中山大學中國文學研究所碩士論文 85年6月 徐信義指導

林耀潾 西漢三家詩學研究 國立高雄師範大學國文研究所博士論文 84年6月 王忠林指導

盧國屏 爾雅與毛傳之比較研究 國立政治大學中國文學研究所博士論文 83年8月 周何、李威熊指導

洪春音 朱熹與呂祖謙詩說異同考 私立東海大學中文研究所碩士論文 84年6月 楊承祖、陳鴻森指導

郭麗娟 呂祖謙詩經學研究 私立東吳大學中國文學研究所碩士論文 84年1月 林慶彰指導

胡靜君 皮錫瑞《詩經通論》研究 私立逢甲大學中國文學研究所碩士論文 85年6月

侯美珍 聞一多詩經學研究 國立政治大學中國文學研究所碩士論文 84年6月 林慶彰指導

三禮

吳萬居　宋代三禮學研究　國立政治大學中國文學研究所博士論文　84 年 7 月　李威熊指導

彭美玲　古代禮俗左右之辨研究—以三禮爲中心　國立臺灣大學中國文學研究所博士論文　85 年 5 月　葉國良指導

劉美智　魏晉父名母名喪服研究　國立臺灣師範大學國文研究所碩士論文　84 年 6 月　周何指導

姬秀珠　《儀禮》食器考—鼎、簋、鬲、簠、甗　國立高雄師範大學國文研究所碩士論文　85 年 6 月　方俊吉指導

林素英　從古代之祭禮透視其政教觀—以《禮記》爲主之義理論釋國立臺灣師範大學國文研究所博士論文　85 年 6 月　周　何指導

吳玉燕　儒家的和諧觀及其現代詮釋—以《禮記》爲例　私立輔仁大學中國文學研究所碩士論文　85 年 6 月　林慶彰指導

春秋

黃碧珍　春秋鄭國之政治、外交及文化研究　私立中國文化大學中國文學研究所博士論文　84 年 6 月　傅錫壬指導

陳傳芳　《春秋》戰伐書例研究　國立臺灣師範大學國文研究所碩士論文　84 年 6 月　沈秋雄指導

洪碧穗　董仲舒春秋學述　私立輔仁大學中國文學研究所碩士論文　84 年 6 月　王初慶指導

黃啟書　董仲舒《春秋》學中的災異理論　國立臺灣大學中國文學研究所碩士論文　84 年 6 月　夏長樸指導

王淑蕙　董仲舒《春秋》解經方法探究　國立中央大學中國文學研究所碩士論文 84 年 6 月　林慶彰指導

金榮奇　韓國春秋學研究　國立政治大學中國文學研究所博士論文　84 年 12 月　李威熊指導

左傳

宋惠如 劉師培《春秋左傳》學之研究 國立中央大學中國文學研究所碩士論文8 5年6月 岑溢成指導

公羊傳

林倫安 春秋公羊傳會盟析例 國立臺灣師範大學國文研究所碩士論文 84年6月 周 何指導

張惠淑 《公羊》稱謂七等研究 國立臺灣師範大學國文研究所碩士論文 85年1月 周 何指導

穀梁傳

李紹陽 《春秋穀梁傳》時月日例研究 國立臺灣師範大學國文研究所碩士論文 85年1月 周 何指導

陳秀玲 楊士勛《春秋穀梁傳注疏》之研究 國立中興大學中國文學研究所碩士論文 85年6月 江乾益指導

四書

羅永吉 《四書蕅益解》研究 國立成功大學中國文學研究所碩士論文 84年6月 林朝成指導

簡瑞銓 《四書蕅益解》研究 私立東吳大學中國文學研究所碩士論文 85年6月 熊 琬指導

曾素貞 顏元的四書學研究 國立政治大學中國文學研究所碩士論文 85年6月 董金裕指導

陳逢源 毛西河四書學之研究 國立政治大學中國文學研究所博士論文 85年6月 董金裕指導

論語

鄧秀梅　朱子對論語的詮釋之研究　私立中國文化大學中國文學研究所碩士論文　84 年 6 月　楊祖漢指導

賴溫如　清代《論語》述何學考　國立中興大學中國文學研究所碩士論文　85 年 6 月　簡博賢指導

廖千慧　焦循論語學研究　國立中山大學中國文學研究所碩士論文　84 年 7 月　何淑貞指導

劉錦源　清代常州學派的論語學　國立政治大學中國文學研究所碩士論文　84 年 6 月　董金裕指導

孟子

金基柱　孟子道德哲學之理論與實踐　私立東海大學哲學研究所碩士論文　84 年 6 月　蔡仁厚指導

莊政憲　孟學的天人合一思想——一個現代詮釋　私立東海大學哲學研究所碩士論文　84 年 6 月　謝仲明指導

柯雅卿　戴震孟子學研究　國立成功大學中國文學研究所碩士論文　85 年 7 月　唐亦男指導

劉德明　焦循《孟子正義》之義理學研究　國立中央大學中國文學研究所碩士論文 84 年 6 月　岑溢成指導

大學、中庸

史幼屏　中庸義理型態之定位問題研究　私立東海大學哲學研究所碩士論文　84 年 6 月　謝仲明指導

翟世芳　二程學庸思想之研究　國立臺灣師範大學國文研究所碩士論文　84 年 6 月　王開府指導

爾雅

盧國屏　爾雅與毛傳之比較研究　國立政治大學中國文學研究所博士論文　83 年 8 月　周何、李威熊指導

讖緯

殷善培　讖緯思想研究　國立政治大學中國文學研究所博士論文　85 年 6 月　呂　凱指導

黃復山　漢代《尚書》的讖緯學述　私立輔仁大學中國文學研究所博士論文　85 年 6 月　王靜芝指導

車行健　禮儀、讖緯與經義—鄭玄經學思想及其解經方法　私立輔仁大學中國文學研究所博士論文　85 年 6 月　王靜芝指導

經 學 研 究 論 叢
第 五 輯　　頁295～304
臺灣學生書局　1998年8月

《四庫未收書目提要續編》及《許廎經籍題跋》整理前言

吳　格*

《四庫未收書目提要續編》（下簡稱《續編》）及《許廎經籍題跋》（下簡稱《題跋》），爲近代學者胡玉縉先生之遺著。兩書均爲續《四庫全書總目提要》（下簡稱《提要》）而作，旨在補輯《提要》失收之古人著作並增輯《四庫》未收之清人著述，共錄書一千餘種，所撰解題，提要鉤玄，考訂精核，爲清阮元《四庫未收書目提要》以後，續提要類著作中之重要學術成果。茲據稿本整理完成，付印在即，爰略述作者生平及其書原委如次。

一

胡玉縉（1859－1940）字綏之，號許廎，江蘇吳縣人。先生生平，王欣夫先生〈吳縣胡先生傳略〉述曰：年十九，補縣學生員，初肄業正誼書院，與潘錫爵、葉昌熾、許克勤、曹元忠、王仁俊等同學，以學問道義相切磋。嗣調江陰南菁書院，南菁爲其時大江南北人材淵藪，同學諸子，均斐然有著述才，先生廁身其間，治經義兼辭章，每試輒冠其曹，爲山長定海黃以周激賞。光緒戊子（1888），江蘇布政使貴筑黃彭年創辦學古堂，作育英才，聘雷浚爲學長，先生與章鈺爲齋長。肄業者得其指授，多成材而去。辛卯(1891)，

* 吳格，上海復旦大學圖書館主任。

以優貢中式江南鄉試舉人。明年(1892),春闈報罷,入福建學幕。庚子(1900),任江蘇興化教諭。癸卯(1902),應經濟特科試,錄取高等。改官湖北知縣,入總督南皮張之洞幕府。明年,之洞會同江督溗陽端方派先生東渡日本,考察政學,歸著《甲辰東游日記》六卷。丙午(1906),學部以治經有法,深明教育,調補主事,升員外郎。戊申(1908),禮學館重修《通禮》,聘任纂修。宣統庚戌(1910),京師大學堂初立,聘先生講授《周禮》,著《周禮學》,發凡起例,宏綱畢舉,受業者多一時俊彥,象山陳漢章傳其學。辛亥(1911)後,一主歷史博物館,任北京大學教授,又任高等師範學校教授。再度東游。餘則奮力著述,孜孜不倦,數十年如一日。旅京師四十年,與膠縣柯劭忞、新城王樹枏、江陰夏孫桐、長汀江瀚、仁和邵章、常熟孫雄、沔陽盧弼諸老稱莫逆交。及日寇入犯,時先生年將八十,痛心國事,浩然而歸吳下,卜宅光福鎮虎山橋。其地爲清初高士徐枋所徘徊不去,又距此五六里,即四世傳經惠氏之東渚故居也。先生仰慕往哲,俯事著述,擁書萬卷,閉門謝客,有終焉之志。❶

按先生避寇出京,在 1936 年,同時朋好送行,贈詩倡和者甚眾。居鄉四年以後,於 1940 年 7 月逝世。身後遺稿,均委王欣夫先生整理:「欣夫少受經於曹(元弼)先生,得略窺門徑。暨先生晚歸吳下,以年家子摳衣晉謁。盛德謙衷,言無不盡,獲益良多,並許爲畏友。又以草稿叢殘,多未寫定,約相助爲理。曾幾何時,忽示微疾,猶鄭重致書,以身後編刊之役爲託。」❷先生著述,早年已刊者,爲《穀梁大義述補闕》七卷(假名弟子張慰祖),《說文舊音補注》一卷、《補遺》一卷、《續》一卷、《改錯》一卷,《甲辰東游日記》六卷等。遺稿經王欣夫先生整理編成者,爲《許廎學林》二十卷,《四庫全書總目提要補正》六十卷,《四庫未收書目提要補正》二卷,《四庫未收書目提要續編》二十四卷,《許廎經籍題跋》二十卷,合爲《許廎遺書五種》,均交中華書局上海編輯所,本議陸續印行。後《許廎學林》

---

❶ 見《許廎學林》卷首,又載王欣夫編《許廎遺集》卷端,文字略有異同。

❷ 同註❶。

於 1958 年出版，《提要補正》及《未收提要補正》兩種，亦於 1964 年出版，而《續編》及《題跋》兩種，旋以世事多故，未克印成。所幸王欣夫先生所藏胡氏遺稿，於七十年代盡歸復旦圖書館，至今保藏完好❸，此次整理，即根據先生原稿鈔錄編成。

二

先生生當清季，目睹國勢衰頹，舊學式微。早年攻苦勤學，泛覽群書，學問具有淵源，中年游幕南北，諳熟掌故。入仕後赴日本考察政學，參預立憲、辦學等新政，辛亥後歷主博物館、圖書館事，並執教大學，於新學新知，亦能注意吸取。然其平生志向，仍以治學爲主。先生於經史諸子小學均有著撰，卓然名家，而其用力最久、貢獻最著者，仍推《補正》、《續編》及《題跋》三書。

先生自中年以還，即有志補正《提要》，《補正》博采群籍，廣輯前人著述中爲《提要》及《未收提要》匡謬補闕之文，參互考核，斷以己裁，凡考辨《提要》著錄之書二千三百餘種，幾及《提要》四分之一。其體例於每一書下，先錄《提要》原文，次引各家之說，貫穿比較，旁徵曲引，而終之以案語，其征引之浩博，用心之縝密，讀其書者，莫不欽服。先生於補正《提要》之餘，又以搜討所及，開始補輯《四庫》未收之書。

清光緒十五年，王懿榮曾奏請增修《四庫全書》，至三十四年，章梫又奏請之。先生時官學部，嘗代擬《會議增修四庫全書摺》，並陳《增修四庫全書條例》，以爲：「四庫未收之書，自浙江撫臣阮元進呈外，迄今又越百數十年。有市舶泛來前代流傳海外之書，又有乾隆以後通材碩學精審校勘、網羅散佚之書。或先得者殘而重收者足，或沿襲者誤而改正者精，其他群經則別爲義疏，諸史則各爲補苴，以及天文、算術、輿地、方志、政書、奏議、詩文別集，類皆日新月盛，卓然成家。」❹爲此，建議「遵照乾隆時成案，

❸ 先生未刊稿本，經檢尚有《讀說文段注記》、《釋名補疏》、《獨斷疏證》、《新序注》、《說苑注》、《論衡注》、《群書問答》、《金石萃編補正》等，均手寫自訂，藏於復旦圖書館。

❹ 《會議增修四庫全書摺》，《謹擬增修四庫全書條例》，載《許廎遺集》。

增修《四庫全書》，於以整齊百氏，示厥指歸，爲國粹之保存者在此，爲治道之大防者亦在此。」❺其時國事蜩螗，議雖行而其事未果，先生退而責諸己，遂自清季始，仿阮氏體例，搜羅遺佚，自爲撰稿。

光緒末年，錢塘丁氏藏書初歸江南圖書館，先生適在江督端方幕，遂得就近取閱，逐一披覽，晨鈔雪纂，多所取資，故《續編》及《題跋》所述底本，多爲清季江南藏書家錢塘丁氏、常熟張氏及瞿氏、歸安陸氏舊藏之秘籍。今觀先生《續編》及《題跋》稿本，大都隨得隨寫，各自成篇，初不急於定稿，已有成稿，亦每以續得之材料添入，鉤乙塗抹，屢添累改，具見著述之矜慎。先生嘗與人論著書方法曰，「此事大致先以十年閱書爲事，凡有裨於所欲撰述者，即行記出，但舉標題，下注書名，再注正字某數爲卷，號碼某爲葉，相同者類次，寧寬毋狹，俟編寫時再酌去取。整部書外，以多采零星說爲尚。王氏《漢書補注》、《荀子集解》等書，竊嫌其零星說少。」❻《續編》及《題跋》，即依此法撰成。

三

《續編》稿本七冊，先生自爲裝訂，前無目錄及序記。首冊署「四庫未收書目提要續編」，各冊又注明「續一」至「續七」序號。內容則依《四庫》分類，初爲排次，書葉眉端間注分類，可見散葉合訂之跡。訂入之稿，或有兩稿並見者，一爲修改之稿，一爲謄清之稿，改稿鉤乙殆遍，有自注「廢」字。又有一書而分撰兩篇提要者，如《名公書判清明集》稿兩篇，一訂入子部法家類，一訂入類書類，文字稍有異同。《續編》著錄之書，凡七百四十餘種，均斷至乾隆以前，其入錄之書，約有以下諸類：

一、《四庫》應收而未收者。如：宋杜諤《春秋會義》二十六卷，係《永樂大典》輯本，弘曆所撰《御製書洪咨夔春秋說論隱公作僞事》注，有「盧仝《摘微》久佚，惟杜諤《春秋會義》采其說，今於《永樂大典》散篇內裒

❺ 同註❹。

❻ 《覆王欣夫大隆書》（辛丑），載《許廎學林》卷20。

得之」語；明郝敬《論語詳解》二十卷，敬撰《九經解》，《四庫》已著錄八種；宋史炤《資治通鑑釋文》三十卷，其音注爲胡三省采取者不少，宋本罕見，至阮元撫浙時，始鈔寫進呈內府；明徐咸《皇明名臣言行錄續集》八卷，《四庫》已收其《前集》、《後集》各二十卷；宋劉斧《青瑣高議別集》七卷，《四庫存目》已著錄《前集》、《後集》，又疑其書與《郡齋讀書志》、《直齋書錄解題》所載卷數不合；宋林希逸《老子鬳齋口義》二卷、《列子鬳齋口義》二卷，《四庫》著錄其《莊子鬳齋口義》，均未見其書而失載。

二、《提要》已引而未載者。如：明朱雲《金石韻府》五卷，《提要》於林尚葵等《廣韻府》下曾引其書，書實未收；明唐覲《延州筆記》四卷，《提要》於《唐音》下引其書，而亦失載；宋葛立方《歸愚集》十卷，《提要》於《韻語陽秋》、《歸愚詞》下云「立方有《歸愚集》，已著錄」，而別集類實失載；明吳訥編《晦庵先生文鈔》六卷、《詩鈔》一卷，曾與崔銑輯《文集續鈔》合刊，兩書目錄合併計卷，《存目》收崔書，稱其「蓋與訥書相輔而行」，而吳書未之載。他如宋陳普《石堂先生遺集》二十卷，《存目》著錄普《武夷櫂歌注》，謂「普有全集，已著錄」；鄭起《菊山清雋集》三卷，《提要》於《心史》條下謂，「思肖有《題畫詩》、《錦錢集》，併附載其父震《菊山清雋集》後」，而實皆未采及其書。

三、《四庫》禁毀之書。如明朱高熾《天元玉曆祥異賦》七卷，明沈德符《萬曆野獲編》三十卷等。

四、《四庫》所收非足本者。如宋朱熹《詩集傳》二十卷，《四庫》收八卷本；元王元杰《春秋讞議》十二卷，《四庫》收九卷本；史伯璿《四書管窺》三十六卷，《四庫》收八卷本；元辛文房《唐才子傳》十卷，《四庫》收八卷本；宋陳元靚《歲時廣記》四十二卷，《四庫》收四卷本；明朱睦㮮《授經圖》二十卷，《四庫》收不分卷本；吳道南《文華大訓箴解》六卷，《四庫》收三卷本；宋宋慈《提刑洗冤集錄》五卷，《四庫》收二卷本；宋潘自牧《紀纂淵海》一百九十五卷，《四庫》收一百卷本；唐《駱賓王文集》十卷，《四庫》收四卷本；宋孫覿《鴻慶居士集》七十卷，《四庫》收四十卷本；劉克莊《後村集》一百九十六卷，《四庫》收五十卷本；明朱右《白雲稿》十一卷，《四庫》收五卷本；錢宰《臨安集》十卷，《四庫》收六卷本等。此類數量最夥，先生以經眼之本與四庫館臣所見本卷數既異，遂比勘版刻，別其優劣，以著於錄。

五、中士久佚而歸自海外者。如顧野王《玉篇零本》三卷半，釋慧琳《大藏經音義》一百卷，釋希麟《續一切經音義》十卷等。

六、自《大藏經》及《道藏》鈔出之書。如釋慧皎《高僧傳》十三卷、《集沙門不應拜俗等事》六卷，均用明支那本；宋李榮《元始說先天道德經》五卷、宋朱弁《通元眞經》七卷，俱用《道藏》本等。

《續編》體例，沿《提要》之定式，「先列作者之爵里以論世知人，次考本書之得失，權眾說之異同，以及文字增刪、篇帙分合」，而其議論名通，斷制謹嚴，尤爲後學之津逮。如論宋人所編類書謂：「蓋在當日爲坊行之俗本，而在今日實宋代之古書矣」；《東林本末》條下，辨李慈銘「明代士不知學，競務虛聲，橫議朝政，浸以亡國，東林、復社，實爲戎首」之說，而結語謂：「李氏此論，蓋拾《小心齋劄記》、《東林列傳》各《提要》之余唾也，是不可以不辨」；又《集古今佛道論衡實錄》條下謂：「是書取古今佛道爭辨事，薈萃爲一編，大致務抑道以伸佛。竊謂道家清靜，與佛同源，何所容其非毀。佛氏四大皆空，今乃負氣嘵嘵，於『空』何有。然儒者同是經學，乾嘉以來，漢、宋之爭，爲有識者所深憫。吾儒尚如是，何論彼教」；又《台館鴻章》條下論明文流變曰，「明自楊士奇輩倡台閣之派，積久而嘽緩冗沓，千篇一律；於是李夢陽輩倡言復古，積久而塗飾險詭，萬喙一音；於是袁宏道輩乘其弊而詆之，變板重爲輕巧，變粉飾爲本色，而專恃聰明，不根學問，其弊不可勝言」。此外訂正《提要》與各家之說，亦皆說理透徹，各具勝義。

四

《題跋》稿本八冊，亦先生手自裝訂，封頁自署《許廎經籍題跋》「一」至「八」。其書亦無序記，未經分卷，內容依《四庫》分類，已初爲排次。各篇均稱「書後」，下注撰年，多成於二十至三十年代。此書爲增續《提要》

所作，不稱「提要」而稱「題跋」，一以謙遜，示其僅爲私家撰著，二則其體例與《提要》實稍異。《續編》遵《提要》之式，敘作者之爵里，論著作之優劣，語多簡約，《題跋》則考著作之原委，辨學術之純疵，文字較繁，議論亦見深入。清代自乾嘉以後，學者輩出，著述如林，群經則各有義疏，諸史則多經補苴，諸子、小學、金石之學，莫不後來居上，各號專門。先生博涉多能，學無不通，故能於清代學術之門類，擇其要著，細加考論而撰爲跋文。

王欣夫先生曰，先生「每撰一篇，必於全書熟復數過，挈其菁華，博采群言，辨其是非，然後能發抒己見，折衷至當，而免鈔胥之誚。觀於每下條議，斷制謹嚴，雖若易易，而孰知其用心至苦。故若段玉裁《說文解字注》，先生研誦將六十年，而手稿僅存一目，其文仍闕，則其愼重不苟可知矣。此二百餘篇者，在有清一代之藝文，猶爲一勺之水，而辨言舉要，洞悉原委，竊謂雖使戴、邵復生，不是過也。」[7]其推悒甚至，而良非虛譽，茲於各部略舉數端，以證成其說。

先生於經學、小學最號專門，《題跋》錄經部書七十七種，各加考辨，用力尤深。如〈寫本經典釋文殘卷書後〉，凡數千言，詳考伯希和所得之敦煌石室〈舜典〉、〈堯典釋文〉卷子影印本，引據經傳古注凡數十種，經反復比勘，始審定該卷爲「郭忠恕所改定《釋文》，乃北宋人所鈔，而其書則不久即無傳本者也」。其方法綿密，推論謹嚴，允稱乾嘉考據學之後勁。又〈說文解字群經正字書後〉，列舉該書之疏失凡數十處，每條訂正之後，並示以經典正字之義例，而結語謂，「總之古人字少，每多假借。《說文》許氏一家之學，非欲以是爲天下繩尺。錄古文則不錄今文，必謂經字盡收於《說文》，恐無此理。且正字或出於經典之後，必謂所舉正字即古時經典如此，更無此理。特在今日，不可不知其正假，故錢大昕有《說文答問》，陳壽祺《說文經字考》。是書視兩家奚啻倍蓰，學者當服其用心，而錯誤迭見，須通人重加釐訂，方爲盡善」。所言均實事求是，令人信服。

---

[7] 《許廎經籍題跋書後》，載《蛾述軒篋藏善本書錄》，又《題跋》錄書實 405 種。

史部錄書一一二種，先生所撰題跋，既嚴史家義例，又嚴采眾說，或從或否，評騭極為矜慎。如〈續資治通鑑書後〉，先生既稱「是編以宋元明人續司馬光之書甚夥，而皆未盡善，乃合錢大昕、邵晉涵、孫星衍、洪亮吉諸人之力，將宋元事蹟薈粹討論，閱數十年始成，雖不及光書體大思精，而網羅宏富，迥非王宗沐、薛應旂輩所能企」，又摘其詳宋略元、南宋事多漏略、紀事詳略未當、遼金蒙古人名譯音前後不統一諸失。而李慈銘采馮集梧說，以此書書名為未妥，先生則為之辨曰，「『資治』之名雖出自神宗所賜，而既續光書，故竟稱《續資治通鑑》。馮集梧序乃以為非，謂李燾僅稱《續資治通鑑長編》。不知燾之稱《長編》，特燾之謙，不敢言『續通鑑』，非因『資治』二字出自御賜。且光修《通鑑》時先成《長編》，尚無『資治』之名，燾書標題，實進退失據，安得執彼詆此。劉時舉《續宋編年資治通鑑》，尤有先例」。折衷至當，略無偏頗。〈東華續錄書後〉，以王《錄》多就《實錄》鈔寫，謂「向使參以筆削，卷帙初無取如此之繁，即購閱亦較易為力。先謙非不能，特不敢耳」。又謂：「《實錄》編輯上諭，事無起訖，語無斷制，止記言，不記動，《起居注》亦然，不如是則謂之不稱職。有史與無史等，有史官與無史官等，上下相習，視為固然。是編止就《實錄》摘寫，為之刊刻，當時尚有議其不應傳播者，亦可見士大夫之心理矣」。所議較今日之過崇清宮檔案者為近理。又如《抱冰堂弟子記書後》，謂其書乃張之洞七十壽辰前自撰，意欲仿《公是先生弟子記》，而謂「綜其生平，東南互保之約最為有力，餘多言大而夸，所辦各事，亦多似是而非，但可謂十九世紀人材，而於二十世紀實非其選」，復舉收復伊犁、興造鐵路、庚子西幸、商約開礦、湖北捐票、收回粵漢鐵路、阻鑄銀元、鯰魚套之上新河築堤等事，一一辨其功過，所言均關掌故。末謂「《雷塘庵主弟子記》出於阮文達身後，今在生前仿為之，幸而人皆知其自記，否則有此不通之弟子，直代為愧死矣」。先生嘗為張之洞幕僚，故能熟道其詳，而一語不肯假借，足見秉筆之公。他如〈列女傳書後〉舉圖中地用方磚、門垂帷簾、靠背椅、弓足等式，明其決非晉人所繪；考各省通志體例之優劣、記載之虛實；論《隋書經籍志考證》「一書而已具千餘種書之用」，視四庫館自《永樂大典》輯未見書，「其難易殆不可以道里計」等等，均見識卓絕。

子部錄書八十種。先生之考訂，一如經史之博洽，而尤可述者，先生身處新舊時代之交替，雖從事考據之學，亦能舉新知及時事以入議論，於題跋中可稱創格，今試舉兩例：〈半嚴廬日記書後〉謂，邵氏「又言各省歲報民數爲粉飾浮增。此泥於往事爲說，亦失之滯。據西人馬爾薩斯說，十九世紀之初，全世界人口尚不滿八萬五千萬，方到二十世紀，已過十七萬萬。是百年間竟增倍有奇，故近時西人謂中國人口爲四萬五千萬，雖無確據，恐或不遠也」。〈無邪堂答問書後〉謂：「又謂鐵路與輪船相消長，鐵路行而輪船必衰耗。則未知車舟線本相避而相濟。又謂民主者便於亂民藉口，而非眞能國。此在當時立言不得不如此，而大勢趨於民主，雖天地鬼神不能遏。將來弊之所極，美、法或將爲君主，而此日卻未可質言。」以此可知，先生之考訂舊藉，已非前人之窠臼所能囿矣。

集部錄書一三六種，爲《題跋》中於今最有關係之文字。清人集部著作本夥，遍檢既難，別擇尤需識力。先生所取，多作者學行可述，所著足以見清代學術之流變者。凡著錄之書，莫不貫穿首尾，洞悉利弊，而隨文辯證，有根有據，所附議論，尤爲精采。如〈壯悔堂文集書後〉不滿於侯氏「漢亡於朋黨，宋弱於道學」之說，謂其「亦偏宕之詞，果如其說，則十常侍、韓侂冑轉可恕也」。〈鮚埼亭集書後〉稱贊謝山學問，而引《復堂日記》之詆詞，謂「亦可謂蚍蜉撼大樹矣」，又評謝山之詩爲「學人之詩，與詩人之詩不能盡同，論其體格，視同時杭、厲諸人固少遜，而亦非後之翁方綱輩所能企矣」。〈道古堂集書後〉謂：「其文大致脫息於《兩漢書》，故雅贍富麗，迥非凡近」，「序記小品，亦吐屬清華，標舉冷雋」，而又惜其考據之文未盡精核，所舉十數例，皆辯證精確。又〈紀文達公集書後〉謂：「考昀一生精力，全在《四庫提要》一書，所爲文長於館閣應制，間爲人作序記碑表之屬，非所經意」，因而「傳志紀事之作，略無翦裁，大都敏而不能深思，易而不免入俗，謝摺、器銘，更不足存」；而《盾鼻余瀋書後》謂：「宗棠詩文，不拘拘於義法格律，而一種權奇倜儻之概，如其爲人」；〈曾文正公文集書後〉謂：「其古文最服膺姚鼐，而能恢張其緒，由姚氏而上溯韓、馬、莊，不規規於義法，乃自成其義法，實出姚氏之上」，知人論世，所言皆非影響之辭。

五

清乾隆間編纂《四庫全書》，經由各地廣泛征書，並於《永樂大典》中從事輯佚，益以宮廷藏書，開四庫全書館於翰林院署，征召碩學之士，分任校勘、編纂之職，逐種整理三處發下圖書，「分晰應刻、應鈔及應存書目三項，各條下撰有提要」。其匯聚圖書及分類整理之法，至今猶不能廢，然編纂迫於時限，去取出自宸衷，各編修認纂之稿，底本選擇未必精當，學術亦未必專門，而書成眾手，各不相謀，其謬誤舛訛，蓋不能免。《提要》流傳以後，欲起糾正者代有其人，懾於專制，僅以零篇斷章，散見各家文集、筆記及藏書題識中。至先生出，乃以一己之力，辛勤搜討，反復比勘，既爲《補正》，再撰《續編》及《題跋》，而《續編》、《題跋》所錄之書，既經目驗，又經詳考，故所造能遠駕阮氏之上。先生治學祈向之正，研討之勤，足爲後世效法。其辛勤結撰之遺稿，沉霾已逾半世紀，理宜早日面世，沾溉後學。

先生嘗語人曰：「學問塗術之紛繁，古今書籍之浩瀚，一人所涉，譬諸滄海一粟，又迫於年命，所謂以有涯逐無涯，其不殆者蓋鮮。雖然，精衛填海，愚公移山，亦在其志耳。吾之爲此，惟俛焉日有孳孳，得寸則寸，得尺則尺而已。」❽三復斯言，彌深欽仰之忱。

《續編》及《題跋》之整理，均據復旦圖書館所藏先生手稿本迻錄校點，兩書編次，大致仍依原第，各分爲經史子集四卷，並補編目錄。稿本所有空框及疑似處，爲存原貌，仍予保留，避諱與明顯筆誤字，則徑加改正。《續編》有先生弟子陳漢章題簽若干條，《題跋》亦附識語多則，出於多手，先生自題及陳漢章、鄭翼所題均有之，今謹附錄於各條之下，俾讀者參考焉。

1996 年 8 月吳格識於復旦大學圖書館

❽ 見王欣夫《四庫全書總目提要補正跋》。

經學研究論叢
第五輯　頁305～314
臺灣學生書局　1998年8月

「第三屆詩經國際學術研討會」會議報導

蔣秋華*

由「中國詩經學會」、「日本詩經學會」主辦，「桂林儒學學會」、「廣西儒學學會」、「廣西語言學會」、「廣西師範大學」承辦的「第三屆詩經國際學術研討會」，於一九九七年八月五日至九日，在桂林市榕湖飯店（國賓館）舉行。出席此次會議的，除了大陸以外，還有來自美國、日本、韓國、新加坡、香港、臺灣等地的學者專家，共有三百餘名。從人數來看，比第一、二屆增加了將近一倍。臺灣應邀參加的學者有：林慶彰（中研院文哲所）、蔣秋華（同上）、楊晉龍（同上）、陳新雄（臺灣師範大學國文系）、文幸福（同上）、季旭昇（同上）、莊雅州（中正大學中文系）、林保淳（淡江大學中文系）、奚敏芳（僑生大學先修班）、陳文采（臺南家專）、丁亞傑（元培醫專）、江永川（東方工專）、王學玲（光武工專）、紀懿珉（輔仁大學中文所碩士生）等，及東吳、東海大學研究生十餘人。

五日上午八時三十分，於桂林市政府小禮堂舉行開幕式，由大會組委會副主任馬勇先生擔任主持人。首先由「中國詩經學會」會長夏傳才教授致開幕詞，接著由桂林市副市長湯杰先生致歡迎詞。隨後各地代表：大會組委會主任、廣西自治區政協副主席鍾家佐先生，「日本詩經學會」會長村山吉廣

* 蔣秋華，中央研究院中國文哲研究所副研究員。

先生，北京大學褚斌杰教授，「新加坡作家協會」名譽主席周穎南先生，日本大東文化大學栗原圭介名譽教授，韓國慶北大學教授、「韓國東方漢文學會」會長金時晃先生，韓國東方文化研究院長宋昌基教授，「臺灣訓詁學會」會長、臺灣師範大學國文系陳新雄教授，香港廣大學院中國文學研究所所長、「香港詩人協會」副會長丁平教授，廣西師範大學校長黃介山教授，大會組委會主任、桂林市委會書記洪普洲先生等人，亦先後上臺致詞。

十點三十分，開幕典禮結束，全體與會學者共同合影留念。

下午三點，於市政府小禮堂舉行大會學術專題發言，由北京大學中文系褚斌杰教授、臺灣師範大學國文系陳新雄教授擔任主持人，一共發表八篇論文：

1.向　熹　　略論《詩經》語言的性質
2.季旭昇　　近代《詩經》研究觀點的剖析
3.趙永暉　　《詩經》名物新證
4.增野弘幸　「出門」小考
5.丁亞傑　　顧頡剛《詩經》研究方法論
6.伏俊連　　敦煌《詩經》殘卷綜述
7.林慶彰　　民國初年的反《詩序》運動
8.陳文采　　傅斯年的《詩經》學

增野之文針對《詩經》中關於門的詩篇，探究各種門所隱含或象徵的意義，進而探討「出門」這種寫作方式，所表達當時人們的心情，以及其對漢詩的影響；選取的論題雖小，卻頗有意義。另有四篇論文討論近代研究《詩經》的情況：季文指出近代《詩經》研究有經學、文學、歷史語言學三種觀點，並以自身研治《詩經》的歷程爲例，對於三種觀點的優缺處，予以比較。林文對於民國初年學者解除《詩序》對《詩經》的糾纏之後，興起以研究民歌的方法重新解釋《詩經》的熱潮，深入地分析其起源、內涵、影響，非常清晰的指出當時《詩經》研究的發展趨勢。丁文分析顧頡剛研究《詩經》所運用的方法，並討論其貢獻與限制。陳文論述傅斯年利用史料學、語言學、歷史地理學來研究《詩經》所獲得的成果。

六日上午，全體與會學者遊覽七星公園、桂海碑林；下午，繼續遊覽蘆笛公園、濱江公園（象鼻山）。

七日，全體與會學者全天遊覽灕江、陽朔。

八日上午八點至十二點，舉行第一場分組討論會。

第一大組以《詩》學基本問題、研究史、《詩序》和六詩、名家名著、海外研究爲主題，由中央研究院文哲所林慶彰教授、山東大學古籍所馮浩菲教授擔任主持人，一共發表十七篇論文：

1.陳新雄　孔子與《詩經》
2.文幸福　孔子《詩》學發微
3.朱一清、許　聖　商、周文化的演進與〈雅〉、〈頌〉詩的文化特質
4.許廷桂　《詩經》編者新說
5.水渭松　對於「賦詩言志」現象的歷史考察——兼論《詩經》的編集和演變
6.王承略　《毛詩》的時代、性質及其傳授淵源考略——兼論《毛詩》與荀子的關係
7.馮浩菲　論《毛詩序》的形成及作者
8.王學泰　明代《詩》學僞作與《魯詩世學》
9.張啓成　論魏晉南北朝《詩》學觀的新突破
10.方　銘　《文心雕龍》《詩經》學
11.張祝平　三家《詩》輯佚研究的重要系列著作——《詩考》及其增校系列著作學術及版本源流考述
12.林保淳　淫詩與淫書
13.楊晉龍　《四庫全書總目・詩演義》提要問題探究
14.蔣秋華　郝敬的《詩經》學
15.白承錫　李瀷及其《詩經疾書》
16.朱淵清　六詩論——詩的起源與特徵
17.村山吉廣　高吹萬《詩經》蒐書軼事

張啓成之文認爲魏晉南北朝時期在曹丕「詩賦欲麗」、陸機「詩緣情而綺靡」

的創導下，逐漸形成從文學的角度賞析評價《詩經》，因而有「注重學習《詩經》的寫作技巧、比興手法、修辭手法與語言之美」、「以詩言志到詩緣情的轉化」、「對《詩經》部分詩旨的新探索」、「論《詩經》對後世文學與文體的影響」四方面的突破。這是前人研究所未注意的部分，經由其論述，有助於對六朝《詩經》學研究概況的認識。張祝平之文針對最早輯錄三家《詩》佚文的王應麟《詩考》，詳細考證其版本源流，同時對清人相關的增補校訂著作，也有非常深入的探究。楊文就《四庫全書總目》對梁寅《詩演義》所做的提要，深入考辨，糾正其誤謬，提醒學者不可輕信《總目》及沿襲其說的經學史著作。白文介紹韓國學者李瀷的生平與學術，並就其《詩經疾書》，考察其對「六義」、「思無邪」、「淫詩」等問題的看法，發現其能擺脫當時墨守朱子《集傳》的風氣，是一位值得深入探究的學者。村山之文考證清末民初學者高吹萬的生平，對於他蒐羅《詩經》古籍及幫助唐文治《詩經大義》的出版，予以肯定，同時也介紹高氏的《詩》說。

第二大組以語言、訓詁、歷史、考證、民俗、文化、比較研究爲主題，由四川大學中文系向熹教授擔任主持人，一共發表十三篇論文：

1.季旭昇　《詩經・鄭風・褰裳》淺探
2.楊合鳴　《詩經》疊根詞略論
3.韓崢嶸　鄭玄《毛詩傳箋》得失芻議
4.田中和夫　《毛詩》注疏所見問答體構成的論證形式
5.何愼怡　《詩・周南》歧義研究
6.大野圭介　《詩經》的上古帝王系譜
7.安秉均　關於雎鳩
8.張輝忠　《詩經》中成語思想涵蓋範圍
9.蔣南華　關於《詩經》的用曆與《詩經》斷代問題
10.李金坤　《詩經》作年考略
11.王開元　〈周頌〉的歷史價値
12.盧益中　《詩經・國風》言情詩與中國古代歌舞婚配習俗
13.王洲明　論《詩經》的文化品格及其原型意義

季文先歸納前人對〈褰裳〉詩旨的解說，再透過字詞的探究，認爲詩中有部分字詞和商代甲骨文關係密切，因而不贊成近人釋爲男女打情罵俏的說法，主張重新考慮《毛詩序》的舊說。由於採用古文字詮析的方法，所以有異於常人的見解，對於開拓《詩經》研究的領域，頗有貢獻。蔣文經由分析《詩經》用曆及書中所反映的社會生活內容，發現其中有許多篇章並非西周以後之作品，而是西周以前的撰作。盧文認爲《詩經》「男女相與詠歌」的言情詩，大多產生在古代男女歌舞婚配的唱和之中，除探究其原因外，也依據各章的內容，考察出歌舞婚配最常出現的的地點及過程。

第三大組以文論、賦比興、藝術風格、作品綜論、作品新解爲主題，由西北師範大學中文系趙逵夫教授、廣大學院中文系丁平教授擔任主持人，一共發表十二篇論文：

1.宋昌基　四方風題詩比風含義
2.郭　丹　《詩經》中的言志與緣情
3.汪祚民　本義問題——《詩經》文學闡釋的起點
4.徐志嘯　先秦詩《詩經》部分論要
5.徐儒宗　《詩經》情詩婚愛觀
6.周東暉　〈小雅〉婚戀詩探
7.蕭甫春　〈國風〉原是祭社詩（附：孔子正樂考）
8.毛忠賢　《詩經》棄婦無子及藥物解
9.謝明仁　試析〈君子于役〉的主旨及其審美價値
10.呂智勝　《詩經・衛風・氓》詩之我見
11.殷光熹　〈秦風〉總論
12.栗原圭介　論《詩》風的概念形成及其理念志向（下）

周文統計了〈風〉、〈雅〉中婚戀詩所占的比例，對婚戀詩提出認定的標準，再分析〈小雅〉十三首此類詩歌的思想內容。徐儒宗之文則就《詩經》中所有歌詠男女婚愛之作，探察所展現的當時人的婚愛觀。毛文先分析《詩經》棄婦詩的共同點，察出詩中言及的藥物名，乃利於婦人生產者，說法相當新穎。

下午三點至六點舉行第二場分組討論會。

第一大組由中研院文哲所林慶彰教授、貴州大學中文系張啓成教授擔任主持人，一共發表十篇論文：

1.蔣立甫　　戴震《詩經》研究的貢獻

2.郭全芝　　胡承珙和他的《毛詩後箋》

3.王長華　　論余冠英的《詩經》研究

4.王麗娜　　國外《詩經》研究名著

5.宮玉海　　傳統《詩》學的失誤及其歷史的終結——紀念《詩經》二千四百八十年

6.川田健　　郝敬《詩》學初探

7.島村亨　　王柏改篇次考

8.加藤實　　關於西漢《詩經》學說的發展——匡衡的《詩》說和劉向的《詩》說

9.林祥徵　　夏傳才先生的《詩經》研究

10.王碩民　　試析《詩》旨研究歧義現象產生的根源

蔣文考察清代考據學泰斗戴震以故訓方法研治《詩經》，糾正毛、鄭之失，創獲甚多，其方法與成果，均爲後人應予重視的。郭文論述胡承珙及其《毛詩後箋》，發現其書有鮮明的訓詁特色，所用的訓詁方法較先進有效。三位日本學者分別察探西漢、宋、明三代的幾位學者，簡要的介紹他們的《詩經》學說。

第二大組由武漢大學中文系楊合鳴教授擔任主持人，一共發表九篇論文：

1.華　鋒　　論《詩經》的道德意識

2.吳全蘭　　從〈雅〉、〈頌〉看周代貴族的「德」的觀念

3.張來芳　　《詩經》旅遊文化探賾

4.劉毓慶　　〈國風〉中鳥類意象研究

5.樊樹雲　　《詩經》與《聖經》之比較研究

6.胡遠鵬、宮玉海　通過《詩經》、《山海經》、《聖經（舊約）》的

比較研究以證猶太人之族源及上帝之來源

7.鄒　然　　《易》、《詩》比較論

8.趙紅玲　　論《詩經》對屈原創作的影響

9.方正己　　略論《詩經》的女詩人群

華文與吳文均論及《詩經》中對於道德的觀念，華文認爲《詩經》中的道德意識可分成三部分：以「孝」、「悌」爲核心的倫理道德意識；以美善、情操、平和爲核心的人格道德意識；以敬天禘祖、忠君愛國爲核心的宗國道德意識。吳文探討德在詩中所包含的內容、修德的方法，以及重德的原因。兩篇文章可以相互發明。

第三大組由天津社科院文學所趙沛霖教授擔任主持人，一共發表八篇論文：

1.趙逵夫　　西周詩人芮良夫與他的〈桑柔〉

2.魯洪生　　孔子《詩》說研究

3.文鈴蘭　　《詩經·簡兮篇》之主題探討

4.龍文玲　　南楚巫風對《詩經·陳風》影響考論

5.葉　勇　　《詩·關雎篇》「窈窕淑女，君子好逑」句《傳》、《箋》異說探究

6.楊興華　　「履武帝敏」與姜嫄棄子別解

7.吳萬鍾　　〈鄭風·羔裘〉「舍命不渝」

8.黎遠芳　　《詩經》與精神文明

趙文根據《毛詩序》、《左傳》、《世本》，考證〈桑柔〉詩爲西周末年芮良夫所作，並且指出將此詩與〈離騷〉相比，在思想情感和藝術表現上，均有值得注意之處。

晚上八點，於榕湖飯店舉行詩詞吟誦晚會。

九日上午八點至十二點，於市政府小禮堂舉行大會學術專題發言，由早稻田大學文學部村山吉廣教授、山東大學古籍所董治安教授擔任主持人，有七篇論文被提出討論：

1.周穎南　　簡論《詩經》〈風〉、〈雅〉傳統

2.李玉梅　　《詩經》夢境所透視的中國文化特色
3.李宇正　　關於《詩經》農事詩的幾個問題
4.姚小鷗　　〈商頌〉與殷、周兩代禮樂文化的傳承與嬗變
5.文玲蘭　　《詩經・簡兮篇》之主題探討
6.紀懿珉　　我對〈鵲巢篇〉的新認識
7.朱方椈　　《詩》、《易》互考

下午三點至四點五十分，繼續於市府小禮堂舉行學術專題發言，由新加坡作家協會名譽主席周穎南先生、北京大學中文系費振剛教授擔任主持人，有四篇論文被提出討論：

1.陳新雄　　孔子與《詩經》
2.文幸福　　孔子「放鄭聲」及朱熹淫詩說辨微
3.胡詠超　　《周禮》六詩——風賦比興雅頌解故
4.董治安　　兩漢《詩經》學史札記

五點至六點，舉行閉幕式，由大會組委會副主任林觀華先生擔任主持人。

會後自費報名參加旅遊活動：十日，遊覽荔浦豐魚岩；十一日，遊覽草坪冠岩、雲霧山莊。

此次提交大會而未能安排發表之論文，有：

1.姚小鷗　　田畯農神考
2.周　蒙　　《詩經》「荼」為「茶」源說
3.張玉聲　　由關涉獵狁的幾篇詩看三家及毛氏說《詩》之得失
4.李　蹊　　《詩經》在孔子仁學建構中的作用
5.張樹波　　《詩經》研究——一項開發文化資源的宏偉事業
6.胡大雷　　西晉補亡《詩》簡述
7.張可禮　　漢末兩晉的《詩經》畫
8.魯洪生、邸豔姝　孔子《詩》說研究——兼論孔子《詩》說對儒家《詩》論的影響
9.曾煒鋒　　《詩》與道家
10.陳桐生　　中國第一個《詩》學體系的建立——《魯詩》四始的再

解讀

11.費振剛、趙長征　牛運震和他的《詩志》——《歷代詩經學要籍解題資料長編》示例

12.葉友琛　《詩經》複沓形式論

13.黃培坤　《詩經》藝術風格淺論

14.趙　季　《詩經》貞潔受孕母題在正史中的流變

15.王宗石　〈大雅・文王有聲〉「築城伊減」考釋

16.陳智鋒　《詩經》戀愛婚姻詩與其原型意義

17.金時晃　自濡軒李萬白之〈魯頌〉論分析

18.李京子　致語的概念

19.余寶琳　「矣」字新考與詮釋——《詩經》語言風格研究之一

20.黃松毅　論《詩經》的興與古典詩歌情景關係的演變

21.無名氏　〈國風〉賦之意義芻議

此次會議雖提出了一百多篇的論文，與前兩次會議一樣，仍有多篇文章未能宣讀討論，失去切磋的機會，十分可惜。同時因爲各篇論文印製的份數不一致，使與會者無法取得所有的文章，尤其有某些論題是令人感到相當有趣的，無緣及時獲覽，難免憾恨。以上疏失，企盼下屆會議能予以改進。

經　學　研　究　論　叢
第　五　輯　　頁315～360
臺灣學生書局　1998 年 8 月

出版資訊

一、本專欄收國內外最新出版，有關經學和經學人物之相關專著。惟舊籍重印或再版書，則不予收入。

二、各提要略依經學總論、周易、尙書、詩經、三禮、三傳、四書、孝經、爾雅、讖緯、經學人物等之順序排列。

三、提要前之目錄項，分別依書名、作譯者、出版地、出版者、頁數（冊數）、出版年月等項排列。

四、各提要以簡介各書之內容爲主，如有所評論，僅代表作者之意見。

五、歡迎各界人士提供與本專欄性質相符之著作，以便推介，來書請寄臺北市和平東路一段 198 號臺灣學生書局經學研究論叢編輯部收。

《經學通論》

《經學通論》　葉國良等著　臺北　國立空中大學　704頁　1996年1月

本書爲葉國良、夏長樸、李隆獻合著，均任教於臺灣大學中文系。全書可分爲三大部分：群經概說、經學簡史、經學與時代及其他學科的關係。

經學概論的著作，在市面上已甚多，而大致均稍嫌簡略，或資料老舊，或只有橫向論述（諸經概說），而無縱向分析（經學歷史），本書則完全克服這些缺陷，論述詳盡，收錄最新研究成果，且有經學歷史，分量幾與群經概說相埒，此乃一般經學概論所望塵莫及。

又本書爲空中大學教科書，所以在設計上，也不同於一般經學概論，每一章前附學習目標，章後附自我評量題目，均有助於本科的學習。例如第十章〈春秋概說〉學習目標有五項：能說明「春秋」通名與專名的意義及其演變過程；能說明《春秋》的作者；能說明《春秋》的大致內容與性質；能大致說明《春秋》的微言大義；能大致了解《春秋》的價值。而自我評量題目則由這些學習目標演變而來。這一設計，初學者可經由具體問題，理解群經及經學史的發展，避開無法掌握重點的困境；且由於群經龐大，學者兼通數經甚難，得此一書，可對專研經典以外的經書有詳盡的了解。

又經學與時代及相關學科的關係，也是本書另一特色，作者簡要分析經學與國防、外交、法律、經濟的關係；經學與小學、史學、子學、文學的關係。如作者指出《唐律疏議》若干條文乃根據《儀禮》、《禮記》制定，這不僅可拓展學者研究經學的視野，對經學存在的價值，更可有親切的體會。

（丁亞傑）

《群經要義》

《群經要義》　陳克明著　北京　東方出版社　412頁　1996年12月

關於撰寫本書的動機，據作者表示：其一，是介紹諸經成書經過及其有關問題，其二，是評述歷代學者研治諸經情況及其創獲，其三，是略談諸經主要內容和特點。意在幫助讀者增加對經籍的了解。

本書所謂「群經要義」，指的是「十三經概論」，其篇目順序，分別是《周易》、《尚書》、《詩經》、《周禮》、《儀禮》、《禮記》、《春秋左傳》、《春秋公羊傳》、《春秋穀梁傳》、《論語》、《大學》、《中庸》、《孟子》、《孝經》、《爾雅》。作者認爲《孟子》成書並不晚於《孝經》、《爾雅》，自從朱熹將《論》、《學》、《庸》、《孟》編成《四書》後，影響較大，因而將《孟子》的順序提前。

就本書內容而言，茲舉本書第八章〈《孝經》初議〉爲例，綜而觀之。作者於文中介紹《孝經》成書年代、編撰者、版本源流、歷代學者研究《孝經》的成果，就作者處理本章節「漢末鄭玄曾爲《孝經》作《注》」（本書，頁332）的說法來看，作者撰寫本書的態度，係「諸說並存，俟後定奪」（本書，頁81）。

（游均晶）

《中國經典寶庫》

《中國經典寶庫》 魏同賢主編 上海 上海古籍出版社 10冊 1997年8月

大陸在文化大革命之後，有關經書的譯注、概論之書，如雨後春筍，其中較有系統的是張善文、馬重奇主編《十三經漫談叢書》、還有這裡要介紹的這一套。其內容如下：

1.周易：玄妙的天書（張善文）
2.尙書：原始的史冊（章　行）
3.詩經：樸素的歌聲（楊天宇）
4.周禮：遠古的理想（馮紹霆）
5.儀禮、禮記：人生的法度（李學穎）
6.春秋三傳：亂世的青史（李夢生）
7.論語：仁者的教誨（王興康）
8.孟子：匡世的眞言（趙昌平）
9.爾雅：文詞的淵海（徐莉莉、詹鄞鑫）
10.孝經：人倫的至理（宮曉衛）

本叢書並非各經經文的翻譯，也非各經內容的概論，而是摘錄重要經文，分類編排，再逐段加以翻譯、述評。如《周易》一書，分爲六章，第一章易喻陰陽，分八節，每節引一段經文，再加以「今譯」和「述評」。體例別出一格。

（編輯部）

《十三經漫談叢書》

《十三經漫談叢書》 張善文、馬重奇主編 臺北 頂淵文化事業公司 13冊 1997年3月－1998年4月

經書至宋代，確定爲十三種，稱爲《十三經》。從春秋、戰國以來，歷朝的經書研究，雖有盛有衰，但經書爲學子必讀書，殆無疑義。清末，西風東漸，經書的實用價值也受到嚴厲的考驗。中共建立所謂「新中國」以後，發動文化大革命，以經書爲封建餘毒，棄之惟恐不及。年輕的一代，已不知經書爲何物。

文革過後，經過冷靜思考，大陸知識份子又逐漸領悟到傳統文化的不可忽視。要認識傳統文化的博大精深，就得從認識經書開始。是以近年有關經書之概論、譯注的著作，如雨後春筍。這書是其中的一套。全書有十三冊，由張善文、馬重奇兩位先生擔任主編。

1.周易漫談　張善文著　1998 年 4 月

2.尚書漫談　郜積意、胡　鳴著　1998 年 4 月

3.詩經漫談　陳　節著　1997 年 8 月

4.周禮漫談　徐啓庭著　1997 年 3 月

5.儀禮漫談　林志強、楊志賢著　1997 年 3 月

6.禮記漫談　劉松來著　1997 年 8 月

7.左傳漫談　郭　丹著　1997 年 8 月

8.公羊傳漫談　翁銀陶著　1997 年 3 月

9.穀梁傳漫談　謝金良著　1997 年 8 月

10.論語漫談　湯　化著　1997 年 3 月

11.孝經漫談　羅　螢、黃黎星著　1997 年 3 月

12.爾雅漫談　馬重奇著　1997 年 8 月

13.孟子漫談　馬重奇、巫少鵬、葉全君著　1997 年 8 月

本叢書命名爲「漫談」，所以文字儘量淺顯，適合年輕人閱讀。最重要的是，已拋脫文革時代對經學的偏見，以客觀的態度來處理經學這筆文化遺產。這叢書對海峽兩岸想了解傳統文化奧秘的學子必有不少貢獻。（編輯部）

《中國古代序跋文選集（經部）》

《中國古代序跋文選集（經部）》　李淼主編　汕頭　汕頭大學出版部　938 頁　1996年6月

古代的書籍，能流傳下來的越來越少，大部份的圖書館都把它當作善本

書來看待。列入善本書，雖可保存該書不會受損，但讀者要借閱流通，也就很困難。爲了讓讀者能了解這些古書的大概內容，圖書館往往請專家編纂各善本書的提要，稱爲善本書志。也有將各書的序跋編成一書，如：《四部要籍序跋大全》（臺北：華國出版社，1952 年）、《清代經部序跋選》（天津古籍出版社，1991 年），和本書都是。

本書所收序跋，計分易類、書類、詩類、禮類、春秋類、孝經類、五經總義類、四書類、樂類、小學類等十類，每類所收各書，先收《四庫全書總目》的提要，再收原書的序跋。

本書所收各書，有一小部分海外圖書館未見收藏，欲知各書之內容大概，可參考本書所錄之序跋。（編輯部）

《史記與今古文經學》

《史記與今古文經學》 陳桐生著 陝西人民教育出版社 275頁 1995年7月

關於《史記》與今、古文經學的關係，據本書作者表示，《史記》考信於六藝，進而從六經異傳取義，取鑄經義而自鑄偉辭。在《春秋》與《史記》方面，據作者指出，《史記・太史公自序》以「厥協六經異傳，整齊百家雜語」作爲學術宗旨，此宗旨以《公羊》學作爲學術綱領，理由是《公羊》學說比其他六經異傳更具有革命意義，更能幫助司馬遷實現壯麗的人生理想。此外，前人認爲《史記》「事則取《左氏》，義則取《公羊》」的說法並不可信，《史記》從《左傳》，不僅取事而且取義。在《周易》與《史記》方面，作者就「宇宙觀」、「通變論」、「政治倫理觀」、「人生觀」、「學術觀」立論，說明《史記》與《周易》的聯繫關係。在《尚書》與《史記》方面，作者研究有關《史記》「八書」的淵源問題，同意梁啓超、范文瀾等學者的看法，認爲《尚書・堯典》提供了《史記》「八書」原型，戰國秦漢之際，儒生方士結合〈堯典〉與五德終始說，形成了封禪、改正朔、易服色、變度制、制禮作樂這一套受命改制的模式。在《詩經》與《史記》方面，作者發現《史記》受《魯詩》影響，論《詩》主「美刺說」，而不偏在諷刺批判一端，仍然不失溫柔敦厚之旨。在《三禮》與《史記》方面，作者藉由整理司馬遷所見到的三《禮》讀本、材料、今、古文《禮》說異同、〈禮書〉與〈樂書〉，來表現司馬遷的《禮》學精神。（游均晶）

《經學史》

《經學史》 安井小太郎等著 林慶彰、連清吉譯 臺北 萬卷樓圖書公司 310頁 1996年10月

本書是日本學者的集體著作，計分四篇十六章，第一篇〈先秦至南北朝經學史〉（安井小太郎）；第二篇〈唐宋經學史〉（諸橋轍次）；第三篇〈元明經學史〉（小柳司氣太）；第四篇〈清代經學史〉（中山久四郎）；並有三篇附錄，〈朱子的經學〉（安井小太郎）；〈從王陽明看朱子及朱子學〉（山田準）；〈中國文學與朱文公〉（市村瓚次郎）。中文爲林慶彰、連清吉所譯，爲讓讀者了解著譯者背景，譯者特別作一著譯者簡介，附於全書之末。

著者以爲學術研究須有相關的學術史，然而不論在中國或是日本，都缺乏較佳的經學史，所以結合經學與史學界學者，採集體論述、分篇講授，並由學生記錄方式，完成此一經學史著作。目的在讓讀者對佔漢學大部分的經學，有一歷史的理解。

由於本書是以日本讀者爲主，且採講授方式，所以行文簡潔扼要，但對學者的啓發，可能爲目前中國學者經學史著作所不及。例如緯學特色，作者舉出三項：上古的傳說、有關天象祭之事、依託經書而造作之事；鄭玄、王肅之爭，向爲經學史所重視，但都未有一具體分析，作者列出四項異同：禘郊的問題、武王崩時成王的年齡、廟數、三年喪期。以上均舉例說明，讀者對相關問題，可有一基本理解，不致茫無歸緒。再如宋代經學，不同以往，也爲經學史所論及，但本書舉四綱以說明宋代經學特色：分化的、批判的；經文批判（疑傳、疑經、改經）；經學的實用化（尊王、復讎、經世）；經

解的形上化。以之爲宋代經學特徵，確能簡要掌握經學史流變之大概。元代經學則爲學者忽略，作者區分爲朱子學流衍，如許衡、郝經、劉因、許謙等；不限於朱學門戶者有黃澤、吳澄、趙汸，並列出其重要著作，此均爲目前經學史較缺乏研究的領域。

對有心研究經學史者，先讀本書，再讀皮錫瑞《經學歷史》、馬宗霍《中國經學史》，或更能掌握中國經學史的大略發展。（丁亞傑）

《今古文經學新論》

《今古文經學新論》　王葆玹著　北京　中國社會科學出版社　538頁　1997年11月

經學從漢代起有所謂今古文之分，所謂古文，一般指以先秦古文字書寫的經書；今文是以漢代隸書書寫的經書。這祇是大略的區分。其實，由於今古文經書的傳承不同，政治利益的分配也有所不均，遂造成經學史上的今古文之爭。有關此一段經學史上的公案，歷來學者已迭有討論，代表性之著作，如錢穆《兩漢經學今古文平議》（香港，新亞研究所，1958 年）、黃彰健《經今古文學問題新論》（臺北：中研院史語所，1982 年）等都是。

本書前有引論，敘述經書詮釋的形成，經學流派的劃分和經學的分期。首章，六經五藝系統的形成；二章今文經學的流派；三章古文經學及其流派；四章漢承秦制與「罷黜百家，獨尊儒術」的問題；五章關於春秋學的幾個問題；六章禮類經傳與禮的實施；七章關於明堂、辟雍、太廟異同的爭論及其意義；八章從帛書《周易》到王弼《易》學的演變；九章經學思想「從宗教到哲學」的演變歷程；十章今古文經學的形上學化。書末有結語，是對各派經學的評價。

本書不純粹論經今古文學，是先秦到魏晉經學的概論。如純就經今古文學來說，前人的成果如何，本書所以稱爲「新論」，論點有何不同，並未詳加申述，未免可惜。（編輯部）

《三國蜀經學》

《三國蜀經學》 程元敏著 臺北 臺灣學生書局 131頁 1997年8月

蜀，以地域言，包括今四川全部，甘肅、陝西、雲南、貴州的一部分。以時間言，應自昭烈帝劉備章武元年（221）至後主劉禪炎興元年（263），凡四十三年；以學術年代言，可上溯漢獻帝建安十三年（208），下至晉武帝太康元年（280），共約七八十年。這七八十年間，治經學者有五十餘人，如純就蜀人來說，僅得三十六人而已。

本書分三篇，一是敘言，敘述蜀的地域及經學者。二是分論，分述張陵、張衡、張魯、王商、王化、劉寵、許靖、劉先主備、周舒、周群、何宗、杜瓊、高玩、杜徵、秦宓、譙岍、譙周、譙同、杜軫、文立、李虔、陳壽、諸葛亮、尹默、蔣琬、常勗、杜龔、蜀才等五十餘位經學家。各經學家依資料的多寡，敘述也有長短，如譙周，分喪服圖、五經然否論、論語注、讖記、譙子法訓、五教志等節。三是結論，綜述蜀經學的得失。

本書爲第一本研究蜀經學的專著，對久爲人所忽略的三國經學，頗有啓導後學的作用。 （編輯部）

《明代經學國際研討會論文集》

《明代經學國際研討會論文集》 林慶彰、蔣秋華主編 臺北 中央研究院中國文哲研究所 625頁 1996年6月

中央研究院中國文哲研究所爲推展明代經學的研究，於民國 84 年 12 月 22、23 日舉行「明代經學國際研討會」，計發表論文 22 篇，參加學者兩百多人。本書即是此次會議發表論文的結集。論文篇目如下：

1.明代經學的發展路向及其淵源（饒宗頤）

2.論《書序》之著成年歲（程元敏）

3.明代經學發展的主流與旁支（李威熊）

4.明代政治與經學：周公輔成王（艾爾曼著，張琰譯）

5.王陽明與論語（詹海雲）
6.黃宗羲對孟子心學的發揮（黃俊傑）
7.黃宗羲的《孟子師說》試探（古清美）
8.明人對蔡沈《書集傳》的批評初探（蔣秋華）
9.《書傳大全》取材來源探究（陳恒嵩）
10.《詩傳大全》來源問題探究（楊晉龍）
11.戴君恩《讀風臆評》與陳繼揆《讀風臆補》比較研究（村山吉廣）
12.明代禮學的特點（小島毅著，張文朝譯）
13.黃道周的《儒行集傳》及其時代意義（林慶彰）
14.高攀龍《春秋孔義》初探——以「取義」爲例（張高評）
15.高拱的經學思想（鍾彩鈞）
16.聖學道德論述中的性別問題——以劉宗周《人譜》爲例（劉人鵬）
17.錢謙益與明末清初學術演變（王俊義）
18.毛奇齡與明末清初的學術（黃愛平）
19.李退溪對儒家經學的繼承、發展和影響（賈順先）
20.致廣大而盡精微——我對明代朝鮮栗谷學的認識（黃廣萱）
21.日本經學研究的系譜（連清吉）

（馮曉庭）

《姚際恒研究論集》

《姚際恒研究論集》　林慶彰、蔣秋華合編　臺北　中央研究院中國文哲研究所　3冊　1996年6月

近八十年來，有關姚際恒學術的研究一直很興盛。研究論文則散布在海內外期刊中，使用非常不便。中央研究院林慶彰教授繼所編《姚際恒著作集》之後，又與蔣秋華先生合編此書。全書分學術總論、《古今僞書考》研究、《古文尚書通論》研究、《詩經通論》研究、《儀禮通論》研究、《禮記通論》研究、《春秋通論》研究、《好古堂書目》研究等八大類，計收研究姚氏之論文四十二篇，另附錄林慶彰所編〈姚際恒研究資料彙編〉、〈姚際恒研究年表〉、〈姚際恒研究文獻目錄〉。

本書是由近八十年來姚際恒研究論文結集而成。其中有日本學者所撰八篇論文，由林慶彰、張寶三、余崇生等三位學者翻譯成中文，以方便國內外學者參考。附錄中的〈姚際恒研究資料彙編〉，分傳記資料、《庸言錄》、《古今僞書考》、《九經通論》、《古文尚書通論》、《詩經通論》、《周禮通論》、《禮記通論》、《春秋通論》、《好古堂書目》等類，將古今學者研究姚際恒的資料，一併加以收錄，爲研究姚氏奠定最堅實的文獻基礎。

（許維萍）

《「清朝考證學」とその時代》

《「清朝考證學」とその時代》 木下鐵矢著 東京 創文社 272,20頁 1996年1月

日本學者有關清朝考據學的研究成果至爲豐富，單篇論文之外，近年出版的專著有近藤光男的《清代考證學の研究》（東京：研文出版，1987 年 7 月）、濱口富士雄的《清代考證學の思想史的研究》（東京：國書刊行會，1994 年 10 月）和本書。三本書雖看似專著，實則，都是作者歷年來相關論文結集而成。

本書分爲：⑴北京の春に集う；⑵經學と小學；⑶北京と江南で；⑷旅の空に。可知是有關清代歷史和考據學的研究。

直接和考據學有關的是〈經學と小學〉，計分清朝考證學、經學、經學形成の動機、今文學と古文學、小學の成立、文字學、訓詁學、揚雄、音韻學、古音學の可能性——陳第、古音學の形成——顧炎武、古音學の開花——段玉裁等小節。各小節的論述皆稍嫌簡略，唯對了解中國歷代文字、聲韻、訓詁學的發展，是相當簡明的入門書。

（編輯部）

《中國近代經學史》

《中國近代經學史》 田漢雲著 西安 三秦出版社 567頁 1996年12月

傳統學術史的研究，發軔於晚清民初，如劉師培的《經學教科書》、皮錫瑞的《經學歷史》、馬宗霍《中國經學史》、甘鵬雲《經學源流考》等都是。可是，近數十年，由於經學被認爲是封建社會的餘毒，遭到最嚴厲的批判，有心研讀經學的也越來越少。最近數年，大陸又有國學熱、文化熱，以前受到批判冷落的經書，又逐漸受到關注，相關的經學史著作也陸續出版，如：章權才《兩漢經學史》、王葆玹《兩漢經學源流》、章權才《魏晉南北朝隋唐經學史》、吳雁南主編《清代經學史通論》、湯志鈞《近代經學與政治》等都是。但由於整體經學研究的水平有待加強，所以各書優劣不一。田漢雲的書最晚出，是這些經學史中較傑出的一種。

全書分八章，第一章引論，論近代經學與當時大環境的關係。第二章高揚經世致用的旗幟，分論方東樹、劉逢祿、魏源、龔自珍、汪喜孫。第三章乾嘉樸學的延續與總結，分論朱駿聲、胡培翬、馬瑞辰、陳奐、劉文淇、劉寶楠、陳立、柳興恩。第四章漢學與宋學的合流，分論曾國藩、黃以周、邵懿辰、郭嵩燾、鄭珍、丁壽昌、鍾文烝、陳澧等人。第五章考據與經世的貫通，分論丁晏、鄒漢勛、陳喬樅、戴望、劉恭冕、方玉潤、俞樾、王闓運。第六章今文經學的正宗與別流，分論王先謙、皮錫瑞、廖平、康有爲、梁啓超等。第七章古文經學的改造與復興，分論孫詒讓、章炳麟、劉師培、王國維。第八章體用之辨與儒學的衰落，分論張之洞、嚴復、譚嗣同、唐才常、何啓、胡禮垣、孫中山、陳獨秀、胡適等。

本書的論述範圍，涵蓋晚清至民初，此一時期是中國學術變動最激烈的時期，要爲這一時段的學術演變釐清脈絡，實非易事。本書則條分縷析，綱舉目張，甚爲難得。 （編輯部）

《易學漫步》

《易學漫步》　朱伯崑編著　臺北　臺灣學生書局　193頁　1996年11月

本書是由朱伯崑主編的《易學基礎教程》改編而來，原書三十餘萬字，經改編後未超過二十萬字，參與改寫者爲王德有、王博、鄭萬耕，均爲大陸學者。朱伯崑更是當代研究《易》學大師，師承馮友蘭，其《易學哲學史》早爲學者所稱道，繁體字版已於1991年10月由臺北藍燈文化公司出版。

討論《易經》之書，在臺灣大致有兩種方向，一是學院式研究，一是「江湖式」研究，而對民間影響之大，江湖式研究可能超越學院研究，亦即《易》學與看相、算命、風水、勘輿等結合，再經由媒體傳播，《易》學之作，充斥坊間，致令學者有不知如何選擇之苦。個中關鍵，在於缺少簡潔易懂的入門書。

而由本書書名，即可知是爲初學者作一指引，全書可略分爲三大部分：討論《周易》「經」、「傳」的構成與演變及《易》學的發展，「經」的討論，較重視《周易》的原始意義，「傳」的討論，較重視義理，在《易》學發展特別提出「圖學」，這則是《周易》概論同類書籍較少觸及者；這三項分別對應《易》學「象數」、「義理」、「圖書」研究範圍。其次是《易》學思考方式，這也是同類書籍較少涉及的討論主題，作者分析《易》學有五種思考方式，即直觀思維、形象思維、象數思維、邏輯思維、辯證思維，正確與否，猶其餘事，這一主題的提出，可引領我們繼續研究經典的思考方式，進而以傳統經典的思考方式觀看世界，重新發現我們所熟悉的世界。第三部分則是《周易》與哲學、道教、人倫、科技、醫學、美學的關係，尤其是與道教、科技、醫學的關係，較爲中文系學者所忽略，本書可彌補此一不足。

（丁亞傑）

《周易思想探微》

《周易思想探微》　劉瀚平著　臺北　商鼎文化出版社　183頁　1997年2月

一般所說的《易》學，有狹義、廣義之分，狹義的《易》學指對《周易》六十四卦的研究。廣義的《易》學，除《周易》六十四卦之外，還包括《易傳》和歷代《易》學的研究。不論狹義和廣義的《易》學，歷代已有數十百種之著作。即今人之著作也爲數可觀，本書是較簡明扼要的一種。

全書分七章，首章緒言，二章《周易》的成書及結構，論述今本《周易》的形成，及經、傳的結構。三章八卦取象原理及象徵意義；四章，《周易》卦序原理及其思想；五章，《周易》的道德教育思想；六章，《周易》的政治思想；七章，「天癸」說與象數易學。附有總結論和參考書目。

本書前四章論其形式和結構，五、六章分論道德、政治思想，七章論象數易學。各章的討論皆深入淺出，適合初學入門之用。　（編輯部）

《新譯易經讀本》

《新譯易經讀本》　郭建勳著　臺北　三民書局　601頁　1996年1月

本書屬「古籍今注今譯叢書」，作者爲大陸學者。書前有「導讀」，對《周易》作一簡單介紹，正文循「卦旨」、「章旨」、「注釋」、「語譯」的體例注解《周易》經傳，篇章順序以孔穎達《周易正義》爲準。

古書深奧，尤其是經部典籍，在在需要今注今譯，以爲「知識普及版」，然而這一工作，也最爲困難：古書訓解，必須博覽前人成果，不限於家法門派，但注解又能爲學術界所接受，此一部分，已屬不易；至於語譯部分，受限於非學術研究，所以只能就其「字義」作語譯，至於「含義」則不在語譯範圍之內，事實上也不須如此，但是易造成一危機，亦即讀者會誤解經典意涵即如是，而忽略更深刻意義的追求。

本書即能博覽眾家，選擇最適當的訓解，語譯也甚爲精準，可說是目前最佳的《周易》讀本，但其限制，正如上述，所以閱讀本書，應再配合程頤《易傳》，如此可對《周易》義理有一較深理解，而不爲譯文所限。

（丁亞傑）

《周易——商周之交史實錄》

《周易——商周之交史實錄》 黃凡著 汕頭 汕頭大學出版社 1204頁 1995年12月

本書分爲二大部分：前編爲作者對《周易》的綜合研究，後編爲作者對《周易》的重新注解。由於分量頗重，所以以前後編爲據，分爲上下二冊。

從本書書名，即可窺知作者對《周易》性質的判定：爲歷史記載。由於有此一認定，作者指出八卦是記年符號，「陽爻」代表九天，「陰爻」代表六天，以〈乾卦〉爲例，「初九」表第一個九天，「九二」表第二個九天，餘類推。其證據是今存上古文物，有說明八卦爲歷數的證物；陽爻與陰爻由上古數字符發展而成；古書中的「六」、「九」形成的傳說，多與歷數有關；《周易》初九、九二等日期表示法，與民間「九九消寒歌」相似；商、周之際時序表述法，通用《周易》之例，以初、二、三、次、又標序；八卦爻數與一年天數相近。

根據此一說法，《周易》是按一定天數爲周期（36天至54天）占筮的記錄，再具體分爲九天或六天作一次占筮。綜合所有卦爻辭，可組成完整的歷史次序。解《周易》經文，即從史事著手，如〈明夷．六五〉：「箕子之明夷」，詳列各種文獻，說明箕子事跡，明夷爲東方部落，經文之義即箕子到東方部落。日後發展成箕子爲朝鮮始祖的故事。整部《周易》即從商末始，至武王克殷止，構成一商周之際史。

這一解釋《周易》的方法，是從《古史辨》發展而來，顧頡剛即以爲《周易》只是占卜記錄，並無精深道理，卦爻辭之後是當時的歷史故事。但作者較顧頡剛更全面的研究《周易》，可說是《古史辨》派後《周易》的集大成之作。

（丁亞傑）

《帛書周易研究》

《帛書周易研究》 邢文著 北京 人民出版社 294頁 1997年11月

西元 1973 年 12 月，湖南省長沙市東郊馬王堆三號漢墓，出土帛書二十餘種，其中，對學術思想影響最大的是帛書《周易》和《老子》。

帛書《周易》卷上爲經文六十四卦與傳文《二三子問》上、下篇。卷下爲《繫辭》、《易之義》、《要》、《繆和》和《昭力》四種。經文六十四卦，除卦序不同，且有通假字外，其餘與今本《周易》基本上相同。《二三子問》爲今本《周易》所無。卷下的《繫辭》包括了今本《繫辭》的大部分內容。《易之義》、《要》、《繆和》，大都爲今本《周易》所無。

帛書《周易》由於可了解戰國以來《易》學發展之態勢。自出土以來即成爲學界研究的焦點。相關的專書、論文已有數十種。本書即其中較全面性檢討的一種。全書分三篇，上篇帛書《周易》概說，敘述帛《易》的⑴出土、發表與研究，⑵結構、內容與篇名，⑶成書分析；中篇帛書《周易》的卦序問題，討論卦序與《說卦》、卦序與清人易學、卦序與古代學術；下篇帛書《周易》與古代學術，討論帛《易》傳文中所見的水火之說、卦氣說、五行說等。

本書較全面性的討論帛書《周易》，是研究帛《易》不可或缺的著作。

（編輯部）

《象數易學研究》

《象數易學研究》 劉大鈞編著　濟南　齊魯書社　360頁　1996年2月

本書爲論文集，篇目如下：

劉大鈞〈關於圖書及今本與帛本卦序之探索〉

廖名春〈帛書易傳象數學說考釋〉

李仕澂〈也談先天卦位與帛書卦位〉

孫希國〈鄭玄易象說研究〉

周立升〈虞氏易學旁通說發微〉

王新春〈虞氏易學的兩大理論支柱：卦氣說與月體納甲說〉

劉玉建〈論虞翻易學批評〉

劉玉建〈論虞翻別卦逸象〉
林忠軍〈蜀才易學思想述評〉
林忠軍〈九家易學考辨〉
余敦康〈論邵雍的先天之學與後天之學〉
陳居淵〈論焦循易學的相錯、比例與數理〉
易　常〈洛書河圖的形成、本義及其與周易的關係〉
段　勇〈淺談三代青銅器紋飾所反映的易象〉
張善文〈論易象——答周振甫先生書〉
張其成〈象數義理體用論〉
余和群〈過揲法的概率研究〉
陳繼元〈大衍筮法與易卦的結構〉
陳啓智〈術數學新釋——讀六大壬〉
劉光本〈梅花易數與邵雍〉
楊效雷〈周易參同契外丹著作考〉
華群聖〈象數易學研究論文目錄選（1956－1995）〉

所收論文大致可分爲三部分：首先是象數學的歷史研究，從先秦至清代，而以兩漢爲最多，宋代二篇，清代一篇；次是象數相關問題；最後是象數論文目錄選。

《周易》象數學從漢代以來並未消歇，但自近代以來似有沒落的趨勢，其實《周易》經傳研究，可分爲象數、義理（漢魏）、圖書（宋）、故事（近代）四大方向，彼此攻訐，只會抵消《易》學研究廣度。本書出版，一可重新理解象數的意義，一可擴大《易》學研究面向。（丁亞傑）

《兩漢象數易學研究》

《兩漢象數易學研究》　劉玉建著　南寧　廣西教育出版社　1996年9月

在我國《易》學解釋史上，象數《易》學是《易》學研究的一個重要流派。本書對兩漢時期象數《易》學發展作了較詳細的論述。

全書分上、下冊，上冊是第一至八章，分別論述子夏、蔡景君、孔安國、孟喜、焦延壽、京房、馬融、鄭玄之《易》學。下冊是第九至十二章，分別論述荀爽、劉表、宋忠、虞翻之《易》學。各《易》學家大抵從生平、著述、學術和影響方面論述。例如第一章論子夏易學，分(1)子夏生平事迹，(2)《子夏易傳》及其傳本，(3)當位說，(4)相應說，(5)十二消息卦，(6)六日七分法、七十二候、互體及逸象，(7)《子夏易傳》對後世易學的影響等七節論述。

又由於漢代象數學的相關材料大部分存於唐李鼎祚的《周易集解》中，本書也非常注重與《周易集解》的結合。因此，本書也可以說是《周易集解》的導讀之作。

（編輯部）

《內聖外王的貫通——北宋易學的現代詮釋》

《內聖外王的貫通——北宋易學的現代詮釋》　余敦康著　北京　學林出版社　551頁　1997年1月

本書是作者多年來研究北宋《易》學的成果結集而成。計收論文八篇：(1)李覯的《易論》；(2)歐陽修的《易童子問》；(3)司馬光的《溫公易說》；(4)蘇軾的《東坡易傳》；(5)周敦頤的《易》學；(6)邵雍的《易》學；(7)張載的《易》學；(8)程頤的《伊川易傳》。書末有附錄三篇：(1)漢代《易》學；(2)魏晉《易》學；(3)回到軸心時期——金岳霖、馮友蘭、熊十力先生關於《易》道的探索。

作者認爲李覯的《易》學屬於義理派，配合慶曆新政，以憂患之心，思憂患之故，急乎天下國家之用，發揮了經世外王的思想。歐陽修的《易》學開經學變古之風，推崇王弼的義理之學，表現了重人事而輕天道的傾向。司馬光的《易》學著眼於「究天人之際」，其史學著眼於「通古今之變」，二者相爲表裏，是以史解《易》的開創者。蘇軾《易》學，是以莊解《易》，儒、道兼綜，追求曠達與執著的統一。周敦頤是理學的開山人物，以天道性命爲主題，爲理學的宇宙論和心性論建立了一個理論框架。邵雍的尊先天之學，通畫前之易，以先天明體、後天入用，建立了一個體用相依的體系。張載是理學的奠基者，以《易》爲宗，以《中庸》爲體，圍繞著宇宙本體與價值本體建立了一個完整的理學體系。程頤以體用一源，顯微無間作爲其《易》學的基本綱領，闡明理一分殊之旨，力求由內聖開出外王。這些簡要的說明，勾勒出北宋《易》學的眞正面貌。（編輯部）

《周易索引》

《周易索引》 北京大學圖書館索引編纂研究部編 北京 北京大學出版社 385頁 1997年6月

中國古代的經典，既是古先聖先賢所遺留下來的教訓，其中字字句句的引用，就要特別的謹慎，有時一字之差，意思完全相反。但是，經典的種類那麼多，每一種少者數萬字，多者達數十萬字。人的記憶力再好，也不可能記得那些字詞在某書的某篇。爲了有效找到經典中的字詞，索引也因應而生。

歷來爲經典所編纂的索引，有逐句索引，即以一句爲單位，利用一句的首字來檢索，如葉紹鈞所編《十三經索引》，另一種是逐字索引，即從經典一句中的每個字，都可檢索到該句。如哈佛燕京學社所編的各種引得都是。

歷來爲《周易》編纂索引的，有葉紹鈞的《十三經索引》，哈佛燕京學社的《周易引得》和本書。本書以《十三經注疏》（北京：中華書局，1980年）中的《周易正義》白文爲底本，條目由《周易》中的字詞和單句所組成。每個字詞之下，皆列出原句，用○表示該字詞在原句中的位置；原句之後的號碼，表示該字詞在原書中的編次、卦次、句次。

爲方便讀者檢索，書後附有《周易》的白文。（編輯部）

《書經直解》

《書經直解》 張道勤著 杭州 浙江文藝出版社 260頁 1997年5月

《尚書》本稱《書》，又稱《書經》，是十三經之一。由於《尚書》是記錄先秦夏、商、周史事最早的文獻，研究三代歷史，非借助《尚書》不可。

且《尚書》中有不少道德的教訓和政治的指導原則，是歷代君王治國的指導南針。

但因爲《尚書》的文字相當古奧，非借助白話或詳細的注解，很難閱讀。民國以來，相關的白話譯注陸續出版。最有名的，如屈萬里先生的《尚書今注今譯》、吳璵的《尚書讀本》等都是。

本書將《尚書》五十八篇分爲兩大類，正文爲今文尚書三十三篇，將僞《古文尚書》列入附錄一，附錄二爲〈書序〉。所謂「直解」，是附經文字句作解，而不是將注解附於文末或段末。對了解《尚書》各篇的意義，有不少幫助。

（編輯部）

《今文尚書語言研究》

《今文尚書語言研究》　錢宗武著　湖南　嶽麓書社　327頁　1996年4月

《尚書》語言，晦澀難懂，自漢代以來，注釋和研究《尚書》的著作很多，各有創獲。就開展專書語言的全面性研究而言，則是近十多年來才有的事。本書作者曾編纂《尚書入門》、《今古文尚書全譯》、《尚書詞典》三書，如今致力於《尚書》語言的探討，先後發表有關論文近二十篇，並在此基礎上，發展完成《今文尚書語言研究》，分析《今文尚書》的文字、詞匯、語法及其語料價值，對於上古漢語和漢語史的研究有所貢獻。

本書作者師從周秉鈞先生多年，對於周著《尚書易解》幾能背誦，朱子曾說「讀書千遍，經義自見」，錢宗武先生雖是語言學家，並非經學家，但從語言學的觀點來研究《尚書》，藉由分析《尚書》的語言特點，往往有令人驚喜的收獲，漢語文獻語言的一些語法規則，語言型態的演變軌跡變得清晰起來。例如：《今文尚書》中同時存在敘述據運用／不運用結構助詞的賓語前置（「惟＋名詞（名詞性詞組）＋動詞謂語」／「惟＋名詞（名詞性詞組）＋是、之＋動詞謂語」），反映了這二種賓語前置式的並存過渡。又如通過《今文尚書》的語言特點，學者還可以論證漢語演變的一些重要規律，例如「厥」、「其」在共時狀態中的二詞同義和在歷時變化中的「其」代替

「厥」，說明漢語詞匯同義類化的規則，是選擇度和自由度大的詞總是在同義系統中居於主導地位，說明了語言系統發展演變的方向。（游均晶）

《禹貢錐指》

《禹貢錐指》 清胡渭著，鄒逸麟整理 上海 上海古籍出版社 770頁 1996年12月

《尚書・禹貢》一篇，雖僅有一一九三字，但歷來被奉爲我國「古今地理志之祖」（艾南英〈禹貢圖注序〉）。它假託大禹治水以後的政治區劃，將全國分爲九州，並記述了這九個區域的山川風物、交通道路以及中原以外區域與中央的關係。但自漢、唐以來，由宋入清，歷來研究的學者不下百家，多將〈禹貢〉視爲經學著作，沒有將〈禹貢〉作爲一部完整的地理著作，進行全面融會貫通的研究。

康熙年間，胡渭參與《大清一統志》的編修工作，得與朱彝尊、毛奇齡、萬斯同、顧祖禹、閻若璩等著名學者，「奇文共欣賞，疑義相與析」，在這樣的學術背景下，開展了對〈禹貢〉的認識和研究。康熙三十六年，胡氏撰成《禹貢錐指》，取《莊子・秋水》「以管窺天，以錐指地」句名書，自謙所見甚小，然而本書實匯集了前人研究〈禹貢〉的成果，既注意利用《史記・河渠書》、《漢書・地理志》、《水經注》等歷代志書來印證〈禹貢〉的地理，又吸收了清初最新的地理學研究成就，如孫承澤《九州山川考》、顧炎武《日知錄》、朱鶴齡《禹貢長箋》等著作，此外，胡渭從注釋〈禹貢〉而延伸了對區域經濟開發的論述，發揚了晚明以來學者「經世致用」的學術思想。綜上而言，胡渭提供給讀者的是一部「通古今之變」的歷史地理專著，在〈禹貢〉學史上，具有里程碑的意義。

《尚書》古奧，韓愈稱「詰屈聱牙」，〈禹貢〉煩瑣，更爲難讀，復旦大學鄒逸麟先生，既選擇康熙四十四年（1704）《漱六軒》本爲底本（這是目前看到的最早版本），孜孜不倦地從事古籍校點工作，又佐校《四庫全書》本、《皇清經解》本，凡《漱六軒》本有誤，皆出校記。以丁晏《禹貢錐指

正誤》一書，分條摘入胡氏正文，便於讀者參閱。此外，又將胡渭傳略及本書的有關資料附錄於後，以資參考。凡此種種，信爲胡渭之知音。（游均晶）

《日本的尚書學與其文獻》

《日本的尚書學與其文獻》 劉起釪著 北京 商務印書館 1997年6月

劉起釪先生是顧頡剛的弟子，當今著名的《尚書》學專家，著有《尚書學史》（北京：中華書局，1989 年）、《尚書源流及傳本考》（瀋陽：遼寧大學出版社，1987 年）、《古史續辨》（北京：中國社會科學出版社，1991 年）等。

1989 年 9 月劉先生應東京大學之邀，赴日本作爲期四個月的講學和研究。利用講學之餘的時間，訪問日本主要的文庫和主要大學圖書館，閱讀珍藏的《尚書》著作。1990 年 1 月，劉先生回國後，將在日本收集的資料整理，完成這本《日本的尚書學與其文獻》。1993 年 2 月，劉先生再度訪日，又訪問了內閣文庫、東洋文庫、無窮會圖書館，將收集之資料，又補入書稿中。

全書分上、下兩編。上編爲〈日本的尚書傳習與研究〉，分三章，分別敘述《尚書》的東傳、傳習與研究。下編〈日本尚書文獻考〉，列爲四、五、六章。第四章敘述《尚書》的傳本，第五章敘述《尚書》的刊本。第六章敘述日本學者的《尚書》著作。

日本學者傳習《尚書》，雖不及《論語》之盛，但也留下不少重要的著作。國內學者對日本學者的《尚書》研究，一向不甚注意。本書是國內第一本系統敘述日本《尚書》學的著作，所述雖頗有缺漏，但仍有其參考價值。

（編輯部）

《詩經》

《古典文學導讀叢書——詩經》 朱一清注評 安徽 黃山書社 195頁 1997年4月

本書爲安徽黃山書社所出版之《古典文學導讀叢書》的《詩經》導讀著作，共分爲「前言」、「注釋」及「導讀」三個部份。在前言的部份，作者針對《詩經》的名稱、作者、流傳、思想內容、藝術成就等各方面，作出概要的介紹，並且將《詩經》中的詩篇分爲七大類加以探討，同時也略述了《詩經》中賦比興的表現形式、押韻方式以及修辭手法。因此，前言的內容可以作爲初步認識《詩經》的介紹性文章，讓初學《詩經》的讀者易於入門。其次在全書的體例編排上，作者選錄了一百七篇《詩經》中的代表性詩篇，先對各詩篇中的詞句作注釋，然後在注釋之後附上各詩篇的導讀，如此可以讓讀者在閱讀完各詩篇之後，加深認識各詩篇的內容。因爲本書屬於導讀性質的著作，作者在注釋的寫作上力求精簡，使讀者可以明白通曉；而導讀的內容也以流暢平易的文字，讓讀者可以更清楚明瞭。對《詩經》有興趣的讀者，本書是相當有用的入門書籍。 （蕭開元）

《詩經引論》

《詩經引論》　滕志賢著　南京　江蘇教育出版社　268頁　1996年12月

本書爲《詩經》入門的著作，作者透過簡樸的文字，將《詩經》研究的領域作深入淺出的介紹。第一章「《詩經》概說」，介紹了《詩經》的性質、創作時代及文化價值。第二章「《詩經》的藝術表現手法」，說明賦、比、興在《詩經》中的作用，並且探討《詩經》的修辭方式。第三章「《詩經》的句法與章法」，以上古漢語句法的特點，來認識《詩經》中句法與語法的使用方式，同時也將歷代學者對《詩經》分章的原則加以介紹。第四章「《詩經》常見的語言障礙」，作者以訓詁學爲基礎，說明閱讀《詩經》時常犯的錯誤。第五章「《詩經》的韻律」，說明《詩經》押韻的形式以及換韻的問題。第六章「《詩經》的校勘」，介紹了鄭玄、陸德明、顏師古、孔穎達、朱熹、王柏、顧廣圻及陳奐對《詩經》的校勘成就。第七章「《詩經》古注的體例」，介紹歷代注釋《詩經》之書的體例與原則。第八章「《詩經》的研讀方法」，教導研讀《詩經》時應持的方法與態度。第九章「《詩經》的傳播和研究史略」，介紹《詩經》研究史上重要的朝代與特色。書末附有「《詩經》古今字、通假字例釋」、「《詩經》研讀參考書分類舉要」兩種附錄，不但方便初學《詩經》的讀者解決在字句上的疑惑，同時也可以使有志研究《詩經》的讀者，掌握歷代研究《詩經》專著，來認識《詩經》學的變遷過程。因此本書對於初學《詩經》的讀者，相當有幫助。（蕭開元）

《詩經通義》

《詩經通義》 聞一多著 聞 翺校補 長春 時代文藝出版社 254頁 1996年6月

本書由聞一多的女兒聞翺女士根據北京圖書館所藏聞一多手稿第二七五二號的第二、四卷，進行校訂與增補的工作。內容計有：〈鄘〉十篇、〈衛〉十篇、〈王〉十篇、〈鄭〉二十一篇、〈齊〉十一篇，共計六十二篇。聞一多先生一生從事《詩經》的研究，早期雖然受到佛洛依德「性心理說」的影響，但是在整體研究的工作上，仍然是以中國傳統的訓詁學爲基礎，並且透過實事求是的精神，去發現每一字的眞正意義。因此《詩經通義》這部書，是聞一多先生對《詩經》字句的考證工作，無論是《詩經》中單字的意義，或是詞語的注釋，無不引經據典，考其源流，欲還各詩篇正確的面貌；而聞一多先生在注釋的方法上，先採取著錄原典的方式，然後再將所得條目歸納整理，不加個人意見，由此可見先生治學嚴謹的態度。本書最後附有《詩經詞類》，是聞一多先生另外一部有關《詩經》的著作。全書探討《詩經》單字的詞性問題，共有四十個單字，分爲二十種詞性加以討論。藉由這兩部研究《詩經》的著作，可以認識聞一多先生在《詩經》訓詁方面的成就。

（蕭開元）

《雅頌新考》

《雅頌新考》 劉毓慶著 山西 山西高校聯合出版社 300頁 1996年4月

《三百篇》從創作流傳至今，已歷二、三千年，對中國文化有深遠影響，除了經學、文學外，今日研究周代社會、史地、習俗乃至博物種種，都可藉助於《詩經》。然而由於年湮代遠，三百零五篇的詩旨、人物、字句訓詁等等，仍有極多未能釐清的問題，自漢代迄民國初年，學者多從其他史料典籍、古文字、禮制各方面論證，以期求得合理正確的解釋。晚至近代，在觀念、資料、方法上更趨多元化，時有學者運用文化人類學、社會心理學、民俗學等觀點研究，並從神話、傳說、歌謠中找材料進行推論，使得有關《詩經》的研究，又增添一面不同於以往的新風貌。

本書廣博採取經傳、史料、諸子、各家載錄，兼采《山海經》、《穆天子傳》、古鐘鼎器物暨甲金文字等等資料，從文化人類學、民俗學、宗教、藝術諸觀點研究推論，對《雅》、《頌》各篇做了有關史事方面的研究。全書十二篇，依次考定論斷了有關周族開闢神話、公劉遷徙與周族社會的發展、周族文明之草創、文王之文治武功及文王之死、從《二雅》怨刺詩看西周詩壇的民主精神、釋《雅》、《頌》爲原始宗教誦辭、《商頌》非宋人作、《雅》《頌》詩的斷代、從《雅》《頌》看上古詩之功能的演變與賦比興的發展、詩人尹吉甫等，末有〈評余冠英先生詩經選〉、〈論雅頌文學傳統〉兩篇附錄。

經由作者的旁徵博引與交互錯綜的論證，使得本書時有新解，提出了一系列新說，並鉤畫出周族歷史發展的清晰輪廓。本書在思維、觀點、取材上有其特色，對於研究《詩經》學者當有新的激盪與收穫。（奚敏芳）

《詩經論文》

《詩經論文》 林葉連著 臺北 臺灣學生書局 432頁 1996年5月

本書爲論文集，收錄經作者重新修訂後的已發表論文六篇：〈重新評估經學的價值〉、〈論《詩經》之興義及其影響〉、〈從「知人論世」之原則看《詩經》〉、〈論溫柔敦厚，《詩》教也〉、〈釋〈召南·甘棠〉「勿翦勿拜」〉、〈從聲紐觀點論證《毛傳》：「方，有之也。」〉。除第一篇從經學的全體著眼外，餘皆爲有關《詩經》的考證文章。

「經世致用」是西漢儒生的治經傳統，這個傳統是將經學研究，落實到社會、政治的層面來思考。這不僅是儒家人文精神的體現，亦是經學有益於民生的徵實之學。本書所收論文的一、四篇，亟言經學的社會作用，及明道淑世的終極目的，可謂深得此一傳統的用心。

《詩經》的訓釋、研究，歷二千年而異說紛紜。作者提出「知人論世」的方法論，企圖藉由上古名物制度、文字之古音古義、時代見識與觀念、風俗習慣……等的探析，以還《詩經》的本然面貌。至於近世文字、聲韻學的研究成果，亦爲《詩經》研究，提供了新的證據與方法。作者從古文字結構的觀察，爲「興」字重新定義。以爲「凡字面意義必須結合其所隱喻之意義，而後顯露作者之眞意，此之謂興。」重新肯定《毛傳》、《鄭箋》以三百篇具諷諫功用的傳統訓解。最末一篇，則是將閩南語運用在《毛傳》研究的具體成果。

經學研究，有義理之學，有考據之學。綜觀本書六篇論文，則作者《詩經》研究的角度，可謂涵蓋此二者矣！（陳文釆）

《詩經與中國文化》

《詩經與中國文化》　廖　群著　香港　東方紅出版社　369頁　1997年8月

本書爲《中國詩經文庫》的第一部書。全書內容分爲上、下兩篇，除〈引言〉外，共計七章。上篇「上古文化與《詩經》」，探討《詩經》時代的社會與文化情形。第一章說明《詩經》產生的政治原因與環境因素。第二章從《詩經》的作用，特別是《詩經》中比、興的表現手法，說明《詩經》與當時社會的關係；另外也對《詩經》中的史詩、《詩經》與周代禮樂文化的關係加以討論。第三章則是說明《詩經》在先秦時代的影響，特別是《詩經》經過孔子編定成爲儒家經典之後的意義；另外也涉及了毛《詩》與三家《詩》在先秦時代流傳過程。下篇「《詩經》與中國文化」，則是以《詩經》對後世社會、文化、思想的影響爲主軸進行探討。第四章從《詩經》中二《雅》的作者與內容爲出發點，說明中國古代士人的崇高情懷與人生價值取向。第五章則是以《國風》中的詩篇爲出發點，探討《國風》詩篇中情愛的特性與中國古代文人對情愛的觀點。第六章以「賦詩言志」爲出發點，探討中國古代文人的精神性格與藝術觀點。第七章以「中和」爲出發點，說明《詩經》的審美理想與中國文化的基本品格。因此從本書作者的敘述觀點來看，《詩經》與中國文化，或是中國文化與《詩經》，兩者的確是具有密不可分的關係。故讀者不但可由本書認識《詩經》對後世的影響，也可以了解《詩經》中豐富的思想內容。（蕭開元）

《詩經的文化精神》

《詩經的文化精神》　李　山著　北京　東方出版社　282頁　1997年6月

本書是作者以自己的學位論文爲基礎擴充而成，內容共分爲七章。第一章屬於背景的討論，主要說明中國文明之所以爲中國文明的歷史原因。第二章至第七章，作者分爲兩個方向來探討《詩經》本身的內容。一是屬於橫向的觀點，分別討論《詩經》中不同題材的內容；另一屬於縱向的觀點，討論《詩經》各時代創作的歷史變化及其相互關係。就橫向的討論而言，有關農事詩部份則討論人與自然的關係，以明確「天人合一」的由來；有關宴飲詩部份則討論人和人的關係，以明確「人倫尙和」的根源；有關戰爭詩部份則討論中原人群與其他邊地人群的關係；有關婚戀詩部份則討論正統禮法與與地域風俗的關係。就縱向的討論而言，作者認爲周代社會是中國傳統文化走向定型的時代，而一種文化的成形，又必然表現在這個文化人群對於自然與人、人群內部兩重重要的關係上，而人群內部關係的確定，又直接影響著該文化人群對其他相鄰人群關係處理的方式。基本上這一切就構成了這個人群可以傳承的精神傳統。作者又認爲任何文化的形成絕不是靜態的，文化傳統的創始人群在遭遇到內在和外在的困難時，其所採取解決困難的方式，也同樣是屬於這個文化傳統中極其重要的組成部份；也就是說，在這個解決困境的過程之中，這個文化傳統才眞正走向了成熟和穩定。因此透過本書作者的解說，可以讓讀者認識到《詩經》時代的人民與文化的精神。（蕭開元）

《第二屆詩經國際學術研討會論文集》

《第二屆詩經國際學術研討會論文集》　中國詩經學會編　北京　語文出版社　824頁　1996年8月

中國詩經學會於 1995 年 8 月 10－15 日，在河北北戴河舉辦「第二屆詩經國際學術研討會」，計有一百五十餘人參加，發表論文 106 篇。其中來自日本、韓國、美國、新加坡、蒙古、臺灣、香港之學者三十餘人。本書即爲此次大會論文之結集。

全書雖沒有明顯的分類，但根據論文編排的順序，大概可分爲七個大類，一是海外詩經學，包括西方、韓國、日本、越南、蒙古等地的《詩經》研究。二是《詩經》各類詩內涵的研究，收論文 14 篇，以探討三頌之論文最多。三是《詩經》語言研究，收論文 10 篇。四是《詩經》學史研究，收論文 25 篇。五是《詩經》描述技巧研究，收論文 12 篇。六是《詩經》思想文化學研究，收論文 11 篇。七是僅收論文提要者，計有 13 篇。

這七類的論文，以《詩經》學史的研究論文最多，如許穆、賀貽孫、戴君恩、鍾惺、陳子展、錢鍾書的《詩經》學，都是新開拓的研究領域。

（編輯部）

《西漢三家詩研究》

《西漢三家詩研究》　林耀潾著　臺北　文津出版社　352頁　1996年9月

傳統的經學，歷先秦至漢初，是爲形成與流傳的階段。自西漢中葉以降，而有今文經學的興起。漢武帝時，設五經博士，於《詩經》則《齊詩》、《魯詩》、《韓詩》也。因博士官解經具法定的權威地位，故今文三家詩學，盛行於西漢一朝。唯東漢以還，今文章句具文飾說、破碎大道，終流於「空言解經」，遂爲通儒所取代。漢末，鄭玄打破今、古文家法，爲《毛詩》作箋。自此三家詩湮沒不彰，《齊詩》亡於魏，《魯詩》亡於西晉，《韓詩》亡於南、北宋之際。雖自南宋王應麟輯《詩考》起，前代學者於重建工作多有建樹，然大抵爲輯佚、疏證、考釋之學，仍不復見西漢三家詩學的完整面貌。

本書作者，兼及經學與史學的內涵，在前代的研究基礎上，從四個方向著手，重新建構三家詩學：⑴歷史研究法：將三家詩學還原到，西漢學術、政治的背景下，以探究其經說的混合性格。⑵學派研究法：著重於今文經說「重家法」及「通經致用」的兩大特質。⑶比較研究法：利用今文經說的內部比較，及其與古文毛詩學的比較，以明四家詩說的異同。⑷內容研究法：即就現存的《韓詩外傳》一書，探其歷史淵源、類型分析及融合特色。

西漢三家詩學的研究，不僅是「起絕學」的工夫，亦是經學史研究的重要課題。因爲漢儒經說，既關係今、古文經學的消長，亦是漢、宋學之爭的關鍵。固當視爲「考鏡源流」之學。本書超出文獻整理的傳統研究法，實爲今文三家詩研究另闢蹊徑，有益後學。 （陳文采）

《韓詩外傳箋疏》

《韓詩外傳箋疏》 屈守元箋疏 成都 巴蜀書社 1154頁 1996年3月

《詩經》因其諷誦不獨在竹帛，故能經秦火而不亡。漢初傳詩者三家，獨《韓詩外傳》十卷傳世。是書爲漢文帝時博士韓嬰，博采有關「推衍詩義」的材料纂成。雖偶有說《詩》之本義者，然多數是引伸詩義以爲用。至所采雜說又不限於儒家經典，於古代文獻兼具保存之功。向來學者研究《韓詩外傳》，大抵著力於文獻價值、寫作規模及思想淵源三方面。本書作者撰爲箋疏之體，蓋欲本《毛傳》、《鄭箋》制作之意，於《韓詩外傳》中古詞奧義，籀繹之。

本書內容含：正文、佚文、附錄三部分。正文十卷，逐句爬梳，析其內容則又有：⑴諸本考異：大抵取元刊，亦存明本，惟善是從，不主一是。⑵疑文考校：有舊本可據者，逕加勘改，否則具其說於注文中。⑶證之音讀：於難字下，頗注反切。⑷事義兼釋：不僅詳於互見之文，片語畸聞，皆究其根柢。⑸凡稱引《詩》篇，本王應麟以來所考遺說疏證之，韓說無徵者，亦兼采毛鄭諸家。至所綜輯佚文一卷，亦從箋疏之體爲之考論。附錄五種：一曰參校諸本題記。二曰箋疏引據諸家敘錄。三曰舊本序跋纂錄。四曰前人評述輯要。五曰章目及重要人物、名句、異詞奇字綜合索引。

本書有功於《韓詩外傳》者三：考校、輯佚、疏釋也。《韓詩外傳》之校訂，始於宋慶曆間，文彥博改正三千餘字，唯以宋人義理之學，淆亂原書內容，實爲一大厄。清人精校讎，多善本，本書采其說，多聞闕疑，平議駁正，頗發一得之見。至若輯佚之功，清盧文弨《韓詩外傳補逸》較諸家爲備，本書據此，別增二十六條。文義疏釋，則求回歸今文學家著述之精神。蓋作者積平生之力，萃爲一編，蒐羅備矣！（陳文采）

《王質《詩總聞》研究》

《王質《詩總聞》研究》　李家樹著　臺北　文史哲出版社　115頁　1996年7月

中國傳統《詩經》研究，在西漢初有齊、魯、韓三家，俱爲今文。至東漢，古文一派興盛。漢末，鄭玄打破今、古文家法，而爲《毛詩箋》。此後《毛詩》獨行，說者守《詩序》以解經，未敢稍離。《詩序》之疑始於韓愈。有宋一代「以己意說經」，遂有廢序一派之著作，如歐陽脩《詩本義》、蘇轍《詩集傳》。南渡以後，鄭樵始辨序言不可信，復有王質、朱熹去《序》言詩。迄宋末，傳此學者皆朱熹門人，而廢序之議，更演爲疑經改經。

王質《詩總聞》以意逆志，自成一家，然向爲學者所忽略。本書作者在其所著《國風毛序朱傳異同》的基礎上，進一步探討王質說《詩》的觀點和方法，重新考察王質《詩總聞》在歷代《詩經》學中所占的位置。以爲眞正推倒《詩序》的，在南宋是鄭樵和王質。並肯定其以人情論《詩》，初步自覺地用文學的眼光來研究《詩經》。

除本書之外，作者於《詩經》研究的專著，尙有：《國風毛序朱傳考異》（香港：學津書店，1979 年 1 月），以國風爲範圍，比較《詩集傳》與序說異同，以明朱熹反《詩序》的眞正面貌。《詩經的歷史公案》（臺北：大安出版社，1990 年 11 月），考察漢、宋及五四以還，三階段《詩經》學的內容和發展。《傳統以外的詩經學》（香港：香港大學出版社，1994年），著眼於非主流的，曾有貢獻，卻備受忽略的《詩經》專著。可知作者於《詩經》學的思考，有其一貫的脈絡。（陳文采）

《明代詩經學》

《明代詩經學》 傅麗英編著 北京 語文出版社 103頁 1996年8月

自從顧炎武在《日知錄》中對明代經學的發展加以批評之後，後代的學者也多是以批評的角度來看待明代的經學。若以《詩經》學史的觀點來看，清初乾嘉考據之學大興，也並非是一蹴可幾的事，而是在明中葉之後的學者，就已經開始出現復興漢學的聲音，因此胡適先生曾說：「人人皆知漢學盛於清代，而很少人知道這個尊崇漢儒的運動在明朝中葉已很興盛」（《胡適文存》），是有著一定的根據的。就明代的《詩經》學而言，明代初期固然是承襲著宋、元的經說，屬於「述朱」的時期，但是這種情況到了明代中葉之後開始改觀，反對朱學的勢力逐漸興起，於是便產生了許多對朱子不滿的言論，特別是針對朱子的「廢序論」、「淫詩說」及「叶音說」大加批評，因此也開啓了明中葉後期的學者，致力於《詩經》音韻及考證的研究。本書作者即以此爲觀點，來探討明代《詩經》學的發展。全書分爲十三個部份，首言「明代《詩經》研究總論」，次言「明代《詩經》研究中的漢、宋學問題」，並討論了朱睦㮮《授經圖》、朱謀㙔《詩故》、何楷《詩經世本古義》、陳子龍《詩問略》、賀貽孫《詩觸》、鍾惺的《詩經》研究論、楊慎的《詩經》研究、陳第《毛詩古音考》、豐坊之僞《子貢詩傳》及《申培詩說》，另外還探討了「明代考證學風中的《詩經》研究」及「明末清初的正經思潮」。書末附有魏書菊所編「明代《詩經》研究專著編目」，可作爲研究明代《詩經》學的參考資料。（蕭開元）

《高本漢雅頌注釋斠正》

《高本漢雅頌注釋斠正》 李雄溪著 臺北 文史哲出版社 310頁 1996年7月

瑞典高本漢先生(1889－1978),是西方傑出的漢學家,他曾於西元1909年至 1915 年深入中國民間各地研究方言,對中國聲韻學下過極深的功夫,此外,對我國古籍、古器物學,也都有卓著的成就與貢獻。

高本漢著作豐富,在經書注釋方面,著有《詩經注釋》、《書經注釋》、《左傳注釋》、《禮記注釋》等書,其中《詩經注釋》一書,共計討論〈國風〉、〈小雅〉、〈大雅〉、〈頌〉的注釋一千三百多條,他用現代語言學方法,以歸納類比方法處理詞義,不輕言假借,運用客觀精密的的分析來研究《詩經》,在觀念、方法上,給予近代學者許多啓發。

歷來討論高氏《詩經注釋》的作品不多,僅有屈萬里先生的〈簡評高本漢詩經注釋和英譯詩經〉與趙制陽先生的〈高本漢詩經注釋評介〉(載於《詩經名著評介》一書),本書作者在高本漢有關〈雅〉、〈頌〉的八百多條注釋中,考訂出有八十二條值得商榷必須加以訂正,,並歸納出高氏《詩經注釋》有以下十項瑕疵:⑴取捨各家說法,有過於主觀之處。⑵對歷來談《詩》者的意見有所誤解。⑶處理本義、引申義、假借義有所疏略。⑷忽視上下文的連繫。⑸不明古代民俗。⑹不諳古漢語語法。⑺忽略《詩》的修辭效果。⑻徵引例證有欠全面。⑼沒有詳細考核《詩》旨。⑽過於輕視古代字書在訓詁學上的作用。

作者廣泛參酌古今諸家說法,排比綜理,而有所取捨,旨在訂正高本漢注釋之誤,自謙期能「以燕石之瑜,補琬琰之瑕」,此書對於研究《詩經》學,當能有所裨益。 (奚敏芳)

《詩經要籍解題》

《詩經要籍解題》 蔣見元、朱杰人著 上海 上海古籍出版社 211頁 1996年9月

《詩》經孔子整理之後，便成爲儒家的經典之一，之後更有許多的學者開始了《詩經》的注釋工作，如早期的毛《傳》、鄭《箋》、陸德明《經典釋文》，孔穎達的《正義》，都是屬於對《詩經》注釋的書籍。因此《詩經》的研究在唐代以前可以說是對《詩經》的注疏之學。但是從宋代開始，學術朝著思辨疑古的方向前進，因此疑經的風氣逐漸形成，歐陽修、蘇轍、王安石、鄭樵、朱熹等人，對《詩經》抱持著懷疑的態度，也因此促成了改經風氣的興盛。到了清代，乾嘉考據之學大興，《詩經》的研究以復古爲標幟，漢學派再次復興，馬瑞辰《毛詩傳箋通釋》、陳奐《詩毛氏傳疏》、胡承珙《毛詩後箋》，都是屬於這個時期的著作。因此，《詩經》學的研究，必須要以歷代《詩經》的專著爲基礎，透過研究歷代《詩經》的專著，才可以正確地認識《詩經》學史的變遷過程。本書作者即是以這個觀點出發，希望有志研究《詩經》的人，能夠掌握、熟悉歷代《詩經》的專著，進而了解這些專著產生的時代意義。全書收錄的《詩經》要籍，計有：漢代至唐代六部、宋代十五部、元代一部、明代六部、清代二十二部、近代九部，另外還有海外《詩經》著作五部，共計六十四部。書末有張祝平先生所編《歷代詩經研究書目》的附錄。但附錄中所列之書目，多是以叢書本爲主，如有單刻本也應一併註明，才能方便讀者。 （蕭開元）

《三禮通論》

《三禮通論》 錢玄著 南京 南京師範大學出版社 664頁 1996年10月

自東漢末年，鄭玄兼注《周禮》、《儀禮》、《禮記》三書，因是而有「三禮」之名。然而，因爲《周禮》作者與著成年代無法確定，眞僞之爭難以平息；《儀禮》過於簡奧難讀；《禮記》內容又過於龐雜，於是，在《三

禮》的研究上，總是顯得難關重重，令人望而生畏，裹足難前。即使博學如朱子，也曾發出這樣的感歎：「禮學多不可考，蓋其爲書不全，考來考去，考得更沒下梢，故學禮者多迂闊。一緣讀書不廣，兼亦無書可讀。」（《朱子語類》卷 84）但是，中國畢竟是禮儀之邦，《三禮》之學亦不能不加以深究，所以朱子晚年也傾注心力，希望完成《儀禮經傳通解》一書，可惜終爲未盡之事業，而有賴黃榦、楊復之續成。

因《三禮》研究的煩難，亟需要一本淺近而適切的入門書作爲引導。錢玄先生精研《三禮》之學，先是撰寫了《三禮名物通釋》（南京：江蘇古籍出版社，1987 年 3 月），以全書僅限於衣服、飲食、宮室、車馬四類，似嫌不足，復輯成《三禮辭典》（南京：江蘇古籍出版社，1993 年 3 月，與錢興奇合著）一書，對《三禮》的研讀，有極大的助益。但辭書雖便於檢索，受體例限制，條目割裂，難以窺見禮制發展之全貌。且每條字數不宜過長，不便博引異義，論證是非，故又有此《三禮通論》之作。

本書分爲禮書、名物、制度、禮儀四編，博采前賢研究成果，聯繫近年出土資料，對於禮學流變的論述、名物制度的考辨、儀式節目的分析等，都有極精當的發揮。有關禮書與禮制的重要問題，大體上多有論及，除〈禮書〉一編只有七十一頁，稍嫌簡略，爲其缺憾外，本書實是研讀《三禮》時很值得參考的一部書。 （黃智信）

《禮記譯注》

《禮記譯注》 楊天宇著 上海 上海古籍出版社 2冊 1997年4月

傳統經典，由於時代久遠，非加以注釋則不容易理解，是以歷代都有大量的經典解釋出現。十三經中的《禮記》，今傳的歷代注釋有鄭玄的《禮記注》、孔穎達的《禮記正義》、陳澔的《禮記集說》、孫希旦的《禮記集解》、朱彬的《禮記訓纂》等。民國以後，流行白話文，坊間也出版不少今注今譯的書。較具代表性的是王夢鷗先生的《禮記今註今譯》、姜義華的《新譯禮記讀本》和本書。

本書書前有〈禮記簡述〉，分：⑴關於《禮記》的來源與編纂；⑵關於《禮記》的內容與分類；⑶《禮記》在漢代的傳本與鄭注《禮記》；⑷漢以後的禮記學；⑸怎樣讀《禮記》等五節。正文按《禮記》四十九篇順序編排。每篇之前有「題解」，每章經文之下有「注」、「譯」、「小結」。所謂「小結」，即每章之章旨。

本書作者，前曾譯有《儀禮譯注》（上海：上海古籍出版社，1994 年 7 月），本書是最近數年的工作成果。（編輯部）

《新譯禮記讀本》

《新譯禮記讀本》 姜義華注釋 黃俊郎校閱 臺北 三民書局 1997年10月

今傳《禮記》四十九篇，為漢戴聖所編。根據梁啓超的《禮記解題》，其內容約可分為五類：⑴通論禮意和學術者；⑵解釋《儀禮》十七篇者；⑶記孔子言行或孔門及時人雜事者；⑷記古代制度禮節，且帶有考證性質者；⑸〈曲禮〉、〈少儀〉、〈儒行〉等篇之一部分，為古代格言之記錄。由於《禮記》之內容比起《周禮》、《儀禮》更為豐富，所以，不論古今注釋之書，三禮中皆以《禮記》為盛。今人的注釋中，以王夢鷗的《禮記今註今譯》流傳最廣。本書則為最新出版的一種。

本書書前有作者所作的導讀，分：⑴禮、禮治、禮學緣起；⑵《禮記》各篇的撰述和總彙成書；⑶《禮記》一書的構成；⑷《禮記》論禮、禮治、禮教；⑸《禮記》論制禮與作樂；⑹倫理本位社會的新設計；⑺論君子之德與化民成俗之道；⑻《禮記》注釋與《禮記》學等節論述。正文依《禮記》四十九篇的順序編排。各篇前有題解。每篇中再分章，每章於經文之後，分章旨、注釋、語譯三部分。書末有附錄兩種，一是圖錄，二是參考書目。

本書除注釋比同類各書詳盡外，經文逐字注音，為同類各書所無。

（編輯部）

《〈樂記〉、《聲無哀樂論》注釋與研究》

《〈樂記〉、《聲無哀樂論》注釋與研究》　蔡仲德著　杭州　中國美術學院出版社　397頁　1997年5月

〈樂記〉和《聲無哀樂論》，在中國音樂史上具有重要地位，提供了音樂美學史的理論基礎。本書作者蔡仲德先生基於對二部論著的理解，認爲〈樂記〉的作者，不是戰國初期的公孫尼子，而是西漢武帝時的河間獻王劉德及其手下的一批儒生。這個論點，引起了學界對於「〈樂記〉作者與成書年代問題」的不同討論。

本書分爲二大部份，分別討論〈樂記〉和《聲無哀樂論》的注釋與研究。其一，〈樂記〉部份，收錄〈〈樂記〉注釋〉、〈〈樂記〉作者辨證〉、〈〈樂記〉作者再辨證〉、〈〈樂記〉作者再再辨證——與呂驥先生商榷〉、〈與李學勤先生辨〈樂記〉作者問題——兼論學術信息交流〉、〈河間獻王劉德評傳〉、〈〈樂記〉哲學思想辨析〉、〈論〈樂記〉的音樂美學思想〉、〈評呂（驥）著《樂記理論探新》〉等九篇論文。其二，《聲無哀樂論》部份，收錄〈《聲無哀樂論》注釋〉、〈「越名教而任自然」——試論嵇康及其「聲無哀樂」的音樂美學思想（附錄：〈嵇康年譜〉）等二篇論文。其中〈樂記〉注釋以阮刻《十三經注疏》之《禮記注疏》爲底本，參校中華書局標點本《史記．樂書》進行校勘，異文隨處注明。關於《聲無哀樂論》之注釋，據魯迅《嵇康集》校本爲底本，個別文字則參照戴明揚《嵇康集校注》有所改動。

（游均晶）

《禮記訓纂》

《禮記訓纂》（清)朱彬撰　饒欽農點校　北京　中華書局　上、下冊　918頁　1996年9月

《禮記訓纂》四十九卷，清朱彬撰。彬字武曹（本書〈前言〉「曹」字誤作「曾」），號郁甫（朱爲弼〈贈吏部尙書郁甫朱公墓誌銘〉作「一字郁

甫」，見《碑傳集補》卷 39），江蘇寶應人。乾隆六十年（1795）舉人。生於乾隆十八年（1753），卒於道光十四年（1834），年八十二。

朱彬博究群書，覃思經訓，著有《經傳攷證》八卷，深爲王念孫所稱許，阮元且將之收入於《皇清經解》中。晚年所撰《禮記訓纂》，與孫希旦《禮記集解》常被視爲清代《禮記》注解之代表作。

此新校標點本《禮記訓纂》，是北京的中華書局《十三經清人注疏》中的一種。隨著孫希旦《禮記集解》與此書之新校標點本的出版，對於學者閱讀與研究《禮記》，當有不小的幫助。點校者爲此所付出的心血，應獲得肯定。但此書的〈前言〉部份過於簡略（只有一頁又一行），未能就朱彬的生平、此書的大致內容，及其個人學術成就等作較詳細介紹，以利讀者對朱彬有更深一層的認識，是其不足之處（部份重要書目的著錄、提要或傳記資料，也可輯爲「附錄」）。另外，上海圖書館與北京圖書館分別藏有一種與兩種《禮記訓纂》的稿本，點校者未能取以對校或對此加以說明，就此次的整理點校而言，似乎也留下些許缺憾。（黃智信）

《洪亮吉左傳詁斠正》

《洪亮吉左傳詁斠正》　郭鵬飛著　臺北　臺灣商務印書館　247頁　1997年4月

有關《春秋左氏傳》的研究，歷來甚多。漢代研究《春秋左氏傳》的學者甚眾，其中以賈逵《春秋左傳解詁》及服虔《春秋左氏傳解誼》影響最大。西晉初年，杜預集前人之說，融入已見，撰《春秋左傳集解》。唐孔穎達修《五經正義》，《春秋左氏傳》採用杜《注》，從此漢、魏諸儒的說解逐漸湮沒，杜《注》定於一尊。清代由於訓詁之學發達，研究《春秋左氏傳》的學者很多，重要者如顧炎武、惠棟、王念孫、洪亮吉、王引之、劉文淇等，這些學者大都尊崇漢學，不滿杜《注》，所以力求漢、魏舊注遺說，證以先秦、兩漢典籍，以正杜《注》之失。洪亮吉《春秋左傳詁》正是杜《注》、孔《疏》後，少數《春秋左氏傳》研究的佳作。是書精於地理考證，詳於文字訓詁，正可以反映洪氏治學的方向，也可以說是洪氏半生治學心得的結晶。不過，洪氏《春秋左傳詁》在討論語義時也有其侷限，故郭鵬飛先生為洪《詁》作出九十三條補正，最後並在結論中分析洪《詁》的特點，討論其得失。因此本書對於研究《春秋左氏傳》及《春秋左傳詁》，有著許多的助益。

（蕭開元）

《左傳微》

《左傳微》　吳闓生撰　白兆麟校注　安徽　黃山書社　1195頁　1995年12月

《左傳》為先秦典籍，在經學、史學、文學方面，均有深遠影響，近人吳闓生（1877－1948）係清末桐城派名家吳汝綸之子，撰著《左傳微》一書，旨在講明義法，發明《左氏》微言。此書初稿原名《左傳文法讀本》，吳氏自謂係與同學劉宗堯合著成書。全書底本取馬驌《左傳事緯》為綱，再配合文義而略作更定，每事自為一篇，各篇內以小字夾注傳文之間以詮說《左氏》立意措詞之「微詞眇旨」，內容大多出自創見，前無蹈襲。姚鼐曾論學問有義理、考證、文章三途，吳闓生《左傳微》一書，即以「微」字兼賅詞旨之微與章法之微。

安徽黃山書社出版之《左傳微》，是由白兆麟先生校勘、標點、校注而成。全書十二卷，前有〈弁言〉、〈左傳微序〉、〈例言九則〉、〈與李右周進士論左傳書〉。在校勘方面，主要根據杜預《春秋左傳集解》與楊伯峻《春秋左傳注》而略有修正；標點與注釋方面，則參照杜預、楊伯峻之注解，而間有取捨訂正。另外又取《左傳文法讀本》對勘，將《左傳文法讀本》中劉宗堯〈案語〉未選錄者盡皆錄存補充，以保存原貌，供學者研討。

全書標點務求精審明確，注釋除詳注《左傳》原文外，并及夾註於傳文間《左傳微》之文字，頗便於今人閱覽，對於研究《左氏》文章義法，誠為一便利之參考佐助書籍。

（奚敏芳）

《春秋公羊傳譯注》

《春秋公羊傳譯注》 王維堤、唐書文著 上海 上海古籍出版社 563頁 1997年12月

中國經典有所謂十三經，十三經中有《左傳》、《公羊傳》和《穀梁傳》，所謂三傳。三傳以《公羊傳》最能反映孔子的微言大義，且《公羊傳》的政治理論最具前瞻性，是以時代動亂時，往往要從《公羊傳》中尋求解決的良方。

歷來有關《公羊傳》的注釋，以何休《春秋公羊傳解詁》、徐彥的《春秋公羊傳注疏》、陳立的《公羊義疏》流傳最廣。民國以來，流行經典白話注釋，較具代表性的是李宗侗的《春秋公羊傳今注今譯》。本書則爲上海古籍出版社出版中華古籍譯注叢書中的一種。

書前有〈前言〉、論述《公羊傳》的內容，兼駁前人有關《公羊傳》的偏見，正文按《公羊傳》十二公的順序編排。每章先錄經傳文，次爲注釋，再次爲譯文。注釋簡潔扼要，譯文也流暢可讀。對想了解《公羊傳》的讀者必有助益。 （編輯部）

《春秋穀梁經傳補注》

《春秋穀梁經傳補注》 （清）鍾文烝撰 駢宇騫、郝淑慧點校 750頁 北京 中華書局 1996年7月

傳統認爲《公羊傳》出於公羊高，《穀梁傳》出於穀梁赤，皆出於子夏的傳授，但從目前能看到的《公羊傳》和《穀梁傳》來看，二《傳》同出於子夏的說法未必可信，因爲二《傳》之中相互矛盾之處比比皆是。而《公羊傳》、《穀梁傳》雖然在解釋《春秋》經文上有許多不同之處，但兩者皆以闡述經文的「微言大義」爲宗旨，兩者也在漢代受到相當的重視，漢武帝時立《公羊》博士，漢宣帝時立《穀梁》博士。唐代孔穎達奉敕撰成《五經正義》，春秋三《傳》中僅列了《左傳》在內。雖然後來《公羊傳》、《穀梁

傳》也被列入九經之內，但屬於小經，並不為人所重視。到了清代，訓詁之學興盛，學者致力於古書的輯錄、整理和考證等工作，因此清代研究《春秋》學的著作也極為豐富。《春秋穀梁經傳補注》二十四卷就是清末《春秋》學研究著作中，較有影響的一部。本書作者啓筆於道光二十五（1845）年，脫稿於同治七年（1868），前後歷時二十餘年，可謂用力甚勤。漢、魏以來，注《穀梁》者有尹更始、唐固、孔演、江熙等十餘家，自晉范寧《集解》刊行後，諸家皆廢。此後又有不少學者為《穀梁傳》作注疏，但唯有鍾氏《春秋穀梁經傳補注》能兼採漢、宋之學，同時對范寧《集解》也有所補充，可以說是目前看到有關《穀梁傳》注本較好的一種。本書採用鍾氏「信美室刻本」為底本，以「南菁書院刊本」為參校本來進行點校工作，北京中華書局並將此書列為《十三經清人注疏》的一部，可見此書在學術研究上的價值是相當高的。

（蕭開元）

《唐寫本論語鄭氏注研究》

《唐寫本論語鄭氏注研究》　陳金木著　臺北　文津出版社　3冊　1996年8月

鄭玄，字康成，北海高密人。生於東漢順帝永建二年（127），卒於東漢獻帝建安五年（200），一生中「念述先聖之元意，思整百家之不齊」，遍注群經，會通今古文經學，著述六十餘種，凡百萬餘言，可謂集兩漢經學之大成。

鄭玄所注經書，今傳者僅《毛詩箋》、《周禮注》、《儀禮注》、《禮記注》四種。其所著《論語注》，完成於東漢靈帝中平元年（184），時鄭玄五十八歲，該書在唐安史之亂時亡佚。從清末起，鄭氏《論語注》的各種寫本，陸續在甘肅敦煌縣、新疆吐魯番吐峪溝、吐魯番阿斯塔那村阿斯塔那古墓區發現，計有三十一件之多。從清末以來，國內外學者陸續展開研究，所累積的論著有九十餘篇。但仍缺乏一本綜論性的著作。

本書作者多年來一直從事經學研究，以三年時間完成本書。全書三冊，分三篇，研究篇分十章，討論鄭氏注文字的俗寫誤寫、論語經文、文字歧異、鄭注復原等問題。實證篇以卜天壽寫本爲底本，以斯坦因三三三九號寫本、吐魯番阿斯塔那一九號墓 32－34 號寫本、吐魯番阿斯塔那八五號墓 1－1、1－2 號寫本爲校本，做實證研究。復原篇依《論語》經文先後，將寫本逐章排列，每章皆分圖版、釋文、復原稿三個部分。

本書爲目前研究《論語》鄭注較完備的著作，對研究漢代經學和鄭玄學術皆有助益。

（編輯部）

《孝經譯注》

《孝經譯注》 胡平生譯注 北京 中華書局 65頁 1996年8月

本書內容分爲三大部份：其一，介紹《孝經》是怎樣的一本書，文中考定《孝經》作者、成書時代和書名的由來；今、古文之爭、〈鄭注〉和〈孔傳〉在《孝經》學史上的相關問題；《孝經》的思想內容、在歷史上的地位及其版本源流。其二，在譯注《孝經》方面，正文採用《十三經注疏》今文十八章本，而在注釋中說明古文本的章節分合與文字不同的情況，並注明歧義。其三，〈附錄〉部份，輯錄《古文孝經》佚文和歷代重要序跋，如（舊題）孔安國〈古文孝經序〉、（舊題）鄭玄〈敦煌遺書孝經序〉、李隆基〈孝經序〉、元行沖〈御注孝經序〉、邢昺〈孝經注疏序〉、太宰純〈重刻古文孝經序〉、吳騫〈新雕古文孝經序〉、劉炫〈孝經述議序〉等八篇序文。其中劉氏〈孝經述議序〉，據 1942 年日本林秀一先生《關於〈孝經述議〉復原的研究》一書中所載明應六年（1497）古抄本殘卷照片過錄，珍貴難得。

關於本書所錄《古文孝經》，係選用日本學者太宰純據足利學校所藏古抄本（相當於明朝初、中期的抄本），「以數本校讎，且旁及他書所引」，整理改定而成，現收入鮑廷博《知不足齋叢書》第一集。阮元在《孝經注疏校勘記》中，批評此本「誕妄不可據」；鄭珍《巢經室文集．辨日本國《古文孝經》孔傳之僞》，稱此本是日本學者僞作；本書作者則認爲太宰本「決非作僞」，曾撰寫〈日本《古文孝經》孔傳的眞僞問題—經學史上一件積案的清理〉（北京：中華書局，《文史》23 輯，1984 年）為此本辨誣。

（游均晶）

《超越神話——緯書政治神話研究》

《超越神話——緯書政治神話研究》　冷德熙著　北京　東方出版社　367 頁　1996年5月

漢代盛行讖緯之學，它糅和了西漢經學與方士迷信之說，興起於西漢末年，大盛於東漢，直到漢代滅亡，學者都在此一思潮籠罩之下，東漢大儒如賈逵、馬融、鄭玄、何休等都精於讖緯，而且用讖緯解釋經書，成為漢代學術特色之一。

本書以哲學思辨的態度，從神話、歷史、文化、政治諸觀點，廣博採取緯書之說與經傳、史料、諸子、各家載錄做比較，釐析並印證「政治神話」此一概念。全書除〈引言〉外，分為〈緯書政治神話的貢獻：創世神話〉、〈聖王神話的結構分析〉、〈聖人神話研究〉、〈天人學說成為政治神話〉、〈政治神話與中國古代文化諸形態〉五章，詳細討論讖緯之學的源流、演變、貢獻，以及所反映影響於學術、文化、社會、政治上的種種論題，以證成關於「政治神話」的整個體系的研究。書末並有五篇附錄，均是有關緯書的專題研究，依次為：〈孝經與孝經緯比較研究〉、〈河洛之學源流略記〉、〈河洛政治神話試解〉、〈卦氣說及其神話特徵〉、〈象數原始研究〉等，有助於讀者對緯書進一步深入的瞭解。

本書對研究漢代經學、漢代政治思想史，提供了豐富的資料，以及更廣闊的思維空間，作者從文化哲學的角度，探討緯書在中國社會的生成、定位與影響，不單從迷信或政治目的看待，從緯書中可看到一個三皇、五帝、三王、五霸等的政治神話系統和神話歷史觀，有完整一貫的體系，對於研究經學史必然可提供相當的助益與啓發。

（奚敏芳）

《武進劉逢祿年譜》

《武進劉逢祿年譜》 張廣慶著 臺北 臺灣學生書局 264頁 1997年9月

劉逢祿（1774－1829），字申受，江蘇常州人。他是爲莊存與之外孫。十一歲時，外祖莊存與問起讀何書，他應聲如響，存與誇獎說：「此外孫必能傳其學」。舅氏莊述祖也說：「吾諸甥中，劉申受可以爲師，宋于庭可以爲友」。申受即劉逢祿。劉逢祿諸經皆有著述，於《春秋》之學爲多，計有《春秋論》、《公羊何氏解詁箋》、《公羊何氏釋例》、《發墨守評》、《箴膏肓評》、《穀梁廢疾申何》、《左氏春秋考證》，以及《論語述何》等。

研究清代《公羊》學之學者，雖都會述及劉逢祿，但有關劉氏的年譜則仍付之闕如。張廣慶先生，長年研究劉逢祿，以《劉逢祿及其春秋公羊學研究》爲題，撰作博士論文。撰述期間，將逢祿《劉禮部集》及相關資料，逐條分析，按時間先後編排，撰成《武進劉逢祿年譜》一書。全書分三卷，卷一「譜前」，敘譜主家世，以見其源流；卷二爲「本譜」；卷三「譜後」，敘述逢祿身後諸事，以見其影響之深遠。

本書除引述與劉氏相關之典籍近百種外，又引用莊鳳威等所撰之《毘陵莊氏族譜》、劉翊宸重修之《西營劉氏家譜》、劉祺編纂《武進西營劉氏清芬錄第一集》等書，資料更爲充實，洵爲劉氏之一大功臣。 （編輯部）

附錄一

《經學研究論叢》撰稿格式

本《論叢》爲方便編輯作業，謹訂下列撰稿格式：

一、各章節使用符號，依一、(一)、1、(1)……等順序表示。

二、請用新式標點，惟書名號改用《　》，篇名號改用〈　〉，書名和篇名連用時，應以「·」斷開，如《詩經·小雅·鹿鳴》。

三、引用語句所用括號，外括號用「　」表示，有內括號時，用『　』表示。

四、獨立引文，每行低三格。

五、注釋號碼請用阿拉伯數字標式，如❶，❷，……。

六、注釋之體例，請依下列格式：

(一)引用古籍

1.古籍原刻本

清毛奇齡撰：《周禮問》（清嘉慶元年刊毛西河先生全集本），卷3，頁5上。

2.古籍影印本

明郝敬撰：《尚書辨解》（臺北：藝文印書館，1969 年，百部叢書集成影印湖北叢書本），卷5，頁8下。

(二)引用專書

王夢鷗撰：《禮記校證》（臺北：藝文印書館，1976年12月），頁102。

(三)引用論文

1.期刊論文

屈萬里撰：〈宋人疑經的風氣〉，《大陸雜誌》第29卷第3期（1964年8月），頁23－25。

2.論文集論文

屈萬里撰：〈論禹貢著成的時代〉，《書傭論學集》（臺北：臺灣開明書店，1969 年），頁 116。

3.學位論文

張以仁撰：《國語研究》（臺北：臺灣大學中文研究所碩士論文，1958 年），頁 201。

4.報紙論文

丁邦新撰：〈國內漢學研究的方向和問題〉，《中央日報》，第 22 版，1988 年 4 月 2 日。

(四)再次徵引

1.再次徵引時，可用簡單方式處理，如：

❶ 程元敏撰：〈書疑考〉，《書目季刊》第 6 卷 3、4 期合刊（1971 年 6 月），頁 93。

❷ 同前註。

❸ 同前註，頁 98。

2.如果再次徵引的註，不接續，可用下列方式表示：

❹ 同註❶，頁 96。

附錄二

《經學研究論叢》稿約

一、本《論叢》每年三、九月各出版一輯。每年一、七月底截稿。

二、本《論叢》刊載海內外人士有關經學和經學家的相關論文和資訊。

三、本《論叢》僅刊登中文稿，且不接受任何已刊登過之稿件。

四、學術論文以一萬至兩萬字爲原則；出版資訊，每則以六至八百字爲限。特約稿不在此限。

五、稿件中涉及版權部分（如：圖片及較長之引文），請事先徵得作者或出版者之書面同意，本《論叢》不負版權責任。

六、來稿刊出後，學術論文部分贈送本《論叢》一冊，抽印本三十本；其他專欄，贈送本《論叢》一冊。皆不另付稿酬。

七、來稿請註明姓名、現職、電話（傳眞）、通信地址，以便連繫。

八、來稿請寄：

[106] 臺北市和平東路一段 198 號
臺灣學生書局經學研究論叢編輯部

國家圖書館出版品預行編目資料

經學研究論叢·第五輯

林慶彰主編.-- 初版.— 臺北市：
臺灣學生，1998(民 87)
面；公分

ISBN 957-15-0923-X (平裝)

1.經學 – 論文，講詞等

090.7　　　87016219

經學研究論叢·第五輯

主編者：林慶彰
責任編輯：游均晶
出版者：臺灣學生書局
發行人：孫善治
發行所：臺灣學生書局
臺北市和平東路一段一九八號
郵政劃撥帳號00024668號
電話：(02)23634156
傳真：(02)23636334

本書局登記證字號：行政院新聞局局版北市業字第玖捌壹號

印刷所：宏輝彩色印刷公司
中和市永和路三六三巷四二號
電話：(02)22268853

定價：平裝三二〇元

西元一九九八年八月初版

09003

ISBN 957-15-0923-X(平裝)